Rainbow's End

Lauren St John

Rainbow's End

Een jeugd in Afrika

Vertaald door Nina van Rossem

J.M. MEULENHOFF

Voor Miss Zeederberg, waar ze ook is...
En voor mijn vader, die ik eindelijk heb begrepen...

Ter bescherming van de betrokken individuen zijn sommige namen
en biografische details veranderd.

Oorspronkelijke titel *Rainbow's End. A Memoir of Childhood,
War & an African Farm*
Copyright © 2007 Lauren St John
Copyright Nederlandse vertaling © 2007 Nina van Rossem en
J.M. Meulenhoff bv, Amsterdam
Vormgeving omslag Studio Marlies Visser
Vormgeving binnenwerk Cee van Wee, Amsterdam
Foto's voorzijde omslag en binnenwerk privé-collectie Lauren St John
Foto achterzijde omslag Helen Bartlett

www.meulenhoff.nl
ISBN 978 90 290 7697 5 / NUR 302

De weerhaak in de pijl van kinderverdriet is dit:
zijn intense eenzaamheid, zijn grote onwetendheid.
Olive Schreiner, *The Story of an African Farm*

Inhoud

Rhodesië

MALAWI

Zambezi

ZAMBIA

Lake Kariba

Livingstone

Victoria Falls

BOTSWANA

Salisbury
Norton
Selous
Gadzema
Hartley
Gatooma
Lake McIlwaine

Fort Victoria

Gwelo

Bulawayo

Beitbridge

MOZAMBIQUE

INDISCHE
OCEAAN

Wegen
Spoorweg
Hoogland

0   50   100   150 km

Rainbow's End

Proloog

Ze hoorden daar niet thuis. Zo dacht Camilla er later aan terug.

Ze waren er alleen naartoe gegaan omdat haar schoonmoeder, die sinds anderhalf jaar aan kanker leed, sterk achteruit was gegaan. De plantagewinkel die al maanden op stapel stond zou de volgende dag worden geopend, en ze hadden een huis vol kinderen. Brian Lawson en zijn stiefbroer Alan uit Salisbury en hun eigen kinderen: Nigel van negen, Julie die over drie weken acht zou worden en Bruce van elf die sterk op zijn vader leek; hij was stil en hield hartstochtelijk van wilde dieren. Waar kon je ze beter mee naartoe nemen dan Rainbow's End?

Dit speelde in 1978, op het hoogtepunt van de guerrillaoorlog in Rhodesië. In de afgelopen twee jaar waren de door communisten getrainde troepen van de Zimbabwe African National Liberation Army (ZANLA) en de Zimbabwe People's Revolutionary Army (ZIPRA) – terroristen of nationalisten, afhankelijk van je standpunt – onafgebroken over de Rhodesische grenzen gestroomd vanuit hun basiskampen in Zambia en Mozambique. De strijd, die in de jaren zestig was begonnen met een paar kleine schermutselingen die zonder veel moeite waren onderdrukt, was uitgegroeid tot een wrede, bloedige oorlog. De aanslagen werden gericht op de plantages van blanke planters. Het leek alsof er bijna elke avond een afschuwelijke slachtpartij op het nieuws was. Elke week hoorde je nieuwe berichten over landmijnen, hinderlagen en andere terreuracties op het platteland in de omgeving.

Niets had Ben Forrester kunnen weerhouden zijn droom na te jagen: hij wilde een plantage bezitten in een wildreservaat. Op Wicklow Estate hadden ze alles wat hun hart begeerde. Camilla kwam uit een welvarende, aanzienlijke plantersfamilie en Ben had een goede baan; hij runde de vee- en tabaksonderneming van haar broer in Selous. Maar Ben had een onafhankelijk karakter. Hij wilde een mooie toekomst opbouwen voor zijn gezin. Hij wilde zijn droom, een leven in harmonie met de natuur en Afrika, waarmaken.

In 1976 kocht hij Rainbow's End, een mooie plantage van vijftig hectare, acht kilometer van Hartley. Ze woonden nog steeds op Shumavale, een van de drie plantages op Wicklow Estate, twintig minuten rijden met de auto, maar in zijn hart woonde Ben op Rainbow's End. Hij verbouwde zijn eigen graan en omheinde een mooi stuk land van vijf hectare langs de oevers van de Umfuli-rivier. Dat wilde hij gebruiken als wildreservaat. Hij verhuisde zijn oude ouders naar het grote huis met het rieten dak. In de zitkamer hadden ze uitzicht op de wilde dieren die bij zonsondergang afdaalden naar de waterpoel: vijftig impala's, een wildebeest, twee struisvogels en een giraffe die haar benen sierlijk tot een driehoek spreidde terwijl ze uit het koperkleurige stuwmeer dronk.

Meestal bivakkeerde Camilla alleen op Rainbow's End wanneer Ben weg was om te vechten in de oorlog. Zoals de meeste gezonde blanke, Aziatische of zwarte mannen in Rhodesië moest hij vechten in het leger. Hoe lang de dienst duurde varieerde per legereenheid: zeven dagen per maand of vier weken dienst – vier weken vrij, of nog langer. Wanneer Ben vier weken weg was logeerde Camilla met de kinderen bij zijn ouders. Ben vond het daar veiliger, want ze waren niet alleen. Camilla, die verpleegster was, hielp zijn vader met de verzorging van zijn ernstig zieke moeder. Camilla hield even veel van Rainbow's End als Ben, maar iedereen wist dat de terroristen de stuwdam op de plantage gebruikten om de rivier over te steken. Ze zag er steeds meer tegenop om het hek van het wildreservaat open te maken, zeker als ze in het donker aan het slot moest morrelen. Het was een ideale plaats voor een hinderlaag. Een keer, toen Bruce in het donker uit de auto stapte om het hek open te maken, voelde ze in volle hevigheid hoe verschrikkelijk kwetsbaar ze waren – een angstige moeder en een jonge, voorzichtige zoon. Ze riep dat hij moest opschieten.

Onlangs had ze iets meegemaakt waardoor ze anders over Rainbow's End dacht. Ze was midden in de nacht wakker geschrokken door het overweldigende gevoel dat er een kwaadaardig wezen in huis was. Het gevoel was zo sterk en het maakte haar zo angstig dat ze de kinderen had wakker geschud. Ze hadden elkaars hand vastgehouden en gebeden. In de loop der weken was het gevoel langzaam weggeëbd, maar ze kon het niet uit haar hoofd zetten. Het was verdwenen, maar beslist niet vergeten.

Op maandag 9 januari werden de Forresters wakker bij het geluid van tsjirpende krekels en een oorverdovend vogelgezang – de heftige Afrikaanse lofzang op het leven na een periode van zware regenval. Niet lang daarna weerklonk het gelach van hun zonen en de schorre, overslaande stemmen van de logés in de galmende oude gangen van Rainbow's End. Julie, het enige meisje, lag ziek in bed, evenals Sheila, voor wie ze sinds kort een zwarte verpleeghulp in dienst hadden genomen. Camilla probeerde te zorgen dat de zieken zich niet buitengesloten voelden, vooral omdat de oude mijnheer Forrester op reis was naar het oostelijke berggebied. Ben moest de hele dag voorraden aanvoeren voor de plantagewinkel, en de jongens renden al met ontbloot bovenlijf naar de snelstromende bruine Umfuli-rivier voor het huis. De zomerzon scheen warm op hun blote huid.

Later op de ochtend moest Camilla met de auto naar Wicklow om boodschappen te doen. Tegen die tijd had Bruce lang genoeg gedoken en gespetterd in de bruisende poelen onder de stuwdam. Hij droogde zich af en zei dat hij graag mee wilde om zijn valk te laten vliegen. Op de landingsstrook in Wicklow stonden ze samen te kijken naar de vrije vlucht van de valk. Hij zweefde in de heiige lucht boven de afgebrokkelde startbaan voor de vliegtuigen waarmee de gewassen werden besproeid. Bruce was nooit een uitgesproken demonstratief kind geweest; hij was even verlegen en gereserveerd als zijn vader. Hij keerde zich in de vervoering van het moment naar zijn moeder en sloeg zijn armen om haar heen. Camilla drukte hem stevig tegen zich aan en voelde zich gelukkig.

Gisteren was tot haar doorgedrongen hoe kostbaar, en hoe kort, het leven was. Ze waren zoals gewoonlijk naar de kerk gegaan. Tijdens de dienst had de dominee verteld dat er de vorige dag een aanslag was gepleegd op een plantersfamilie in de plattelandsgemeenschap van Norton. Norton lag tussen Hartley en Salisbury. De gemeente kromp hoorbaar in elkaar. De meeste kerkgangers waren planters. Iedereen wist maar al te goed dat hen elk moment hetzelfde kon overkomen. Velen waren bevriend met de familie in kwestie.

Bill Miller was met zijn legereenheid op patrouille in de dalen rond Lake McIllwaine, toevallig dicht bij zijn eigen plantage. Zijn vrouw en twee dochters waren alleen thuis. Een brandstofleverancier in een vrachtauto klopte op de deur. Hij vroeg de weg naar het tweede huis op de plantage dat bewoond werd door Billy's broer en zijn vrouw, die op vakantie waren. Ze boden aan hem de weg te wijzen en liepen in een hinderlaag. Sheila Miller en de vijftien jaar oude Sarah werden onmiddellijk gedood. De andere dochter, Victoria, werd voor dood achtergelaten. Billy hoorde de schoten beneden in het dal.

Camilla kon niet verkroppen dat een heel gezin, sterk verbonden door liefde en herinneringen, met de snelheid van een kogel was verwoest. Geen van de betrokkenen in deze tragedie was waar ze hadden moeten zijn – of kunnen zijn – als de omstandigheden anders waren geweest. Dat was een onverdraaglijke gedachte. Ze was diep geschokt door het verhaal.

Terug op Rainbow's End zat ze een tijd bij Julie, die zich nog steeds niet lekker voelde en in bed lag, en las haar *The Snow Goose* voor, het verhaal van Paul Gallico over een eenzame vuurtorenwachter met een bochel en een gewonde vogel. Toen ze klaar was nam Ben haar apart en legde haar in detail uit hoe de plantagewinkel was georganiseerd. Camilla koesterde zich in de bescherming van zijn groene ogen, zoals ze al die dertien jaar van hun korte huwelijk had gedaan, en liet zich meevoeren door zijn enthousiasme. Veel mensen vonden Ben streng, maar iedereen beschouwde hem als een echte heer, de hoogste lof die je in Rhodesië kon krijgen. Hij was volkomen toegewijd aan zijn gezin. Ben was geen liberaal maar hij had een ideaal: hij wilde het leven van zijn Afrikaanse arbeiders verbeteren. Hij was goed voor hen. Hij had een tijd geleden op de plantage een school gebouwd voor hun kinderen, en de winkel was een volgende stap om hun levensomstandigheden te verbeteren. Zijn vrachtauto was volgeladen met goederen. De volgende dag zouden ze de winkel feestelijk openen.

Om zeven uur was het avondeten klaar om te worden opgediend. De verpleeghulp bracht een dienblad naar Sheila, in de grote slaapkamer aan de linkerkant van de hal, en Camilla, Ben en de jongens waren in de zitkamer. Het hele huis weerklonk van de vrolijke grappen. Buiten probeerden de kikkers het geraas van de stuwdam te overstemmen. Camilla overwoog of ze de achterdeursleutel zou pakken om de voordeur op slot te doen. De sleutel paste op beide deuren. De zon was nog maar net ondergegaan. Buiten was het al aardedonker, maar het was nog vroeg.

Julie riep uit de achterste slaapkamer. Camilla liep de gang in om te gaan kijken. Toen hoorde ze het – een vreemd geluid in de tuin. Het klonk dreigend.

'Wat was dat?' riep ze tegen Ben.

'Blijf daar, Cammy,' schreeuwde hij, en toen ontplofte de wereld.

Achteraf vroeg Camilla zich keer op keer af of ze het dubbelloops geweer in de slaapkamer had moeten pakken en schietend naar buiten had moeten rennen. Maar het was zo snel voorbij. Camilla hoorde alleen een kreet en het oorverdovende geratel van een machinegeweer, en daarna hoorde ze het afschuwelijkste geluid uit haar hele leven: een doodse stilte.

De minuten kropen voorbij. Opnieuw geweerschoten. Toen schuifelden er voetstappen over de betonnen vloer van de gang. Twee bebloede gestalten verschenen in de deuropening van de slaapkamer: Brian Lawson, gewond maar in leven, en Nigel, in tranen, met een stukgeschoten been.

'Pappie is dood,' barstte hij uit. Daarna: 'Bruce was zo dapper.'

Camilla zou nooit weten wat hij daarmee bedoelde. Koortsachtig zocht ze in de chaos van de kamer – tassen, natte zwembroeken en schooluniformen, die klaarlagen voor het nieuwe schooljaar, de volgende ochtend – naar de verbanddoos. Er spoot een straal bloed uit Nigels been; ze wilde hem niet ook verliezen. Uiteindelijk greep ze een donzen dekbed en bond dat om de gapende wond. Ze zorgde voor Brian. Ze troostte Julie. Toen verliet ze als in een droom de kamer.

De zitkamer was vuurrood, de vloer was glibberig van het bloed. Ben lag dood op de grond met zijn hand om de voet van zijn zoon. Bruce' halve gezicht was weggeschoten. Camilla staarde omlaag naar haar zoon, en dacht, ongerijmd en teder, hoe gezond zijn blootliggende botten eruitzagen, zo schoon en nieuw. Alan zat ineengezakt in een stoel, onder het bloed. Hij kreunde. Camilla begon met mond-op-mondbeademing, maar ze bemerkte tot haar afschuw dat ze niet een levende ademtocht had gehoord, maar het gereutel uit zijn stervende longen. Verdoofd liep ze naar de grote slaapkamer. De oude dame zat geknikt boven haar dienblad in een snel groter wordende plas bloed.

Overal rook het naar dood en eten. Er heerste een onverdraaglijke stilte. De keuken was leeg. De kokkin en de verpleeghulp waren weggevlucht in het donker. Werktuiglijk sloot Camilla de voor- en achterdeur af, zoals ze eerder had willen doen. Ze had geen idee waar de terroristen zaten en of ze zich opmaakten voor een nieuwe aanval. Ze liep terug naar de slaapkamer waar de kinderen dicht tegen elkaar aan zaten en pakte de revolver. Haar handen trilden zo hevig dat de revolver per ongeluk afging. De kogel vloog rakelings langs Julie heen.

In de kapotgeschoten kamer klonk het uitdagende gerinkel van de telefoon. Camilla liep terug door de gang en de plassen bloed om de telefoon op te nemen. Als een overblijfsel uit een vroegere tijd hoorde ze de luide, joviale stem van Richard Etheredge, die op de plantage naast hen aan de rivier woonde, door de lijn schallen: 'Gaat het goed? We hoorden schoten.'

'Nee,' zei Camilla. 'Nee, het gaat zeker niet goed.'

Iemand, ze wist niet meer wie, bracht hen die avond naar het ziekenhuis in Hartley. Zelfs dat was gevaarlijk, want de Umfuli was buiten haar oevers getreden en de vrachtauto dobberde op de krachtige stroom terwijl ze de rivier overstaken. Camilla dacht: dat kan ons ook nog overkomen. Dat we nu worden meegesleurd. Ze sloeg haar armen om Julie, die even bleek was als de jongens. De soldaten van de veiligheidsdienst die hen te hulp waren geschoten, meer dan een halfuur nadat Richard hen had opgebeld, hadden verzuimd de lijken te bedekken, en het kleine meisje had de verschrikking met eigen ogen aanschouwd.

'Ik zag pappie dood liggen,' zei ze tegen haar moeder.

In het ziekenhuis wilde dokter Bouwer Camilla een slaapmiddel geven wat ten minste tot de volgende ochtend zou werken. Ze zou ontwaken in een steriel ziekenhuis in Salisbury. Ze weigerde iets in te nemen tot de mannen van de ambulance arriveerden om voor de kinderen te zorgen.

'Daarna maakt het niet uit, dan kun je me met een stuk hout op mijn hoofd slaan,' zei ze tegen hem.

Ze keerde nooit terug naar Rainbow's End. In plaats van Camilla schrobden en dweilden haar broer en zijn vrouw, hoogzwanger van hun eerste kind, huilend de met bloed bespatte muren en vloeren schoon. Daarna stond het huis leeg. De bomen, die altijd te dicht rond het huis hadden gestaan, zodat het er somber uitzag, leken zich nog meer om het huis te verdringen; het gele gras reikte tot aan de ramen; het rieten dak werd grijs, verzakte en stortte in; de impala's en apen trippelden door de lege kamers. Zo zag het huis eruit toen ik het voor het eerst zag.

De dag dat we verhuisden naar Rainbow's End.

Giant Estate, Gadzema
1975-1978

1

De meeste mensen vluchtten uit Rhodesië weg voor de oorlog. Wij kwamen ervoor terug.

Het was in april 1975. Een jaar nadat we naar Zuid-Afrika waren verhuisd om een nieuw leven te beginnen, zaten we in de auto, volgestouwd met bezittingen, en reden met een noodvaart naar de heiige indigoblauwe lucht en de wildernis van gelige doornstruiken. Ergens daarachter wachtte ons volgende nieuwe leven. Mijn vader hield een Peter Stuyvesant-sigaret in de lucht met kringelende rook. De twee evenwijdige grijze rijstroken van de stripweg liepen waanzinnig smal uit naar de horizon toe. Mijn vader zei stellig: 'Twee dingen vond ik deprimerend in Kaapstad. Een: het weer en twee: de mensen die tegen me zeiden dat ik was gevlucht voor de oorlog. Ik kon niet uitstaan dat mensen tegen me zeiden dat ik was gevlucht voor de oorlog.'

Wat merkwaardig was, want het was niet eens zijn oorlog.

Het werd pas zijn oorlog toen hij in 1960 in zijn geboorteplaats, Uitenhage in Zuid-Afrika, toevallig een aanplakbiljet zag waarop soldaten werden geronseld voor het Rhodesische leger. In diezelfde week werd hij opgeroepen voor de militaire dienst. Hij dacht bij zichzelf: een kans om een ander land te zien! Fijn! Hoewel hij pas achttien was en het zou betekenen dat hij moest vechten voor de goede zaak van een ander. Ondanks het feit dat zijn familie in de oostelijke Kaapprovincie was geworteld sinds hun kolonistenschip, geteisterd door sneeuwstormen op de Theems en zeewinden in de Golf van Biskaje, in 1820 was geland in de Algoa-baai. In de jaren zeventig had mijn vader zich de oorlog in Rhodesië toegeëigend. Hij had bloed vergoten voor de oorlog en was getrouwd met mijn moeder, wier grootvader nog had samengewerkt met Cecil John Rhodes, die Rhodesië had 'ontdekt'. Haar voorgeschiedenis wemelde van de verhalen over pioniers die blootsvoets van Durban naar Bulawayo liepen, meer dan anderhalfduizend kilometer, om hun schoenen te sparen.

Mijn moeder zei altijd dat mijn vader een Rhodesiër was vanaf het moment dat hij de grens passeerde en zag hoe mooi het was. Niet dat Zuid-Afrika niet mooi was. In bijna alle opzichten was Zuid-Afrika mooier. Zuid-Afrika was rijker in natuurlijke grondstoffen. In tegenstelling tot haar geheel door land omgeven noordelijke buurland grensde Zuid-Afrika aan de oceaan, die krachtig bruisend tegen de kust sloeg. Maar het Rhodesische landschap sprak mijn vader aan. Hij hield van haar bescheiden schoonheid. Hij hield van de Rhodesische levensstijl en van de mensen die over het algemeen vonden dat je geen grotere misdaad kon begaan dan naast je schoenen te lopen. Bovenal hield hij van het 'ongelofelijke gevoel van vrijheid' dat door hem heen stroomde toen hij de grote groene brede Limpopo-rivier overstak. Dat gevoel verliet hem niet toen hij op zijn achttiende warm en zweterig in Bulawayo uit de trein stapte. Hij zag de keurige petten van de officieren van de RLI (Rhodesische Lichte Infanterie), die al hun tanden bloot lachten en de nieuwe rekruten met vriendelijke woorden begroetten. Hij beschouwde Rhodesië als het beloofde land en voedde mij op met dat idee.

Nu waren we Rhodesiërs in hart en ziel.

Hitte en stof kolkten door de autoraampjes naar binnen. Ik rook de leerachtige geur van koeien en iets anders – iets wat als een opstandige geest in je neusgaten drong en de adrenaline tintelend door je aderen joeg. Iets zo oud als Afrika zelf, als de leemachtige aarde of het zweet van de Afrikanen die langs de kant van de weg liepen, met een katachtige kaarsrechte rug. Ze droegen stapels goederen als wolkenkrabbers op hun hoofd: zakken maïsmeel, kratten met kippen of grote zonnebloemolieblikken waar het water uit klotste. Ze liepen voorbij in een reeks kiekjes met het fototoestel.

'Hoe komt het dat ze geen pijn in hun hoofd krijgen?'

'Hun hoofd is erg hard,' zei mijn moeder. 'Sst, zachtjes praten. Anders maak je Lisa wakker.'

Ze zette haar schildpadzonnebril af, tuitte haar lippen in het spiegeltje en stiftte haar lippen, als voorbereiding op de aankomst. Ik boog me over de rieten reiswieg en streelde het donzige haar van mijn zusje. Hoewel ze al heel lang zo hard huilde dat het een wonder was dat ze tijd over had om te ademen, zag ze eruit als de winnares van de Pears-zeep babywedstrijd. Maar ze had een dunne, klamme huid. Ik zag tot mijn schrik dat mijn arm even blauwachtig wit was als de hare en trok hem vlug terug, om te voorkomen dat mijn moeder het zou zien en iets zou zeggen. 'Heb je bloedarmoede?' vroegen grote mensen me altijd. 'Ben je ziek geweest?'

Er flitste een zwart bord voorbij: GADZEMA.

Als hier een stad was, was die niet te zien.

We vlogen over een smalle brug en scheurden aan de overkant omhoog. Mijn vader hield één oog op zijn horloge gericht. Hij reed zonder te remmen, zonder ooit snelheid te minderen voor voetgangers of fietsers. Hun enige waarschuwing was getoeter op het laatste moment. Ze kwamen met een schok tot leven, zagen dat ze op het punt stonden te worden toegevoegd aan de caleidoscoop van stuiptrekkende vlinders op het radiatorscherm van de auto en schoten zo snel mogelijk opzij, waarbij ze wanhopig probeerden de torenhoge last op hun hoofd in evenwicht te houden.

'Vader!'

'Errol, rijd alsjeblieft niet zo hard,' smeekte mijn moeder. 'Straks rijd je nog iemand dood.'

'In 's hemelsnaam, jongens, ik bots heus niet tegen ze op. Waar zie je me voor aan? Maar waarom lopen ze midden op de weg?'

Hij reed recht op een fietser af. Ik groef mijn vingers diep in de bank, en probeerde de auto door pure wilskracht tot stilstand te brengen.

Mijn moeder zei: 'Ik snap niet waarom je als een gek rijdt. De wereld vergaat niet als we vijf minuten te laat zijn.'

Ik hoefde niet voorin te zitten om te weten dat de blauwe ogen van mijn vader van kleur verschoten (Kaap de Goede Hoop in een orkaangrijs). Hij siste tussen zijn tanden: 'Ik word nu verschrikkelijk kwaad. Ik kom nooit te laat. Nooit!'

Ik keek om. De fietser gleed hulpeloos van de grindheuvel. Hij strekte zijn blote tenen uit en krabbelde naar vaste grond onder zijn voeten. Zijn rug was stijf van verontwaardiging. Hij kwam wiebelend tot stilstand aan de rand van de maquis en draaide zijn hoofd om ons woedend na te kijken, maar hij werd al snel een stipje tegen een groengouden achtergrond. Het rode stof wervelde omhoog en wiste hem uit.

Ik draaide mijn hoofd weer naar de trillende rijstroken, maar de sfeer in de auto was veranderd en ik keek of luisterde niet langer. Mijn lievelingsboeken met hun versleten kaften lagen op mijn schoot. In het afgelopen jaar had ik meer dan tien keer mijn handpalm tegen deze bladzijden gedrukt en gewenst dat het leven van de hoofdfiguren, de dichte mist in de moeraslanden vol smokkelaars, de heidevelden en kreupelbosjes in het licht van de sterren, de wilde ritten in galop door bergen en woestijnen, door osmose in mijn vingers zouden doordringen. Nu was dat niet langer nodig. Mijn vader had me een eigen paard beloofd. We gingen wonen op een plantage, midden in een oorlog tegen terroristen.

Ik draaide mijn raam verder open en boog naar buiten in de geladen, leerachtige lucht. Alstublieft God, dacht ik, laat me iemand zijn die avonturen beleeft.

2

Voor Giant Estate en lang voor Rainbow's End woonden we in een cottage aan de spoorlijn in Hartley, een stadje zonder paarden, honderd kilometer van Salisbury, de hoofdstad van Rhodesië. Mijn moeder werkte tot twee dagen voor mijn geboorte in de stoffenfabriek van David Whitehead, en mijn vader was controleur bij de spoorwegen. Tijdens een autorit gaf hij mijn moeder een open bruine enveloppe, waar een levende babycobra in zat.

Ze had het hem nooit vergeven. 'Wie geeft zijn vrouw nou een enveloppe met een cobra erin? Niet te geloven wat ik heb moeten verduren.'

Ik was toen een peuter. Tot grote woede van mijn moeder stopte hij de cobra, zijn nieuwe huisdier, in een houten kist voor visgerei in de keuken. Ze was ervan overtuigd dat de cobra zou ontsnappen en mij zou aanvallen, en lichtte telkens het deksel op om te kijken of hij er nog zat. Uiteindelijk beet hij haar bijna. Ze vroeg aan de tuinjongen of hij hem dood wilde maken. Het duurde enkele weken tot mijn vader het haar vergaf.

'Hij was echt prachtig,' mijmerde hij liefdevol. 'Je had die kleuren moeten zien.'

Daarna woonden we bij mijn grootvader en grootmoeder, mijn moeders ouders, in Salisbury. Mijn ouders waren arm en ze wilden een eigen huis bouwen. Ik werkte mijn grootvader op de zenuwen. Hij was doof en hield niet van kinderen. Mijn oom James leerde me schieten met een proppenschieter, mijn grootmoeder vertelde me het verhaal over de uil en de poes die naar zee gingen in een mooie knalgroene boot, en ik ging naar het circus. Ik liep een zeldzaam virus op, werd opgenomen op de intensive care en ging bijna dood.

Mijn vader werkte bijna een jaar lang overdag bij de elektriciteitscentrale en 's avonds tot sluitingstijd in een patatkraam. Daarna verhuisden we naar een roze cottage die Pussy Willow heette. Mijn moeder pureerde pompoen en rijst voor me, schepte het in mijn Beatrix Potter-kommetje en zette het op de vensterbank om af te koelen. 's Avonds klom ik in de voorraadkast en at suiker tot ik steenpuisten kreeg. Toen ik daarvan was genezen zag ik sterretjes en viel telkens flauw, en moest allerlei onderzoeken en hersenscans ondergaan tot de dokters concludeerden dat ik gewoon een duizelig dametje was.

Er gebeurde nog meer in Pussy Willow. Een: ik viel in de wc en werd gered door Samson, onze huisjongen. Mijn moeder was blij, maar ze zei ook dat een zwarte man mijn popo niet mocht zien. Twee: ik zette het stuur van onze auto op het stuurslot, nadat mijn vader me uitdrukkelijk had verboden dat te doen. Hij rende rondjes om de eettafel om me een pak slaag te geven terwijl mijn moeder voor me ging staan als een kleine, dappere leeuwin. Drie: op een van onze eerste vakanties gingen we met een ander gezin naar Beira in Mozambique, de favoriete badplaats voor blanke Rhodesiërs. Toen we daar waren kochten mijn vader en de andere man twee gegalvaniseerde ijzeren teilen vol reuzengarnalen. Mijn moeder en de andere vrouw pelden de garnalen voor het avondeten terwijl de mannen in de schemering op het strand lagen, lol trapten en biertjes achteroversloegen. De garnalen prikten met hun stekelige grijze hoofdjes in mijn moeders handen. Tegen de tijd dat de garnalen op het vuur oranjeroze kleurden waren haar vingers opgezwollen tot dikke worsten. Ze klaagde herhaaldelijk: 'Je kunt er niet meer tussendoor kijken!'

Hoewel ik gefascineerd was en natuurlijk oprecht medelijden met haar had, werd ik meer in beslag genomen door de zoete, naar houtskool smakende garnalen, de omhoogschietende vlammen in de zwarte, zilte nacht en de zilveren glans van de zee.

We woonden maar kort in ons volgende huis, een huis met twee verdiepingen waar we in trokken toen ik zes was. We bleven nauwelijks lang genoeg om de koffers uit te pakken. Kort na mijn zevende verjaardag emigreerden we naar Zuid-Afrika. Deze verhuizing werd mij voorgespiegeld als een gelukkig toeval. Tijdens een vakantie in Kaapstad was mijn vader de Escom binnengewipt, het Zuid-Afrikaanse equivalent van de elektriciteitscentrale. Hij werd met open armen ontvangen en kreeg direct een baan aangeboden. Toch voelde het als een vlucht. Op de dag van ons vertrek zat ik op het bed van mijn ouders in Salisbury naar mijn vader te kijken die een koffer pakte, toen er keihard op de achterdeur werd gebonsd.

'Blijf hier,' commandeerde mijn vader.

Zijn voetstappen stierven weg op de trap.

Ik liep naar het raam, schoof de gele gordijnen opzij en keek omlaag. Ik zag alleen het hoofd van een man en zijn schouders. Ik vond het jammer dat mijn moeder er niet was. Ze was al een eeuwigheid weg, leek het; eerst in het ziekenhuis en daarna in een herstellingsoord. Nu was ze in Kaapstad, op zoek naar een huis. Maar ik vond het nog erger om weg te gaan uit ons huis. Ik had met stompe stenen pijlpunten een pijl en boog gemaakt in onze verwilderde achtertuin, toen ik voor het eerst had gehoord over de Bosjesmannen, en ik had in onze zitkamer gedanst op *The Locomotion, D-I-V-O-R-C-E* en *Knock Three Times*, en ik had onze pluizige grijze poes Sparky uit een raam op de tweede verdieping gegooid om te zien of hij op zijn pootjes terecht zou komen (hij kwam op zijn pootjes terecht en overleefde het).

Ik hoorde kreten en plotseling zag ik mijn vader en een vreemdeling in een kantooroverhemd met maaiende gebalde vuisten vanuit de schaduw tevoorschijn springen. Ze lieten elkaar hijgend los, schreeuwden en gingen elkaar opnieuw te lijf; ze sloegen en stompten en omklemden elkaar in een wrede omhelzing. Ik kneep in de gele gordijnen. Moest ik naar beneden rennen en proberen ze tegen te houden? Moest ik me in een kast verstoppen voor het geval de man mijn vader in elkaar zou slaan en dan op zoek zou gaan naar mij? Moest ik doen alsof er niets aan de hand was, als mijn vader dit overleefde, moest ik doen alsof ik niets had gezien?

Ik ging weer op het bed zitten, gekweld door zorgen.

Toen mijn vader onder de blauwe plekken de kamer in beende, in een waas van duisternis, sprong ik op en riep: 'Waarom vocht je, vader? Waarom was die man boos?'

De duisternis richtte zich op mij. Hij snauwde: 'Bemoei je met je eigen zaken.'

Toen hij mijn gezicht zag betrekken zei hij: 'Er is niks, zie je?'

En daarna: 'Niet tegen mammie zeggen, oké?'

Hij glimlachte en sloeg zijn armen om me heen.

De wereld kantelde, wankelde even en stond toen weer recht.

Kaapstad is de plaats waar de Atlantische en de Indische Oceaan botsen. Het is de laatste snik van Afrika vóór de maalstroom van grijsgroene zeeën die bekendstaat als Kaap de Goede Hoop. Berucht, want de schepen, beenderen en goede hoop van een groot aantal vroege ontdekkingsreizigers zijn daar vergaan. Henry en George Peck, verre familieleden van mijn moeder, overleefden een schipbreuk in 1828 in Valsbaai. Ze konden voldoende bezittingen redden om een kraampje met gemberbier te beginnen. Wij kwamen aan in maart 1974. In Kaapstad waren hoge bergen, adembenemende blauwe baaien en wijngaarden, gesierd met Hollandse kaaphuizen. Wij woonden op de Tijgerberg, dicht bij mijn vaders werk, maar ver van alle mooie dingen. Toen ik het grasveld opliep – althans, het stuk grond waar het grasveld zou komen als we het hadden gezaaid – kreeg ik mijn hele voetzool vol duivelsdoorns. Er waren oneindig veel duivelsdoorns. Het leek alsof de aarde ermee was besmet.

Het huis was pas af en rook naar pleisterkalk, verf, vernis en nieuw tapijt. Aan weerszijden van de voordeur waren amberkleurige glas-in-loodramen, en er hing een koperen ketting om de inbrekers en moordenaars buiten de deur te houden. Het wemelde ervan, zei men. Uit het raam in de zitkamer zag je tientallen nieuwbouwhuizen, precies hetzelfde als dat van ons. Een vlakke, rechte weg verdween in de verte. Hij leek de wazige paarse bergen te raken. Het was een mooi uitzicht maar we woonden nu weer in een buitenwijk, en ik wilde het allerliefst een paard. Geen gewoon paard. Ik wilde een zwarte hengst.

Bij gebrek aan zwarte hengsten kochten mijn vader en moeder een jong poesje voor me, een Sealpointsiamees met blauwe ogen als bergmeren. Hij had een schitterende stamboomnaam maar ik noemde hem Kim. Kim hielp de grootste eenzaamheid verdrijven, maar hij kon me niet beschermen tegen de ruzies die sinds onze aankomst tegen de muren ketsten. Voor die ruzies gebruikte ik een kussen en ik begroef mezelf in boeken. Ik las elk paarden- en avonturenboek dat ik kreeg, telkens opnieuw. 's Avonds tuurde ik uit het raam. Ik hoopte geheimzinnige lichtjes te zien of mensen 'met kwade bedoelingen', zoals in mijn boeken, maar er gebeurde niets wat de saaie eentonigheid van ons leven doorbrak.

In de winter joegen er stormvlagen om het huis. Er scharrelden zwarte weduwespinnen door de goten, die in Kaapstad en omgeving 'knoopjes' werden genoemd. Elke morgen lagen Kim en ik in mijn bed te bibberen terwijl mijn moeder mijn schooluniform streek. Het was warm als ik mijn armen omhoogstak zodat ze het over mijn hoofd kon laten glijden. In de klas zat ik aan de verkeerde kant van de scheiding tussen Engels en Afrikaans. De Zuid-Afrikanen konden niet goed met elkaar opschieten, begreep ik. De Zoeloes hadden de pest aan de Xhosa's, en de Xhosa's hadden een hekel aan de Venda's en de Sothu's, die op hun beurt een hekel hadden aan de Afrikaners. De Afrikaners hadden weer een hekel aan de Engelsen en bijna, zo niet alle, negerstammen. Bijna alle mensen keken neer op de kleurlingen, afstammelingen van Maleisische en andere slaven, en van schandalige verbintenissen tussen blanken en onwillige Khois, Sans of Xhosa's. Die kleurlingen waren ongewenste herinneringen aan een verleden dat men het liefst zou vergeten.

Omdat de meeste mensen niet met elkaar konden opschieten, was ik bang dat ik geen vriendinnetje zou vinden. Toen ontmoette ik Fréderique, een Frans meisje met een paardenstaart en sikkelvormige kuiltjes in haar wangen. Haar moeder bakte zulke heerlijke luchtige ouderwetse Franse appeltaartjes dat mijn moeder, die een zoetekauw was, altijd stond te springen om me in het weekend naar haar toe te brengen. Freddie en de appeltaartjes waren het hoogtepunt van mijn verblijf in Kaapstad, samen met de roomtaartjes met kaneel, de in stroop gedoopte gefrituurde gedraaide deegkringels die 'koeksisters' werden genoemd, en sneeuwballen, marshmallows met een dun laagje chocolade en gemalen kokos uit Woolie's (Woolworths). Voor mijn moeder waren die dingen een extraatje. Ze was dol op Kaapstad en op ons glanzende, schone huis.

Maar mijn vader kwijnde weg. Hij is bleek op alle foto's uit die tijd, en hij kijkt ontevreden. Zijn haar is slordig en veel te lang. In Salisbury leek hij op zijn naamgenoot Errol Flynn, zelfs toen hij twee banen had. Hij was bruinverbrand en superfit door de leger-exercities. In Kaapstad verkeerde hij in een voortdurende staat van rusteloosheid, als een dier in de dierentuin dat gebukt gaat onder een dwangneurose. Hij droeg goedkope, slechtzittende bruine pak-ken, zijn handen werden bleek en zacht en hij was overduidelijk on-gelukkig.

Eind augustus in 1974 werd Lisa geboren. Tot het moment dat mijn moeder het ziekenhuis uitliep had ik gehoopt dat ik een broer-tje zou krijgen. Plotseling dacht ik paniekerig: 'Ik wil een zusje!' Mijn blijdschap was echter van korte duur want ze huilde voortdu-rend alsof ze allerlei kwellingen onderging, hoewel de dokters niet konden ontdekken wat haar mankeerde.

Mijn ouders maakten nog altijd ruzie, onderbroken door het gehuil van Lisa. Ik knuffelde Kim, las bij een zaklantaarn onder de dekens en voelde me verschrikkelijk alleen.

Op 4 november hoorden we een luid kabaal met sirenes en zwaailichten buiten de school in Gladstone Street, in Belville. Poli-tieagenten zwermden naar alle kanten over straat. Plotseling ston-den ze midden in de klas en vroegen of we een manke kleurling hadden gezien bij het huis aan de overkant. Hadden we hem het huis zien binnengaan? De volgende ochtend stond het op de voor-pagina. Susanna Magdalena van der Linde, een zesenveertig jaar oude moeder van drie kinderen, was doodgestoken met een schaar. De voornaamste verdachte was Marthinus Choegoe, een manke kleurling.

De 'schaarmoord', zoals het geval werd genoemd, groeide uit tot een van de beruchtste moordzaken in de geschiedenis van Zuid-

Afrika. Drie jaar daarvoor was Christiaan, de zevenenveertig jaar oude echtgenoot van de vrouw, een verhouding begonnen met de toen zestienjarige Marlene Lehnberg, in de orthopedische kliniek waar ze allebei werkten. De maanden verstreken en Christiaans beloften dat hij zijn vrouw zou verlaten leidden tot niets. Marlenes verliefdheid werd een obsessie. Ze gaf de tegenstribbelende, werkloze Choegoe, een patiënt in de kliniek, geld om Mrs Van der Linde te vermoorden. Hij ging drie keer naar het huis, maar kon zich er niet toe zetten de moord te plegen.

Niet uit het veld geslagen probeerde Lehnberg een student aan de technische universiteit over te halen de moord te plegen. De student schrok terug voor moord. Vervolgens stal ze zijn pistool. Opnieuw vroeg ze Choegoe om hulp. Ze stelde hem seks en een auto in het vooruitzicht als hij Mrs Van der Linde zou vermoorden. Om negen uur 's ochtends op 4 november reden ze samen naar het huis. Lehnberg zei tegen de politie dat ze in de auto was blijven zitten, maar er waren getuigen die hadden gezien dat ze samen met Choegoe het huis was binnengegaan. Lehnberg gaf Mrs Van der Linde een kaakslag met het handvat van het pistool en Choegoe maakte haar koud met een schaar die op het buffet lag. Naderhand spoot Lehnberg groene verf uit een gaspistool op Choegoe. Ze zei dat ze alles zou ontkennen als hij werd gepakt. Een paar weken later liep ze tegen de lamp, verstrikt in een web van haar eigen leugens. Ze werden allebei veroordeeld tot de galg, een vonnis dat in hoger beroep werd verzacht tot gevangenisstraf. Christiaan was een gebroken man. Hij bleef rouwen en stierf tien jaar later.

Deze afschuwelijke misdaad die zich vlak bij onze school had afgespeeld, maakte een blijvende indruk op me. Ik kon de bijzonderheden niet uit mijn hoofd zetten – de groene verf, de schaar op het buffet en de manke kleurling. Ik zag het zo levendig voor me alsof ik het zelf had meegemaakt. Vervolgens hoorde ik dat een oude vrouw uit onze buurt was vermoord door een andere kleurling. Hij had de ketting aan haar deur doorgebroken en haar gewurgd.

Vanaf die tijd werd ik in mijn nachtmerries achtervolgd door kleurlingen met scharen. Ze slopen door de winderige steeg achter ons huis, glipten door mijn raam naar binnen en drukten me neer op het bed. Hoewel ik mijn longen uit mijn lijf schreeuwde, waren het zwijgende kreten in mijn slaap, en niemand kwam me ooit redden. De kringen onder mijn ogen werden paars en daarna blauwzwart. Elke nacht maakte ik mijn ouders wakker en kroop bij ze in bed. Toen ze me dat verboden, sloop ik zonder iets te vragen naar binnen en kroop als een zwerfhondje aan het voeteneind van hun matras.

Op 11 februari 1975 werden we op een dramatische manier verlost. We kregen een enveloppe met het poststempel van Hartley. Mijn moeder was net teruggekeerd van een bezoek aan haar ouders waar ze Thomas en Sue Beattie had gezien. Thomas en Sue Beattie waren rijke planters met renpaarden, met wie mijn vader bevriend was geraakt in Hartley. Hij was jockey geweest voor Thomas bij de amateur-paardenrennen. Tijdens de lunch had mijn moeder laten vallen dat mijn vader heimwee had naar Rhodesië, zich schuldig voelde omdat hij niet meevocht in de oorlog en nog steeds droomde van een leven op een plantage. Thomas bood hem een baan aan. Hij bood mijn vader een salaris van 6000 dollar per jaar als zetbaas voor Giant Estate, een van zijn plantages. Hij kreeg de verantwoordelijkheid voor 3200 koeien, 56.000 hectare maïs en 20.000 hectare katoen.

'Errol, laat me onmiddellijk weten wat je besluit,' schreef Thomas. 'Ik kan je bijna direct in dienst nemen. Hoe dan ook, jij bent nu aan zet.'

Mijn moeder hield van Kaapstad, maar ze hield nog meer van mijn vader. Dit was de meest bitterzoete brief die ze had kunnen krijgen. Ik wilde diezelfde dag nog pakken en vertrekken. Mijn vader stond in dubio. Het ene moment wist hij zeker dat een plantage en de oorlog in Rhodesië het enige bestaan was wat hij wilde; het volgende moment was hij overtuigd van het tegendeel. Ten slotte hakte hij de knoop door. Hij bestelde een verhuiswagen en het huis werd te koop aangeboden. Op het laatste moment sloeg de angst hem om het hart. 'Als we hier blijven, koop ik een paard voor je,' beloofde hij.

Maar ik wist dat het niets voorstelde, een loze belofte. Nog meer ruzies. Op een dag kwam hij tijdens zijn lunchpauze uit zijn werk rennen met twee vliegtickets. Hij commandeerde mijn moeder en mij zowat het vliegtuig te nemen. Hij zou ons over land achterna reizen in de Austin Apache.

'Oké, vriendin,' zei hij toen hij me het nieuws kwam vertellen. 'Weg met die zure gezichten. We gaan naar huis.'

'Terug naar Rhodesië?'

'Terug naar Rhodesië.'

Ik ervoer het als een bevrijding.

3

Ik herinner me de ochtendzon, het onweerstaanbare licht dat overal doordrong. Het licht overstroomde en kleurde alles op zijn weg – stoffen, muren, zelfs het gras – met zijn schitterende oranjegouden gloed. En ook de vogels die in alle toonaarden door elkaar heen zongen en floten, een volkomen vrije expressie in een volmaakte harmonie, als een spontaan orkest.

Ik deed mijn ogen open en knipperde tegen het felle licht. Mijn moeder sliep nog, haar hazelnootkleurige haar lag uitgewaaierd op het kussen. Mijn vader was weg sinds de dageraad. Ik had zijn rokershoestje in de gang gehoord en was uit de kinderkamer naar hem toe gestommeld, verkreukeld door de slaap. Ik vroeg of ik alsjeblieft op een van de renpaarden mocht rijden. De paarden hadden ons met hun fijne hoofden nagekeken toen we de vorige middag de oaseachtige tuin van de Beatties waren binnengereden. Hij lachte, en streelde mijn haar. Wanneer de paardenjongens kwamen mocht ik aan een van hen vragen of hij Troubleshooter, een glanzend donker voskleurig paard, een halster wilde aandoen om een rondje met mij over het erf te lopen. Daarom kroop ik op zijn plek naast mijn moeder, die nog steeds warm was, en wachtte ongeduldig tot de dag begon.

Tot nu toe was het leven op de plantage heel anders dan ik had verwacht. Na onze aankomst en allerlei opgewonden gesprekken over de oogst en het vee, hadden we geluncht bij de Beatties. We zouden bij hen logeren tot onze meubels aankwamen. Sue Beattie was schilderes en de kamers roken vaag naar olieverf. Overal hingen reproducties van Monet tussen ingelijste foto's van Sue en Thomas, met allerlei verschillende renpaarden. Ze hadden drie zonen, Dou-

glas van zeven, Hamish van zes en een baby, Gareth, met een vuurrode bos haar. Toen we klaar waren met eten werd ik weggestuurd
om met de grote jongens te spelen. Dat vond ik vervelend want ik
wilde bij de volwassenen blijven om iets over 'de situatie' te horen.
Tijdens de lunch had Thomas ons verteld over een terroristische
aanslag op Shamrock, een van zijn plantages. Sue had de vrouw van
de zetbaas horen gillen op de Agricalert, een tweezijdige radio die in
directe verbinding stond met het hoofdbureau van politie. Ze was
bezig de geweren te laden voor haar man. Er was een politie-eenheid gekomen om hen te redden. Er was niemand gedood, behalve
één van de terroristen – ze hadden zijn lijk in een mijnschacht gegooid – maar later troffen ze kogels aan in de muur boven het babywiegje.

Thomas was een Dickens-achtige figuur. Hij had enorme bakke-
baarden, de huidskleur van een roodharige en het temperament dat
daarbij paste, maar hij had geen haar meer op zijn kop. Elke centimeter van zijn sproetige lijf zinderde van kracht – in termen van
spierkracht, maar vooral in uitstraling. Zijn huisgenoten liepen
duidelijk op eieren, behalve Sue, met wie hij een stormachtige maar
liefdevolle relatie had. Zijn bedienden krompen in elkaar voor hem.
Zelfs de lucht leek voor hem te wijken.

Desondanks voelde ik me onwillekeurig tot hem aangetrokken.
Hij had een zeer meeslepende uitstraling. Hij had een aanstekelijke
daverende lach en een rotsvast vertrouwen in zijn positie in huis en
in Rhodesië. Hij leek een figuur uit een andere tijd – een tijd waarin
mannen als Rhodes met grote passen door Afrika beenden, zoals
Thomas nu ook deed, en anderen hun wil oplegden. Hij was met
niets begonnen. Nu bezat hij vijf plantages, Giant Estate, Morning
Star, Lion's Vlei, Shamrock en Braemar, een paar plantagewinkels
en samen met zijn vader en broers een keten van slagerijen.

Na een kennismaking van één middag stuurden ze ons naar bed.
Ik moest met mijn hoofd bij de voeten van Douglas liggen. Ik was
nog nooit zo dicht bij een jongen geweest. Tien minuten lang lag ik
stokstijf stil van verlegenheid, zonder een oog dicht te doen. Toen
maakte Douglas een tent van de dekens, knipte een zaklantaarn aan
en fluisterde: 'Wil je neuken?'

Ik vroeg: 'Wat is dat?'

Misschien is het een kaartspelletje zoals pesten, dacht ik.

'Ik laat jou de mijne zien en jij mij de jouwe.'

Daar moest ik even over nadenken. Aan de ene kant was het zonde om deze mooie kans voorbij te laten gaan, maar ik wist dat je je popo niet aan een zwarte man mocht laten zien. Ze zouden het niet waarderen als ik hem aan een blanke jongen liet zien, dus ik wees het aanbod spijtig af.

'Oké,' gaf Douglas toe. 'Dan laat ik je alleen de mijne zien.'

Ik steunde op een elleboog om hem te bestuderen. Hij zag eruit als een slak waar je per ongeluk op was gaan staan, die ondersteboven was gevallen zodat je alleen de bleke onderkant kon zien en het ondersteboven gekantelde huisje. Alleen de voelsprieten ontbraken.

Er klikten hakken in de gang. Douglas knipte de zaklantaarn uit en trok zijn pyjamabroek omhoog. Sue zei door de deur heen: 'Jongen, als je vader je hoort praten krijg je moeilijkheden.'

Ik voelde dat het beter was om moeilijkheden te vermijden, en Douglas was het duidelijk met me eens. Zonder een woord deden we onze ogen dicht.

Mijn moeder wierp één blik op ons nieuwe huis en barstte in tranen uit. Er waren bijna geen voorbereidingen getroffen voor onze komst. Op het eerste gezicht leek het, toen we stil hielden voor het verroeste, met krullen versierde hek en het huis aan de overkant van een weelderig begroeid veld zagen liggen, alsof het huis veertig jaar leeg had gestaan. Het was een rommelig oud mijnbouwhuis met een schuin dak van golfplaten. De veranda was afgeschermd met kapotte horren en er zat een nest venijnige bijen in de schoorsteen. De muren waren vol scheuren; in de spleten zaten mieren, horzelnesten en witte zijdeachtige bollen vol babyspinnetjes. Er stroomde bruin badwater uit de kraan. Er was een lelijke betonnen vijver bij de voordeur.

Mijn moeder huilde twee weken lang en Lisa huilde mee. Ze had zich op het ergste voorbereid – 'Ik ken die oude plantages, ik weet dat het geen lolletje is' – en ze had zelfs een voorwaarde gesteld. Als mijn vader zijn droom van een plantage mocht realiseren, mocht zij een wereldreis maken (wat ze al haar leven lang wilde). De realiteit was meer dan ze kon verdragen. Mijn vader kon nauwelijks medeleven opbrengen; hij was de Beatties bovenmatig dankbaar dat ze hem dit huis en deze baan hadden gegeven en hij was blij dat hij weer in de oorlog mocht vechten.

Ze kreeg ook niet veel medeleven van mij. Ik was zo blij weer thuis te zijn in Rhodesië, in de nabijheid van paarden; ik zou bereid zijn geweest onder een struik te slapen.

Bij het huis hoorden twee tuinjongens, Peter, een kok/huisjongen, met een melodieuze stem en een melancholieke glimlach, en een kindermeisje, Maud. Maud en Peter kwamen uit Malawi. Maud werd onmiddellijk onze tweede moeder; soms was ze bijna onze eerste moeder. Ze had hoge jukbeenderen en een natuurlijke elegantie. De rozewitte en paarswitte jurken met bijpassende hoofddoeken die mijn moeder voor Maud door de kleermaker liet naaien, bleven gedurende de drukste dagen altijd smetteloos schoon. Ze had een wijze uitstraling. Ik heb een blijvende herinnering aan Maud. Ze paste op Lisa en mij, met haar handen op haar heupen, soms geamuseerd, maar meestal met nauwelijks verholen misprijzen. Toch was ze er altijd, hoe ze ook over ons dacht. Ze was altijd betrouwbaar, waakzaam en zorgzaam.

Aan het eind van de oprijlaan was een rode onverharde weg die aan de ene kant naar de landerijen leidde en aan de andere kant naar de stripweg, de kraal en de plantagewinkel. Er lag een *vlei* tussen onze plantage en die van Chris en Darlene Adcock. Ze hadden twee kinderen en woonden in een mijnbouwhuis dat nog erger vervallen was dan het onze. Aan die kant lag ook het prachtige huis van de Beatties met de renpaarden in de paddock.

De plantage bestond uit 120.000 hectare landbouwgrond met goede maïs, katoen en tarwe, in tweeën gedeeld door de stripweg. De koeien liepen in de weilanden achter een waas kastanjebruin stof. De katoenvelden lagen aan de voet van een rotsachtige, met bomen en aloë's bedekte heuvel die een *kopje* werd genoemd. In mijn ogen was het een kleine berg. Aan de voet van die berg was de Giant-mijn. Rond de eeuwwisseling was Giant de op één na grootste goudmijn in een land dat rijk was aan mineraalafzettingen, zoals koper, chroomijzersteen, nikkel, lithium en edelstenen. In de jaren zeventig was de mijn grotendeels beroofd van zijn schatten. Er pikte nog steeds optimistisch een ertsmolen in de grond. Thomas was niet de eigenaar; hij pachtte de putten en had een paar mijnwerkers in dienst. De mijnwerkers hadden een humeurige tamme parelhoen die volgens mijn vader de 'brutaalste' was die hij ooit had gezien. 'Als je haar één moment niet in de gaten houdt, valt ze je aan.'

Afgezien van de bedienden had het huis ook een gemeenschappelijke telefoonlijn. We hadden een zwarte bakelieten draaitelefoon die je voet kon verbrijzelen als je hem liet vallen, zo zwaar was hij. Hij rinkelde luid, dag en nacht. We mochten de telefoon alleen opnemen wanneer ons eigen signaal klonk (drie kort en één lang) – hoewel de nieuwsgierige aagjes uit de streek graag stiekem de haak oplichtten en gesprekken afluisterden. Ik probeerde het ook een paar keer maar werd altijd onmiddellijk gesnapt. 'Ag, nee toch, hang alsjeblieft op! Heb je niks beters te doen? Is dat Frikkie Bredenkamp? Frikkie, ben jij dat?'

Mijn moeder was in een shocktoestand. Ze verschanste zich in haar bed met Lisa en een stapel Lucy Walker-boeken, over mooie jonge vrouwen die verzeild raakten op afgelegen, onherbergzame veeboerderijen in de Australische wildernis en mannen met vierkante kinnen die genoten van de barre omstandigheden. Mijn vader, die op hen leek, was zes of zeven dagen per week van 's ochtends vroeg tot 's avonds laat weg. Ik hing de hele dag over het hek om de paddock achter het huis van de Beatties en voerde hapjes aan Troubleshooter, terwijl Maud, Peter en de tuinjongens veegden, schrobden, bijen uit de schoorsteen rookten en met *bemba's* – zelfgemaakte, handgesmede en geslepen zeisen – mistroostig inhakten op de jungle in onze tuin die tot aan hun middel reikte.

Hun bezigheden verstoorden het natuurlijke evenwicht. Toen we op een ochtend wakker werden ontdekten we een paar volwassen boomslangen. Ze hingen in lussen gedrapeerd in de top van de seringenboom op de oprijlaan. Het vrouwtje was bruin, het mannetje was erwtengroen. Zodra mijn moeder ze zag, was ze vastbesloten dat die slangen wegmoesten. Ze was bang voor de dood in al zijn verschijningsvormen; giftige boomslangen hoorden daarbij. Maar ik had mijn vaders fascinatie voor slangen geërfd. Mijn vader verkocht als tiener pofadders uit de plantage van zijn oom Dan aan het Fitzimmons Snake Park in Durban. Ik wilde dat ze de slangen met rust zou laten.

'Ha! Wat gebeurt er wanneer ze uit de boom komen en jou of Lisa bijten?'

'Waarom wachten we niet tot vader thuiskomt?' stelde ik voor, maar mijn moeder luisterde niet.

Ze verdween in het huis en kwam terug met een lang oeroud dubbelloopsgeweer dat mijn vader had gekregen om de plaag van wilde varkens op de plantage onder controle te krijgen. Peter en de tuinjongens riepen: 'Aaah!' en drukten zich plat tegen de muur. Maud en ik voegden ons bij hen. De manier waarop mijn moeder de loop van het geweer in de modder ramde, terwijl ze met trillende handen de patronen in het magazijn propte, verried dat ze niet gewend was met geweren om te gaan. Ze kon dat maar beter zo laten.

Ze richtte op de boomslangen. Er weerklonk een oorverdovende knal; een groot stuk van de seringenboom brak af en plofte op de grond. De slangen begonnen onrustig te kronkelen.

Na vijf schoten en twee keer opnieuw laden met de geweerloop in de modder vielen de ontplofte boomslangen uit de lucht in een gruwelijke confetti van kraakbeen en stukken boomschors, twijgen en bessen. Maud en Peter vlogen krijsend naar de keuken; de tuinjongens renden voor hun leven. Ik stond als aan de grond genageld te kijken naar de dode slangen die, hoewel onthoofd en in stukken geschoten, nog steeds kronkelden en beten in een razende ontkenning van de dood. Toen keek ik naar mijn moeder. Ze staarde zo wit als een doek omlaag naar de geweerloop die, helemaal volgestouwd met modder, in opstand was gekomen, in tweeën was gespleten en zichzelf had afgepeld als een banaan. 'Ik had mijn hoofd eraf kunnen schieten,' hijgde ze.

Misschien was het allemaal te veel voor haar. Toen ze me die avond een nachtzoen kwam geven klonk haar stem verkouden, alsof ze had gehuild. Ze ging op de matras zitten en de kuil werd dieper. Zodra we genoeg geld hadden zou ik een vurenhouten bed krijgen, maar tot die tijd lag ik dubbelgevouwen in een afgedankt plantersbed. De springveren hadden lang geleden de geest gegeven. Het was alsof ik in een hangmat sliep.

Ze zei: 'O, liefje, verlang je niet terug naar ons mooie huis in Kaapstad?'

Ik wilde haar niet kwetsen maar ik wilde ook niet liegen, dus ik zei: 'Het was *lekker* maar ik vind het hier fijn, moeder. Jij niet?'

Ze zuchtte. 'Dan moeten we er maar het beste van maken.' Na een stilte vervolgde ze: 'Ben je niet al te bang? Ben je bang voor de oorlog?'

'Nee-ee.'

'Want ik wil niet dat je je zorgen maakt over de terroristen. Je vader heeft geweren en we zijn hier heel veilig.'

'Weet ik.'

'Zal ik je een gebedje leren dat grootmoeder altijd opzei als ik bang was toen ik klein was?'

'Maar ik ben niet bang.'

'Nou, maar toch...'

'Oké.'

Mijn bed heeft vier hoeken; er staan vier engelen bij mijn hoofd,
Mattheüs, Marcus, Lucas en Johannes: zegen het bed waar ik op lig.

'Zo zegt grootmoeder het niet.'

'O?' Ze klonk van haar stuk gebracht. 'Wat zegt grootmoeder dan?'

Mattheüs, Marcus, Lucas en Johannes: zegen het bed waar ik op lig.
Als ik vóór de ochtend sterf, bid ik dat de Heer mijn ziel tot zich neemt.

Ze fronste haar wenkbrauwen. 'Dat klinkt niet leuk. Laat die laatste zin maar weg. Hoe dan ook, onthoud dat God van je houdt en ik van je houd.'

Ze bukte zich om me een zoen te geven en de rozencrèmegeur van Oil of Olaz zweefde om haar heen. 'Wees niet bang voor de boeman.'

'Goed.'

De deur viel dicht en de inktzwarte duisternis stroomde naar binnen. Ik hield me schrap voor mijn nachtelijke angstaanval uit Kaapstad, maar de boemannen uit mijn fantasie – de kleurlingen met scherpe scharen – leken hier kinderachtig en ver weg. De oorlog was nog onbekend. Wat betekende het? Ik klemde de Siamese warmte van Kim stevig tegen me aan en zei mijn gebedje op als een mantra. Ik lag lang te luisteren naar de aanzwellende stilte van de nacht en de stampende goudmijn in de verte, als een hartenklop.

4

Het leven begon. De achtergrondgeluiden van mijn vroegere bestaan waren ruzies of een eindeloze stilte met een tikkende ijskast; nu hoorde ik de ritmische geluiden van Afrikaanse gitaren, marimba's en veelstemmig gezang uit de krakerige radio van de winkelier, en de vrolijke ochtendchaos van koeien, schapen, kraaiende hanen en snel rijdende tractors. 's Avonds op de terugweg van de velden zaten de vrouwen achter op de tractors en zongen vraag-en-antwoordliederen terwijl ze langs ons huis rolden. Ze staken af tegen de vlammende magnoliakleurige wolken in de zonsondergang.

Mijn vader bracht me bijna direct een Hereford-kalfje zonder moeder. Aanvankelijk was Daisy een en al ogen met rode wimpers die me aanstaarden vanuit een warrige bos engelachtige krullen, boven op een mager kastanjebruin lijf, maar toen ze groter en zelfverzekerder werd groeide ze uit tot een echte persoonlijkheid. Mijn moeder gaf me een van Lisa's oude flessen. Ze leerde me hoe ik de fles moest steriliseren en de melk moest opwarmen tot de juiste temperatuur. Ik voedde haar een paar keer per dag en maakte haar schoon onder haar staart zoals een koe zou doen, alleen met een vochtige doek. Toen ze de fles in één teug kon leegdrinken speende ik haar en leerde haar uit een emmer te drinken. Eerst liet ik haar op een handvol melk zuigen, daarna liet ik mijn hand geleidelijk zakken in het romige schuim.

De adoptie van Daisy was het begin van een lawine huisdieren. We gaven tijdelijk onderdak aan een ezel, en adopteerden een magere zwarte straathond, Muffy. Mijn moeder vond een Siamees kameraadje voor Kim – Coquette – bij de dierenbescherming. Mijn vader, die al jaren een Staffordshire bulterriër wilde hebben kocht een stel puppies en noemde de zwarte reu Jock naar *Jock of the Bushveld*, en de gevlekte teef Jess. Ten slotte bracht de 'schapenjongen', een verschrompelde tandeloze oude man, me mijn eerste verstoten lammetje. Ik noemde haar Snowy en de twee volgende lammetjes Misty en Baringa. Ik zette ze in een ren met Daisy en was gek op ze.

Na twee weken handenwringen besloot mijn moeder dat ze haar toekomstige bestaan als plantersvrouw zo stijlvol mogelijk wilde inrichten (binnen de grenzen van ons karige inkomen). Thomas was zo dom haar te vertellen dat de David Whitehead-fabriek verplicht was gratis lappen stof aan hem te leveren, na afvalstoffen te hebben geloosd op Lion's Vlei. In de daaropvolgende jaren buitte mijn moeder deze milieublunder uit. Ze oefende emotionele chantage uit als voormalige werkneemster. Ze maakte de fabriek zoveel gratis lappen stof afhandig dat ze haar uiteindelijk smeekten ermee op te houden. De naaimachine snorde voortdurend. Ze naaide gordijnen, kussenslopen, zonneschermen voor de veranda en kleren voor Lisa en mij. In de tussentijd bakte ze taarten en gaf de bedienden opdracht bloemen te planten, kippen te roosteren en eindeloze stapels was te doen.

Midden op de ochtend, vijf dagen per week, boog Maud zich over een teil met schuimend sop van Surf Blue waspoeder – 'Suffa' noemde ze het – en klopte de hardnekkige vlekken eruit met behulp van een vurenhouten wasbord en een stuk Sunlight-zeep ('Sunright'), een vette groene zeep die kunstmatig naar dennengeur rook. Die zeep werd in lange staven verkocht en op maat gesneden. Zijzelf rook naar Lifebuoy, een rode carbolzeep die weeïg naar goedkope roze bodylotion geurde, uit de ok-bazaar.

Toen ik me net zoals Maud wilde wassen met Lifebuoy, griste mijn moeder de zeep uit mijn handen. 'Doe niet zo raar. Lifebuoy ruikt afschuwelijk.'

'Maar de *munten* wassen zich ermee.'

'Ja, nou, zij zijn anders. Misschien kunnen ze geen Lux betalen.'

Dit sloeg ik op als een algemeen bekend feit over Afrikanen. De andere algemeen bekende feiten waren:

- Als je ze verwende, werden ze brutaal.
- Ze konden goed zingen en dansen.
- In het weekend waren de mannen niets waard. Al hun vrije tijd zaten ze in de bierhal van de kraal Chibuku te drinken, 'het bier van plezier', een zuurruikend brouwsel van sorghum dat net als benzine in een grote vrachtauto werd afgeleverd, en werd geserveerd in papieren emmertjes.
- Ze hadden erg zoete baby's. 'Een zwarte baby hoor je nooit huilen,' zei mijn vader altijd, hoofdschuddend over het gebrul van mijn zusje. 'Nooit. In geen duizend jaar.'
- De grote zwarte kinderen hongerden naar kennis. Ze wilden zó graag leren dat ze bereid waren tien kilometer of meer te lopen naar school. Eenmaal op school deden ze erg hun best – anders dan de meeste blanke kinderen, die elk excuus aangrepen om lessen te verzuimen of hun huiswerk niet te maken.
- Desondanks waren hun ouders over het algemeen niet zo slim; de negers die slim waren veroorzaakten vaak moeilijkheden.
- Ze gebruikten veel te veel schoonmaakmiddel zoals Sunlight afwasmiddel.
- Ze leden aan wormen en bilharzia, een ziekte die werd overgedragen door zoetwaterslakken. Dit leidde tot leverbeschadiging, tumoren in de blaas, extreme moeheid en bloed in de urine – vandaar dat ze lui en weinig gemotiveerd waren.

Maar ze konden keihard werken, als je ze leiding gaf.

Zo kwam het dat alle bedden tegen het middaguur waren opgemaakt. De lakens roken naar zon en zeeppoeder, en de vloeren die Peter met een oud T-shirt op handen en knieën had gedweild, steunend van inspanning, straalden je tegemoet met de paraffineglans van Cobra vloerwas. Hoeveel kleren ik ook op de vloer gooide, of modderig en vol grasvlekken in de oranje wasmand gooide; bij zonsondergang lagen ze weer in mijn kast, gestreken en netjes gevouwen alsof wij de wasserij van het beste hotel tot onze beschikking hadden.

Op Giant Estate waren de bomen en planten bezeten van overle-vingsdrang. Alles schoot op naar de blauwe hemel. De aarde was een vlammende mengeling van de vermiljoenrode bloesems van de kafferboom en de huid van de Afrikanen die de grond bewerkten. Iedere vierkante centimeter van de aarde sidderde en krioelde van leven. Overal mieren, mierenleeuwen en paarsbruine aardwormen. En chongololo's; zwarte duizendpoten met oranje pootjes die zich tot een balletje oprolden als je ze aanraakte. Blinde wormen die tus-sen je vingers door glipten als glanzende zilveren slangetjes. Zaadjes die zowat ontkiemden waar je bijstond.

De melk zat niet in flessen uit de supermarkt, gepasteuriseerd en gesteriliseerd, maar werd elke dag in een bedauwde melkbus van tweeënhalve liter de keuken in gedragen door de lachende zwarte mannen wier geoefende handen de uiers van de twee Friese koeien uit onze stal hadden gemolken. De melk werd uitgegoten in Tup-perware-kannen, kookpotten en kommen. Daarin vormde zich al-gauw een gouden laag room. Peter karnde hele bergen gezouten bo-ter en mijn moeder bakte citroenmeringuetaart of we goten de room over ananaskersen en gestoofde guave's. De afgeroomde melk zat vol romige klonten. We dronken de melk puur in halveliterglas-zen of klopten het tot chocolademelk met Nesquick of Milo ovo-maltine (die allebei even lekker smaakten als je ze direct uit het blik at). Hoeveel we ook dronken, hoeveel bereidingswijzen we ook ver-zonnen, we kregen de volgende dag altijd verse melk, dus we voer-den de oude melk aan de honden, Daisy en de lammetjes of we ga-ven het aan de Afrikanen, die graag zure melk dronken bij de *sadza* (pap van maïsmeel).

Lisa was de enige die de melk niet kon waarderen. Ze was aller-gisch voor lactose. Ze kon ook geen sojamelk verteren, en huilde harder dan ooit.

Alles verliep verder volgens de cyclus der seizoenen. Medicine, een van onze nieuwe tuinjongens, die geen jongen was maar peper-en zoutkleurig haar had en stijf liep door de artritis, verrichtte nooit een grotere zichtbare inspanning dan dit: hij zat op zijn hurken en dronk thee uit een tinnen kroes of leunde op zijn *badza* (zijn schoffel) terwijl hij afwezig in de verte staarde. Toch kwam de moestuin onder zijn leiding (of gebrek aan leiding) tot grote bloei. Binnen enkele maanden kwamen bijna alle groenten die we aten uit de tuin, plus bananen, papaja's en citroenen. De restjes werden aan de kippen gegeven – Rhode Island Reds die we als piepende, donzige eendagskuikens hadden gekocht – of op de composthoop gegooid, die de moestuin bemestte. Voor de kippen bouwden we echte huizen van baksteen en golfplaten. Ze nestelden zich en maakten zachte tevreden neuriegeluidjes. 's Morgens gooide Peter hun verse warme eieren direct in de sissende zonnebloemolie in de koekenpan. Dankzij het groenteafval had het feloranje eigeel een sterke smaak die, in combinatie met knapperige stukken gerookte Colcom-bacon en naar karamel smakende gebakken bananen, bij elk ontbijt als zonneschijn in mijn mond explodeerde.

Vlees was net zoiets. Het ene moment graasden de koeien en schapen in de wei, het volgende moment werden ze gevild op het ronde grasveld bij de plantagewerkplaats. Hun vellen werden als spinnenwebben op de grond uitgespreid, hun sappen sijpelden in de aarde. Daarna stonden ze op tafel als T-bone steaks, filetlapjes, lamskoteletjes of rosbief, of ze werden in plastic zakken in de vriezer gelegd.

De andere kruidenierswaren kwamen uit de Schofields-supermarkt. Als mijn moeder en ik boodschappen gingen doen lieten we Lisa bij Maud en reden tien kilometer naar Hartley. Gadzema zou even groot zijn als er genoeg water was geweest voor de gokkers en goudzoekers die hier vroeger woonden. Hartley was eigenlijk een stad van niks. Er was een brede hoofdstraat die Queen Street heette, waar nooit zoveel verkeer doorheen reed dat er een verkeerslicht (dat we een robot noemden) moest komen. Queen Street was eigenlijk een doorgaande weg voor mensen op reis naar interessantere plaatsen. Langs de stoep van Queen Street stonden Japanse vrachtauto's van planters en roomwitte Mercedessen van hun vrouwen en lage huizen in koloniale stijl in verschoten kleuren, als een verbleekte prentbriefkaart uit de jaren vijftig.

Het eerste wat je zag als je de stad binnenreed was de kliniek, waar je als blanke nooit naartoe zou gaan als je niet in levensgevaar verkeerde, en waarschijnlijk zelfs dan niet.

Daarnaast stond Schofields, een karig verlichte supermarkt. Er hing een kruidige zoete geur van perziken en *kapenta*, gedroogde minivisjes die tot het hoofdvoedsel van de Afrikanen behoorden. Bij Schofields kon je de laatste roddels horen, en ze verkochten de lekkerste ontbijtgranen ter wereld: Cerelac (tarwevlokken met vanillesmaak) en Chocolate Pronutro (gemaakt van maïs). Ze verkochten ook Diariboard-yoghurt met hele stukken ananas, aardbei of granadilla (passievrucht), Tastic-rijst, mariabiscuitjes, Mazoeranja, Tanganda-thee, Cashel Valley-bonen, Royco-tomatensoep (van Royco word je zo groot als een reus!), Aromat (gifgeel), smaakversterkers, en lekkernijen als Mitchell's Highlanders shortbread met een laagje bruine suiker, Boudoir-langevingers die op je tong smolten, en roze suikerpinda's.

Mijn moeder ging het huis nooit uit zonder zich op te maken, haar haren te krullen en haar mooiste jurk aan te trekken, en ze zag er altijd prachtig uit. Ze liep door Queen Street in een wolk van Magie Noire, en alle mannen glimlachten en schoten haar te hulp – niet in de laatste plaats omdat ze tamelijk hulpeloos was. Ze beantwoordde hun glimlach van onder haar pony en werd bijna even verlegen als ik, waarop ze altijd dezelfde afgezaagde opmerking maakten: 'Zijn jullie écht geen zusjes?'

Toen ik klein was vond ik dat leuk en grappig, maar later kreeg ik er een gloeiende hekel aan.

Als je heen liep langs de ene kant van de straat, en terug liep langs de andere kant, kwam je langs de garage van Smith, café Capri, het Continental-restaurant, de Barclays-bank, het stadhuis, Honors modewinkel, de coöperatieve plantagewinkel, en Universal-auto's aan de rechterkant van de straat. Aan de overkant liep je langs Hartley-hotel, de Standard-bank, het postkantoor, een paar meubelwinkels, een kiosk, en Beatties slagerij. In de etalage van de slagerij hingen varkens aan de haak met een gele jas van vet en een griezelige glimlach. We gingen naar de slager om kant-en-klaar vlees te kopen dat we op de plantage niet hadden, zoals gekruide boerenworst, plakken gedroogd rundvlees (biltong) bevlekt met peper, gehakte biefstuk voor ons, gewoon gehakt voor de katten, botten voor de honden, vette kippen en varkensworst die een man in een bebloede witte jas in plakjes sneed. We probeerden ons verstaanbaar te maken boven het gegier van de snijmachine uit.

Zelfs het brood in ons nieuwe leven was exotisch. Er waren twee bakkers in de stad, allebei Grieks, maar mijn moeder kocht altijd bij Tomazo's, in een achterafstraatje. Je kon de broodovens drie straten verderop ruiken. In de achterafstraatjes hing een buitenlandse sfeer, hoewel ze op een steenworp afstand lagen van de hoofdstraat. Overal zag je Afrikanen en Indiërs, op elke hoek van de straat zaten kleermakers en horlogemakers in verzakte stalletjes met verkeerd gespelde uithangborden, fietsenmakers die aan de kant van de weg je band plakten, goedkope klerenwinkels en meubelwinkels en natuurlijk Bata, dé schoenenwinkel van het land, waar de planters hun *veldskoenen* kochten (lichtbruine veldschoenen van grove suède). Blanke kinderen droegen teenslippers en zowel blanke als zwarte mensen hadden *takkies*, witte gymschoenen, die we allemaal droegen tot onze tenen er uitstaken. Op de stoep voor de bakkerij zaten *piccanins* (zwarte kindertjes) in versleten kleren die verschoten waren tot een vage kleur beige; ze 'maakten cement' van Fanta en Tomazo's zoete, luchtige broodjes, die in paren aan elkaar zaten.

' *Tsjjj*, man!' dacht ik hooghartig terwijl ik tussen hen door liep. Ik dacht dat alleen zwarte mensen 'cement maakten', zoals alleen zwarte mensen kapenta aten of vliegende mieren roosterden.

Maar ik had niet het recht hen te veroordelen. Zodra ik in de auto zat stak ik mijn hele, niet zo schone vuist midden in het warme, vierkante brood dat mijn moeder had gekocht en groef er handenvol warm wit deeg uit, die ik fijnkneep tot groezelige, maar heerlijke deegballen. Als mijn moeder iets van plan was met het brood en ik jengelend moest wachten tot we thuis waren, sneed ik er dikke pillen van en at de boterhammen warm met de smeltende zoute boter van Peter en verrukkelijke klodders ananaskersenjam.

Wat je ook kwam doen in Hartley, je ging altijd naar Burrows, de papierwinkel/kiosk/bloemenwinkel/stomerij/begrafenisonderne-ming van de ouders van mijn vriendin Deirdre.

Mijn vader vond mensen altijd 'afschuwelijk' of 'fantastisch'. Dit was louter een kwestie van goede manieren. Iemand met goede manieren was 'een geweldige dame' of 'een echte heer'. Je had afgedaan als je ooit in je levensgeschiedenis het geringste gebrek aan integriteit had vertoond – vooral bij sport. Jimmy, de vader van Tom Beattie, was 'een echte heer' omdat hij er altijd op stond dat mijn vader, die voor dag en dauw bij het licht van de sterren op weg ging naar Gatooma voor de veemarkt, bij hem thuis kwam ontbijten (een paar eieren, boerenworst en een biefstuk gebraden op een ploegschijf boven de hete kolen). Een koopman uit de stad was 'een afschuwelijke vent' omdat hij altijd gokte en bedroog. Volgens mijn vader was hij meer dan eens vernederd in de Hartley Club. Als hij een spelletje dobbelen of pokeren verloor, zei hij: 'Ik ga even naar de wc.' Maar de leden van de club kenden zijn oude trucjes. Ze liepen achter hem aan naar de parkeerplaats en zeiden dreigend, met zachte, beleefde stemmen: 'Len, we gaan naar binnen.'

Daar tegenover stond Mrs Burrows, die de papierwinkel dreef. Zij werkte buitengewoon hard. Daarom vergaf mijn vader haar bijna alles. Ondanks het feit dat ze zonder enige fut achter de toonbank stond en geen idee had van de meest elementaire omgangsvormen, was hij erg op haar gesteld en sprong altijd voor haar in de bres.

'Hoe durf je,' zei hij dan. 'Ze werkt heel hard, die arme vrouw. Ze werkt heel hard.'

5

Alle terroristen zijn zwart maar niet alle zwarten zijn terroristen.

Op het eerste gezicht herken je terroristen aan hun haar. Gewone Afrikanen hebben een helm van springerig kortgeknipt haar, maar het haar van aspirant-terroristen (er wonen er een paar op onze plantage, denk ik) en de terroristen op het nieuws groeit uit hun hoofd in geëlektrificeerde bosjes. Het is gefatsoeneerd met een speciale houten kam die alleen door zwarte mensen wordt gebruikt, zonder hulp van een spiegel. Vaak ziet hun haar er stoffig uit, alsof de terroristen te hard bezig zijn met vechten om een stuk Lifebuoy-zeep te gebruiken, laat staan een groene fles Palmolive-appelshampoo. Ze hebben bijna altijd een pilotenzonnebril en een slecht afgestemde radio op hun schouder die liedjes schettert over de *Chimurenga* – 'de strijd'. *Tsotsis,* geen terroristen maar 'slechte mannen', zoals moordenaars en dieven, gebruiken die speciale houten kammen ook, maar ze lopen meestal rond met Mungo Jerry Afrokapsels die glinsteren van de olieachtige brillantine. Tsotsis kun je ook aan andere dingen herkennen, want ze ruiken naar Chibuku-bier, zelfs op een doordeweekse dag, en vertonen zich met vrouwen in rode polyester jurken, zwarte bh's en schoenen met hoge hakken in onelegante maten, die uitermate ongeschikt zijn voor een wandeling over een weggetje op de plantage.

Aanvankelijk was de oorlog waarvoor we waren teruggekeerd niet duidelijk zichtbaar – niemand schoot op ons, in elk geval – maar de oorlogsmachine wel. Pantservoertuigen die Hyena of Rinoceros heetten denderden door Hartley, vol zwarte, bruine en blanke soldaten. Voorbijgangers (zeker ik) riepen hoera, zwaaiden en floten.

De tanden van de soldaten staken wit af tegen hun donkere, zongebruinde gezichten, en ze glimlachten door een bos geweren heen.

Mijn vader sloot zich onmiddellijk aan bij de Police Anti Terrorist Unit (PATU) en werd zeven dagen per maand onder de wapenen geroepen. Hij droeg een onberispelijk camouflagepak en oogverblindende zwarte laarzen, zijn haar was netjes geknipt en gekamd. Hij zag eruit als een knappe soldaat uit een boek.

Vroeger in 1962, in zijn tweede jaar bij de RLI, bij de genie, was mijn vader een van de twaalf soldaten (uit duizend) die werden geselecteerd voor een uitwisselingsprogramma met het Britse leger. De vier maanden die hij doorbracht bij de Gordon Highlanders behoorden tot de mooiste van zijn leven, en hij praatte er vaak over. Hij bracht drie maanden door in Gil Gil in Kenia, waar hij de officiersvrouwen leerde paardrijden, voordat hij afzeilde naar de kokospalmen en de heldere wateren van Zanzibar. In Zanzibar danste hij met de vrouw van de sultan en werd bijna levend opgegeten door de mieren. De Gordon Highlanders was de laatste Britse compagnie die het eiland verliet vóór de opstand waarbij de sultan werd afgezet. Daarna voeren ze op een schip naar de verschroeiende woestijn van Aden. In Aden 'moest je je ontbijt opeten voordat de vliegen het deden'.

Het was een bron van voortdurende verbazing voor mijn moeder en mij dat mijn vader, die ontplofte als het zout aan tafel niet snel genoeg werd doorgegeven, de discipline in het leger kon verdragen, maar hij had een aantal eigenschappen waardoor hij een volmaakte soldaat was. Hij had een aan ontzag grenzend respect voor autoriteiten. Vijf uur voordat we een willekeurige grens overstaken raakte mijn vader – die in alles wat een douanebeambte aanging ongetwijfeld de meest strikt eerlijke persoon in Rhodesië was – in paniek. Het zweet brak hem uit. Hij leed onder de paranoïde gedachte dat we onopzettelijk een overtreding van de douaneheffing hadden begaan, zodat we in de gevangenis zouden belanden. Mijn moeder moest hem er altijd van weerhouden het karige vakantiegeld uit het raam te gooien voor het geval we één dollar meer hadden meegenomen dan wettelijk was toegestaan.

Hij was de lieveling van zijn legerofficieren omdat hij eer stelde in zijn werk en houding, terwijl hij nederig bleef. Zijn eindrapport van de middelbare school beschreef hem als 'een jongeman die zich onberispelijk gedroeg, eerlijk, betrouwbaar en plichtsgetrouw. Hij was altijd beleefd en welgemanierd en deed zijn best.' Wanneer hij een bevel kreeg, ging hij direct van A naar B zonder tijd te verspillen aan een gedachte over C, maar hij toonde wel initiatief. Een les uit zijn begintijd in het leger was hij nooit vergeten. Een kapitein betrapte hem en een andere soldaat toen ze 's ochtends met een geïmproviseerde vislijn en haak op de rand van een stuwdam zaten, en vergeefs probeerden een vis te verschalken.

In plaats van ze op hun donder te geven, zei hij: 'Als jullie iets doen, heren, doe het dan goed. Hoe lang zitten jullie hier al?'

'Een uur, mijnheer.'

'Een uur? Jullie zitten hier al een uur en je hebt geen idee of hier goede vis zit en of je er ooit een zult vangen. Zijn dat granaten aan jullie riem?'

'Ja, mijnheer.'

'Waarom gebruiken jullie die dan niet?'

Dat deden ze. Er kwamen slechts een paar ondermaatse visjes bovendrijven; een bewijs dat alle geduld en vaardigheid van de wereld voor niets zouden zijn geweest.

Maar de eigenschap die het leger het meest waardeerde was dit: mijn vader had geen greintje angst voor de dood.

Eens, toen hij nog een jonge onderofficier was in de RLI, deed hij op zondag na zijn dienst een middagdutje. Ineens merkte hij dat er een enorm gewicht op zijn borst lag. Toen hij zijn ogen opendeed zag hij dat er een cheeta met glanzende gele ogen op hem neerkeek. Mijn vader schoof hem van zich af en lachte. De cheeta was de mascotte van de RLI. Hoewel hij die ochtend waarschijnlijk een antilope had verscheurd, was mijn vader niet bang. 'Cheeta's kunnen misschien hard rennen, maar ze zijn erg traag in hun bovenkamer. Hebben geen hersens.'

Een andere keer stak hij de muur van een stuwdam over met zijn PATU-'staf' (een officier en vijf of zes soldaten) toen er een vuurgevecht losbarstte. Ze liepen volkomen ongedekt – een schietschijf – en ze konden niets anders doen dan laag bij de grond blijven, een regen kogels afschieten en bidden.

Naderhand vroeg zijn vriend Martin: 'Was je niet bang om dood te gaan?'

En mijn vader antwoordde, geheel naar waarheid: 'Ik heb er geen moment bij stilgestaan.'

Hij verliet de RLI in december 1963 na de opheffing van de federatie – van Zuid-Rhodesië (wat Rhodesië werd), Noord-Rhodesië (Zambia) en Nyasaland (Malawi) – waarbij die landen werden afgescheiden van Groot-Brittannië, negen maanden nadat hij met mijn moeder was getrouwd, want 'ik zal je zeggen: een getrouwd man hoort niet in het leger'. Zijn getuigschrift van de RLI noemde hem een 'goede bekwame onderofficier. Hij is intelligent en is zeer geïnteresseerd in zijn werk. Hij is zeer gedisciplineerd en zijn houding en uitrusting zijn altijd piekfijn in orde. Hij is een zeer betrouwbaar persoon. Men kan er op rekenen dat hij te allen tijde zijn best doet.'

Mijn vader zei: 'Ze hadden het geloof ik over de verkeerde vent, maar dat maakt niet uit. Ik denk dat ze me hebben verward met iemand anders.'

Het opwindendste dat ik vroeger ooit deed was op mijn fiets door de straat crossen. Ik speelde dat het een motor was met drie versnellingen. Maar nu had ik een hele plantage in vol bedrijf voor mijn ontdekkingstochten, en een kant-en-klare vriendenkring. Je had de jongens Beattie en de kinderen Adcock, Michelle en Bain. Op de meest verzengende dagen in de zomer legden de Adcocks een lange baan linoleum en een tuinslang op hun grasveld en we gleden op onze buik door de waterplassen.

Ik speelde het meest met Douglas. Hij had de lichte gelaatskleur van zijn moeder en zijn vaders lichtgeraaktheid, en hij had een innemende open, sympathieke uitstraling. We pinden stukken karton met wasknijpers aan de spaken van onze fiets zodat die het geluid maakte van een motorfiets, en raasden op en neer over de onverharde wegen, waarbij we steeds gekkere halsbrekende toeren uithaalden. We trommelden Hamish op en speelden cowboy en indiaantje in het lange gele gras rond het huis. We trokken bliksemsnel klapperpistooltjes uit nepleren holsters. Of we gebruikten lange in aluminiumfolie gewikkelde stokken als automatische geweren, droegen camouflagepakken en deden alsof we soldaten waren.

In Kaapstad had het idee in mijn hoofd postgevat dat mij een verschrikkelijk onrecht was aangedaan omdat ik geen jongen was. Dit idee was aangewakkerd door de figuur George, het jongensachtige meisje uit de Vijf-serie. Ik nam Douglas als maatstaf bij mijn pogingen niet onder te doen voor een jongen. Ik wilde alles even goed of beter doen dan Douglas – paardrijden, hardlopen, katapult schieten. Die katapulten maakten we van een stok met een gevorkt uiteinde en de binnenband van een auto. Net als de piccanins namen we ze overal mee naartoe, maar anders dan zij schoten we nooit op vogels. Dat wil zeggen, we schoten nooit op vogels tot Douglas, in een vlaag van bravoure, een vink uit een boom dicht bij de werkplaats schoot. Hij plukte direct de donzige veertjes van de vogel, maakte een vuurtje en roosterde hem in zijn geheel. Ik vond het afschuwelijk, maar Douglas schepte op over zijn scherpschutterskunst. Het kale vinkje was één en al botten zonder vlees. Het vlees dat eraan zat was vezelig en verbrand en zat onder de as van onze onbeholpen *braai*.

De hele dag door brachten we bezoekjes aan de plantagewinkel, een donkere spelonk, gewapend met lege flessen die je kon inruilen tegen vijf cent statiegeld. Voor vijf lege flessen kon je een flesje koude Sparletta-cassis of vanille priklimonade kopen. Soms kochten we een handvol Pennycools, kleine in plastic verpakte ijslolly's in alle kleuren van de regenboog. Of we kochten zoete broodjes, Chicken Flings en Corn Curls. Wanneer de winkelier ze aanreikte voelden zijn handen altijd ruw, en zijn huid was koel. Zijn winkel rook naar Omo waspoeder, kapenta en *mealie-meal*, dat de Afrikanen gebruikten om sadza te bereiden, hun hoofdvoedsel.

We zaten in de schaduw op zijn veranda, spoelden de gekringelde Chicken Flings weg met cassis, en keken naar de auto's met toeristen die voorbijvlogen naar de grotten van Sinoia, waar een mysterieuze bodemloze poel was. Aan het andere eind van de veranda zat de kleermaker op zijn vaste plaats bij zijn naaimachine met halfdichte ogen op klanten te wachten. Gespierde zwarte jongemannen, glimmend van het zweet, deden een damspelletje met handgemaakte borden en flessendopjes.

Maar het leukste was springen in de wolkenbergen pas geoogste katoen die in het vroegere clubgebouw van Gadzema lag opgeslagen. Het clubgebouw was een ruïne. De meeste deuren en ramen waren weg, maar de oude vloer van de balzaal was intact en er hing een geweldige sfeer. Met dichte ogen waande je je in Gadzema zoals het eruitzag tijdens de trek naar de goudvelden, toen de hele stad baadde in illegaal goud. Toen de vrouwen dansten en de champagne vloeide.

In de jaren rond 1860, toen Rhodesië nog leek op een schilderij van Thomas Baines, met denderende olifanten en inboorlingen als ebbenhouten standbeelden en kolonialen in witte safaripakken met geweren onder hun arm, was Gadzema zeer rijk aan mineralen. Het land zelf leek een levend beest met goud in zijn aderen in plaats van bloed. Jarenlang had Mzilikazi, het opperhoofd van de Ndebelestam, de bezoekers en jagers verbannen uit zijn koninkrijk in het hete, droge zuiden, een gebied dat Matebeleland heette, maar toen hij in 1865 de verbanning ophief reisde Henry Hartley, de zoon van een Voortrekker uit 1820, een blanke jager die befaamd was om zijn vermogen verbijsterende aantallen olifanten uit te roeien, als een van de eersten vanuit Zuid-Afrika naar het noorden. Hij ontdekte oude goudaders in Matebeleland en het iets noordelijker liggende Mashonaland. Pas in 1867, toen hij ging samenwerken met Carl Mauch, een Duitse geoloog en ontdekkingsreiziger, kwam de omvang van de ontdekking in en om Gadzema aan het licht.

'De schoonheid en uitgestrektheid van de goudvelden in Gadzema waren dusdanig dat ik aan de grond stond genageld,' zei Mauch. 'Een tijdje was ik niet in staat de hamer te hanteren. Duizenden mensen zouden op dit uitgestrekte goudveld kunnen werken zonder elkaar in de weg te lopen.'

In de daaropvolgende tientallen jaren stroomden avonturiers, goudzoekers en internationale mijnondernemingen zoals de South African Gold Fields Exploration Company (bij wie Baines in dienst was) het land binnen. Gadzema werd een bloeiend middelpunt van goudzoekers maar de stad bleef zijn wildwestmentaliteit altijd behouden. Tussen 1930 en 1950 gonsde Gadzema van de politici, mijnbouwers, pokerspelende miljonairs, roekeloze piloten en gelukszoekers in alle soorten en maten. In de stad waren twee warenhuizen, een stoffenwinkel, een club met tennisbanen, een hotel met een achterkamer waar je de hele nacht kon gokken, en een duistere onderwereld met valse broodkaarters, roulettespelers en blauwgrijze sigarenrook.

In die tijd deed Gadzema zijn naam eer aan, 'glanzende plaats'. Bij gebrek aan een duurzame watertoevoer en door slinkende goudaders trokken de mensen weg naar Hartley. Nu was Gadzema een spookstad, berucht om één ding: de eerste moord uit de Rhodesische oorlog, op de Viljoens, een blanke planter en zijn vrouw. De moord werd op 16 mei 1966 gepleegd op de Nevada-plantage, zeven maanden en vijf dagen voor mijn geboorte.

De illegale goud- en pokertenten waren misschien verdwenen, maar de wildwest- en pioniersmentaliteit waren nog springlevend op de plantages rond Gadzema en Hartley. Van jongs af aan leerde ik dat wij in ons stukje Afrika een absolute macht konden doen gelden over dieren en Afrikanen. De plantersfamilies dachten niet zozeer dat ze boven de wet stonden; ze dachten meer dat de wet op hen niet van toepassing was. In tijden van oorlog was alles geoorloofd, daar was men het over eens.

'Nou, zoals je weet, dit wordt verondersteld een beschermd natuurgebied te zijn...' zei mijn vader toen ik voor het eerst met hem en een paar planters uit de buurt ging jagen. Mijn vader zei altijd 'zoals je weet' over dingen die je met geen mogelijkheid kon weten, zoals: 'Nou, zoals je weet is Triatix het beste ontsmettingsmiddel voor koeien ter wereld,' of 'Zoals je weet kun je vóór 1 juni geen tabak zaaien.' Nu zei hij: 'Nou, zoals je weet is dit een beschermd natuurgebied... maar Thomas vindt het niet prettig als het wild zijn gewassen opeet.'

Ik vroeg: 'Waarom jagen we op koedoes als dit een beschermd natuurgebied is?'

'Nou, zoals je weet gaat iedereen hier in de buurt zijn eigen gang.'

Jagen en drinken, vissen en drinken, naar een braai gaan en drinken, rugby spelen en drinken en naar de Hartley Club gaan en drinken waren in Gadzema de voornaamste sociale activiteiten. Samen met handelen op de zwarte markt en flirten met de dood of de ondergang. Jeremy Smith, de vliegenier die de gewassen op Giant besproeide, was het gelukkigst wanneer hij in zijn gele tweedekker onder elektriciteitslijnen door schoot. Hij vloog zo snel en zo laag dat hij achteraf altijd katoenbloemen van zijn wielen moest plukken.

De nachtelijke jachtpartijen waren in de eerste plaats aantrekkelijk omdat ze verboden waren. Ik hobbelde met mijn vader en drie of vier andere planters in de laadbak van een vrachtauto of een Landrover de donkere nacht in. Iemand hield een zilveren schijnwerper aan een levensgevaarlijke met los bungelende stukken isolatieplakband opgelapte elektriciteitskabel omhoog, en de muskieten zoemden en tikten tegen de hete lamp, terwijl de platinakleurige lichtstraal een parelmoeren jadekleurige baan wierp over de katoen of tarwe. Ik deed mijn uiterste best om de eerste te zijn die de rode ogen van de koedoes, de *duikers* of de bosvarkentjes zag. Ik stond tegen de cabine gedrukt, met de bokkende stang van de laadbak onder mijn handen, en de harige, door rugby getrainde dijen van de planters en een of twee geweren tegen mijn benen. Ze hielden allemaal een blikje Lion-bier of Castle-lagerbier in hun hand. Ze droegen korte kakibroeken (behalve mijn vader, die altijd lange broeken droeg) en kniekousen met sokophouders. Ze droegen Bata veldskoenen ('fellies') aan hun voeten en ze zagen er allemaal hetzelfde uit – massief door T-bone steaks en bier, met buiken als die van hoogzwangere vrouwen. Later zou mijn vader er net zo uitzien, maar hij zou nooit zo worden als zij. Mijn moeder zou ook nooit zo worden als hun vrouwen. Met zijn tatoeages, mahoniekleurige huid en filmsterrenogen zag hij er anders uit. Niet beter of slechter; anders.

In zijn eigen ogen was hij de mindere, een zetbaas in plaats van een eigenaar, een duvelstoejager. In elke groep aanvaardde hij een ondergeschikte rol, alleen al omdat zijn arbeidsmoraal en zijn hypernerveuze energie hem niet toestonden lang stil te zitten. Daarom chauffeerde mijn vader de vrachtauto op onze nachtelijke jachtpartijen, of hij richtte de schijnwerper. Hij liep naar de gesneuvelde koedoe om te controleren of hij netjes zonder te lijden was doodgeschoten en hij hielp de Afrikanen die mee waren het dier op de vrachtauto te laden.

De anderen gaven commentaar in de van muskieten vergeven duisternis, voornamelijk over de handigheid of onhandigheid van de zwarten. Er waren twee categorieën: goed en slecht.

'Ja, hij is een goede munt,' zei er een waarderend. 'De beste in die verdomde kraal van mij. Waar of niet, Fanwell?'

'Ja, baas.'

'Jij bent nummer één in mijn kraal. Niet dat dat veel zegt.'

Of, als de koedoe niet goed was vastgesjord en uit de laadbak viel, of iets anders voorviel wat hun domheid bevestigde: 'God, dat is een waardeloze kaffer.' Tegen de arbeider: '*Upi lo skop gawena?* Gebruik je hersens, verdomde waardeloze...'

Bij ons thuis zei niemand ooit 'kaffer' (behalve over de kafferboom); het voelde verkeerd, gevaarlijk en gemeen. Meestal zeiden we Afrikanen, 'jongens', 'meisjes' of munten. Dit woord getuigde van weinig respect, maar het stond zwart op wit in het *Fanagalo*-taalboek, *muntu*, en de betekenis was niet kwaadaardiger dan persoon of mens. In dat geval waren wij ook munten. Terroristen waren 'terrs', 'gooks' of 'floppies', een verwijzing naar hun slapheid nadat ze waren doodgeschoten.

Uiteindelijk ging ik maar twee of drie keer mee op jacht. Aanvankelijk sloot ik me af voor de scheldwoorden. Ik kneep mijn neus dicht voor de bierlucht. Wanneer het dode gewicht van de koedoe in de laadbak viel, streelde ik zijn gebogen hals en spiraalvormige hoorns. Ik genoot van de verboden opwinding een edel, wild dier aan te raken. Tien minuten geleden had dat nooit gekund. Toen klopte zijn hart nog, hij was nog vrij en voelde de wind over de katoenvelden in zijn longen. Toen ik voor de tweede keer mee op jacht ging deed mijn borst pijn toen de koedoes met de amandelvormige ogen sneuvelden. Dit keer voelde ik bij het strelen geen verboden opwinding, maar een afschuwelijke koude verstijving die langzaam bezit nam van hun zijdeachtige vacht. In de dood waren hun on- schuldige ogen blind en leeg; de magie die hen zo bijzonder maakte was verdwenen.

Ik ging nooit meer op jacht.

6

Vanaf het moment dat de wekker om halfvijf afging, was mijn vader een renpaard dat losbrak uit de stal. Als hij niet sliep of viste (half verdoofd door het bier) of in de trance verkeerde die hij tijdens het jagen bereikte, leefde hij in grote haast. Je zag hem zelden lopen. Hij bestierde het huis en de plantage op een sukkeldrafje, alsof hij elk moment kon gaan sprinten. Als hij zich de tijd gunde voor een thee-pauze, scheurde hij het erf op in zijn vrachtauto, vloog de keuken door terwijl hij beleefd doch dringend bevelen gaf aan de kok – 'Koffie en een boterham, alsjeblieft, Peter, gauwgauw, snap je?' Hij plofte neer op een stoel in de zitkamer, nam haastig een slok van zijn kokendhete zwarte koffie – 'Au, auw' – en een paar snelle trek-ken van zijn Peter Stuyvesant-sigaret en verslond in drie happen een dikke Tomazo-boterham met boter en Oxo of kaas, besprenkeld met zout. Pas dan nam hij de tijd om een blik op ons te werpen.

'Heerlijke kaas,' zei hij ernstig. 'Heerlijke kaas. Heb je geproefd?'

Dan was hij weer weg; de zolen van zijn veldskoenen piepten over de betonnen vloer in de gang, zijn FN-automatisch geweer, dat hij altijd bij zich droeg, in zijn hand.

Peter keek mijn vader altijd na uit het keukenraam, met pret-lichtjes in zijn ogen, terwijl hij met Jock op zijn hielen naar de vrachtauto rende. 'Hé, de baas heeft sterke benen,' zei hij verwon-derd. 'Hij rent altijd erg hard, als een parelhoen.'

Mijn vaders hardloperslevensstijl had een nadeel. Hij was in sommige opzichten uiterst impulsief en onstuimig, en in andere volkomen onbuigzaam. In het eerste jaar dat hij voor Thomas werkte had hij in totaal vijf zondagen vrij.

Op een van die zondagen besloot hij een paard voor me te kopen.

Sinds onze verhuizing naar Giant was ik vervuld van één ding: ik wilde vreselijk graag een paard hebben. Ik werd daar voortdurend aan herinnerd door de volbloedpaarden in de weilanden achter het huis van de Beatties, vooral door Troubleshooter, die ik geregeld opzocht met lekkere hapjes.

'Als ik een paard had, zou ik om vijf uur opstaan om hem te poetsen en de stal uit te mesten,' vertelde ik aan iedereen die het wilde horen.

Mijn vader knikte altijd bevestigend. 'Zou ze ook. Weet ik zeker.'

Eindelijk lukte het hem een dag vrij te krijgen. Mijn moeder reed speciaal naar de stad om een *Herald* te kopen en mijn vader vroeg Thomas of hij in het weekend de veewagen mocht lenen. De hele week lang spelde ik de advertenties. Ik brak mijn hoofd over de vraag of ik een springpaard, een Arabier of een volbloedveulen zou nemen dat zou uitgroeien tot een zwarte hengst. Mijn vader wilde alleen Charm in overweging nemen, een veertienjarige voskleurige merrie van tweehonderd dollar, met een stokmaat van 1,42 meter.

Charm woonde op een stalerf in Salisbury. Op zondag kropen we in de veewagen; de rit duurde een uur, waarbij we alleen stopten om eten voor de lunch te kopen in de plantagewinkel. Op het eerste gezicht viel Charm een beetje tegen. Ze had korte dikke benen, een holle rug, was blind aan één oog en zag eruit alsof ze te veel at. Maar ik was zó opgetogen door het vooruitzicht een paard te krijgen, dat ik besloot mijn oordeel op te schorten tot de proefrit. Misschien had Charm verborgen kwaliteiten. Misschien was ze een onverschrokken springpaard, of een uiterst gehoorzaam paard voor behendigheidswedstrijden. Haar gevorderde leeftijd baarde me zorgen, maar een ervaren paard is veel waard in een dressuurwedstrijd. Ik hielp de eigenaars – goedlachse, paardengekke mensen – haar op te zadelen. Volgens de stellige overtuiging van mijn moeder zou ik later ook zo worden, louter door met hen om te gaan. Ze hadden slordig haar, blozende, zelfverzekerde gezichten en dikke konten in slecht zittende rijbroeken. Ze leidden Charm naar een vlakke, rommelige paddock. In het midden was een grote mierenheuvel, een door termieten gebouwde miniberg met een boom erop. Ik steeg op en reed weg.

Hoewel Charm een beetje traag was, leek ze gewillig genoeg. Ik draafde achtjes met haar en zette haar aan tot een galop, terwijl ik me voorstelde hoe goed we eruitzagen. 'Tjonge, wat kan dat meisje rijden,' zouden ze denken. 'Wie had gedacht dat Charm zo kon presteren?'

Mijn dagdroom werd verstoord; ik voelde dat we heuvelopwaarts gingen. Om een of andere reden had Charm besloten een afstekertje te nemen over de mierenheuvel. Ik keek op; een dikke tak kwam snel dichterbij. Ik kon niet meer in elkaar duiken en het was veel te laat om de tak te ontwijken. Om niet onthoofd te worden liet ik me snel achterover vallen op Charms achterhand. Charm beschouwde dit als een teken en schoot vooruit in een paniekerige rengalop. Deze plotselinge sprong voorwaarts in combinatie met de schuin aflopende mierenheuvel was te veel. Ik rolde van haar rug als een worstje van een grillplaat en viel plat op mijn gezicht op de grond, waarbij ik een of twee lepels zand en een beetje mest binnenkreeg. Ik was buiten adem. Het deed pijn. Voornamelijk uit schaamte. Uit mijn ooghoek zag ik mijn vader en de eigenaars als een stel onelegante zaklopers met zwaaiende armen op me af stormen. Charm stond dichtbij te grazen.

Mijn vader was het eerst bij me. 'Dromerige zwerver,' zei hij teder, terwijl hij me overeind hielp en me troostend een kneepje gaf. 'Had je die boom niet gezien?'

De eigenaars troostten me en putten zich uit in verontschuldigingen over het slechte gedrag van Charm en de boom, maar ze waren het duidelijk met mijn vader eens. Hun gezichtsuitdrukking zei: 'Wat een stomkop.' Aangezien de regelen der ruiterkunst dicteren dat je onmiddellijk moet opstijgen na een val, had ik geen keus. Ik klom voorzichtig terug in het zadel en spoorde Charm opnieuw aan. Dit keer bleef ik erop zitten. Mijn trots en mijn droom over een zwarte hengst waren aan diggelen. Ik wist zeker dat we zouden wegrijden met een dikke pony met korte logge beentjes in de laadbak. Het zou niet makkelijk zijn de veewagen opnieuw te lenen en ik moest mijn gezicht redden.

'Je wilt haar hebben, niet?' zei mijn vader aanmoedigend, terwijl hij de eigenaars over mijn schouder stralend aankeek. 'Super paard-je. Ze zal je vele gelukkige jaren bezorgen.'

Ik knikte doodongelukkig.

Hij streelde liefkozend mijn haar. 'Dromerige zwerver,' zei hij.

Het moment dat Charm op de plantage aankwam, ging ze met pensioen. Ik kon haar alleen overhalen tot een ritje nadat ze zichzelf had uitgeput; ze draafde rondjes door de paddock om er onderuit te komen. Als we eenmaal buiten reden kon ik haar nog zo hard schoppen of vleien; ze liep in de gang die ze zelf verkoos. Soms galoppeerde ze op de terugweg naar huis bij de gedachte aan de voederbak, maar meestal wilde ze alleen stappen of rustig draven.

Ondanks deze tekortkomingen was ik gek op haar. Ik hield van paarden met een allesverterende hartstocht; als Charm niet aan mijn verwachtingen voldeed, stelde ik mijn verwachtingen bij tot zij erin paste. In mijn fantasie waren Charm en ik legerverkenners. Wij beklommen kopjes, gedrapeerd met webben van tijgerspinnen zo groot als volleybalnetten. We waren voortdurend beducht op gevaar. Ik huiverde bij de gedachte hoe Charm werkelijk zou reageren als we onuitgenodigd zouden binnenvallen op een feestje van terroristen – die mogelijkheid was er altijd – maar ik bracht heerlijke dagen door met fantasieën over onze ontsnapping.

Ik droomde ervan kampioen crosscountryruiter te worden en gouden medailles te winnen. Met dat doel voor ogen dwong ik de arme blinde Charm over boomstammen te springen of steile kopjes af te draven. Ik zat laag over haar nek gebogen terwijl ze onwillig langs de katoenvelden galoppeerde. De enige die me benijdde was Douglas, die bang was voor paarden en een pak slaag kreeg als Clear Moon, zijn appelgrijze verwende volbloed Welsh Mountain-pony, hem eraf gooide. Toen hij er een keer in onze tuin afviel, gaf Thomas hem zo'n optater dat hij finaal over een bed koolplanten heen vloog.

Ik maakte ritjes en luierde met Douglas in mijn nieuwe boomhut – een miniatuurleemhut met een rieten dak hoog in de seringenboom op het achtererf – en ik las nog steeds elke minuut die ik niet sliep, op school zat, of Daisy en de lammetjes voerde. Het leek wel een ziekte, zoveel als ik las. Ik hoorde jammer genoeg niets wanneer ik las, en ik hoorde ook niets als ik nadacht over de boeken die ik had gelezen. Dat dreef de mensen in mijn omgeving tot razernij. Ik was een dromer, ik sliep half; ze riepen dat ik wakker moest worden, moest stoppen met dagdromen, moest opschieten. Doe je mond dicht, zei mijn vader, anders komen er vliegen in. Soms kwam ik boven water uit de extatische vervoering van een ponyverhaal en ontdekte dat mijn moeder al een hele tijd tegen me stond te foeteren. Ze stond vlak voor me met een bewegende mond, duidelijk tot het uiterste getergd. Ik had geen idee hoe lang ze daar al stond en waar ze het over had.

Maar mijn ouders moedigden mij aan veel te lezen. Jarenlang hadden we geen televisie. Zelfs toen we er een kregen was er nooit iets te zien behalve het nieuws, het weerbericht en af en toe een Engelse klucht (*Rising Damp*) of een Amerikaanse serie (*The Beverly Hillbillies* of *Little House on the Prairie*). De meeste avonden zaten we gewoon te lezen en te praten en gingen om negen uur naar bed. Ik las *Snakes of Africa*, paardenboeken en boeken van Enid Blyton. Mijn moeder las Lucy Walker, *Europe on $10 a Day* en aangrijpende romans over verre landen als *The Far Pavilions* en *Sayonara*; mijn vader las Frank Yerby en Harold Robbins, waar ik beslist niet mocht aankomen, en wildwestverhalen van Oliver Strange over een cowboy die Sudden heette. Sudden reed op Nigger, een groot zwart paard dat hij adoreerde, en deed zijn best geweld te vermijden. Er werd voortdurend een beroep op hem gedaan om ongelukkige boeren te redden van veedieven, doortrapte projectontwikkelaars en andere cowboys met een minder goede inborst.

Mijn zusje zat in een hoekje te dromen met Gareth, haar roodharige speelkameraad. Toen ze een jaar oud was had ze een mooie bos blonde krullen. Ze was allergisch voor de meeste voeding; ze was nog steeds ziek. Peter beschouwde haar aandoening als een neveneffect van de lente. 'Als de nieuwe blaadjes groeien, Missy, worden alle baby's ziek,' zei hij tegen mijn moeder.

Mijn moeder verdeelde haar tijd tussen de obsessie dat Lisa zou sterven aan ondervoeding en de organisatie van een kliniek voor plantagearbeiders (onder druk van Peter en Maud). Ze kocht grote voorraden hoestdrank, medicijnen tegen diarree, paardenlinament, Phillips magnesiummelk, verbandgaas, aspirine, paarse gentiaan en mercurochroom in de coöperatieve plantagewinkel en behandelde een constante stroom patiënten bij de keukendeur (onze voordeur). De rij werd met de dag langer, tot buiten het hek en langs de weg. Op dat moment reed Thomas, die niet op de hoogte was van haar Moeder Theresa-bezigheden, langs ons huis. Hij zag de rij en kreeg een woedeaanval. Hij schreeuwde zo luid dat alle patiënten, zelfs de manke, maakten dat ze wegkwamen.

'Ik sta dit niet toe,' brulde hij tegen mijn moeder. 'Ik kan het niet uitstaan. Ze zoeken altijd nieuwe manieren om ziek te worden.'

Mijn moeder was ontdaan; ze verkeerde in de veronderstelling dat ze haar steentje bijdroeg. Ik was boos omdat ik elke ontmoeting met de plantagearbeiders aangreep om mijn *Chilapalapa* te verbeteren. Chilapalapa, dat ook Fanagalo werd genoemd, was een vereenvoudigde vorm van Nguni (Zoeloe, Xhosa, Ndebele en aanverwante talen) vermengd met snippers Engels, Nederlands en Afrikaans. De taal was ontstaan uit de noodzaak een gemeenschappelijke taal te scheppen die gesproken kon worden in mijnen en op plantages. Die taal moest snel aan te leren zijn door steeds wisselende groepen rondtrekkende arbeiders, die altijd uit verschillende stammen kwamen. Sinds de eeuwwisseling werd de taal overal in Zuidelijk Afrika gesproken. Ik had Chilapalapa opgepikt dankzij mijn vader en Medicine, en uit het Fanagalo-taalboek van mijn grootmoeder. Ik moest altijd lachen om de onwaarschijnlijke situaties en grimmige waarschuwingen in het boek:

Pas op voor de tanden van de krokodil: die zijn erg vies. Als je gebeten wordt zal de wond ontsteken. – *Basopo mazinyo ga lo-ngwenyana: yena maningi doti; futi, noko yena limaza wena, lo-ndawo yena bolile.*

Misschien is het een leeuw. Nee, ik zie nu dat het gras in brand staat. – *Mhlaumbe yena kona lo-ngonyama Hayi, mina bona manje... lo tshani yena baswa.*

Ik denk dat er misschien nóg een blanke man onder de auto ligt. Kijk! Ik zie zijn hand. – *Mina kabanga mhlaumbe yena kona lomunye pantsi ko lo motokali. Nanku! Bona la sandla gayena.*

Je moet het raam 's nachts openzetten, anders stik je door de kool-monoxide uit de kolenkachel. – *Noko wena hayikona vula lo festele ebusuku loskelem smoko ga lo tshisa malahle zo bulala wena.*

Eet nooit halfgaar varkensvlees. – *Loskati wena yidla lo-nayma ga lo-ngulube, pega yena stelek kuqala.*

Toen ik eenmaal de basisprincipes van de uitspraak onder de knie had, zoals de 'l' die een 'r' werd, de 'r' die soms een 'l' werd, een 'o' die ongeveer klonk als 'or', leerde ik de taal ongelooflijk gemakkelijk. Sommige woorden waren letterlijk overgenomen uit het Engels, uitgesproken met een Afrikaans accent. Fiets, bijvoorbeeld, werd geschreven als 'baisikil' in het taalboek. Ik vond het heerlijk dat ik de gesprekken van mijn vader met de veejongens kon volgen, en praatte over mijn pasgezaaide worteltjes en sla met Medicine, die een eigen bed in de moestuin voor me had gemaakt. Ik vond het leuk naar een plaat van Wrex Tarr te luisteren – waar allemaal grappige verhalende Chilapalapa-liedjes opstonden als 'Robin, de één-potige verwaande haan' of 'Jamesi Bondi' – en precies op het goede moment te lachen.

Als Maud of de tuinjongens iets in het geheim wilden bespreken, vervielen ze altijd in Ndebele of Shona. Daar verstond ik geen woord van.

Aan het eind van het jaar deden Charm en ik mee aan een vriend-schappelijke crosscountrywedstrijd op een plantage in het nabijge-legen Selous. Het wedstrijdelement maakte Charm iets eerzuchtiger. Door haar korte benen, blinde oog en dikke buik daverden we onhandig rond het parcours en misten de meeste hindernissen en sloten. De volgende dag was ze duidelijk niet van plan mee te doen aan die onzin van een behendigheidswedstrijd. Ik trouwens ook niet. Halverwege de crosscountrywedstrijd waren we ingehaald door Rowan Lewis, een jongen van mijn leeftijd uit een bekende ruiterfamilie. Hij reed op Tempest, een slanke vos met de gespannen, duidelijk afgetekende spieren van een eersteklas polopaard, naast een vriend van hem.

'Ik wist niet dat ze ezels toelieten bij de crosscountrywedstrijd,' zei hij, terwijl hij grinnikend neerkeek op Charm. Hij wendde zich tot zijn vriend. 'Wist jij dat? Of is dat een zebra?'

Maar ik had tenminste een paard. We kregen een nieuwe aanwinst voor onze groeiende menagerie, een wrattenzwijnbiggetje. Ze was zó lelijk dat we haar Beauty noemden. Ze was het aanbiddelijkste wezen dat ik ooit had gezien. Ze kronkelde van extase om de kleinste dingen; vooral als iemand haar rug krabde. Het grootste deel van de dag zat ze de honden achterna, met haar sprieterige staartje recht omhoog, of ze lag op haar zij in de zon. Ik legde mijn gezicht tegen haar gloeiende buikje en streelde haar borstelige haren. 's Avonds slobberde ze sadza en melk of beendermeel en room met een intens gelukkige uitdrukking op haar snuit, en daarna klom ze in een van de tractorbanden met jute zakken onder het afdak voor de honden, en zonk in een coma. Haar schoonheidskoninginwimpers krulden op vanaf haar wangetjes.

Op mijn negende verjaardag werd ik wakker in een streep oranje zonlicht. Ik hoorde mijn cadeautjes ritselen. Mijn moeder legde onze cadeautjes altijd op het voeteneind. Dat was het eerste wat we zagen en hoorden, wanneer we wakker werden. Dit keer hing er ook een hoofdstel aan een haak van mijn commode. De trens glom met een waterige glans. Over de rug van een stoel hing een bruin dekkleed voor het oude zadel van Charm. Het was de gelukkigste dag van mijn leven. Mijn moeder kwam binnen, ze knuffelde me en ging bij me zitten terwijl ik mijn andere pakjes openmaakte; voornamelijk boeken. Ik genoot van het mooie cadeaupapier, en de geur van het nieuwe leren hoofdstel steeg naar mijn hoofd.

Daarna bakte ze een chocolade verjaardagstaart met gekleurde suikerpareltjes en rode kaarsjes erop. Ik likte de deegkom uit terwijl de geur van vanille en chocolade door het huis zweefde. Toen de taart klaar was droegen we hem naar de eettafel. Ik blies de kaarsjes uit en wenste dat ik een beroemde ruiter zou worden als ik groot was. Toen verhuisde ik naar de bank, waar ik al mijn nieuwe boeken om me heen uitspreidde als levens die wachtten om geleefd te worden. Lisa zat op de bank naast me, mijn vader glimlachte naar mijn moeder en ik zat tussen hen in met een grote hap chocoladetaart in mijn mond, veilig in het krachtveld van hun liefde.

7

In die eerste jaren waren de Beatties en de Adcocks onze beste
vrienden. Zo gaat dat in stadjes op het platteland. Gezinnen die
door de omstandigheden bij elkaar worden gebracht sluiten
vriendschappen die even bezeten zijn als tienerverliefdheden. Zes
maanden of zes jaren lang zijn ze twee handen op één buik. Daarna,
door een stilzwijgende overeenkomst of een grensoverschrijding
(seksueel of sociaal), spreken ze nooit meer een woord tegen elkaar.
We kwamen altijd bij hen over de vloer om te eten of te borrelen.
Een paar keer gingen we met de Beatties naar Shamrock. We kregen
blauwe plekken op al onze ledematen doordat we omlaag gleden in
de natuurlijke stroomversnelling van de Umfuli die was uitgehou-
wen in de grijze rotsen.

Wij reden er op een zondag na een week van zware regenval met
ronkende vrachtauto's naartoe. De hemel was schitterend wit, alsof
de onweersbuien alle kleuren uit de lucht hadden geloogd. Tijdens
het rijden werden we begroet door een kakofonie van insecten. Onderweg stonden Douglas, Hamish en ik in de laadbak van mijn vaders vrachtauto en keken met tranende ogen naar de weg. We gil-
den het uit van plezier als hij in volle vaart door de donkerroze
modderpoelen reed. Mijn moeder en Lisa zaten bij mijn vader in de
cabine; Sue en Gareth zaten in de tweede vrachtauto bij Thomas en
reden voor ons uit.

Terwijl hij over het moerasachtige pad naar de rivier hobbelde,
bleef Thomas' vrachtauto in de modder steken. Hij sprong eruit en
begon te vloeken en te tieren alsof de vrachtauto een luie plantage-
arbeider was. Mijn vader kalmeerde hem en bood aan naar de plantage in Shamrock te rennen, een paar kilometer verderop, om een

tractor en een ketting te halen. Tijdens dit gesprek hoorden we de gezwollen rivier bulderen achter de bomen, maar toen we de rivier zagen bleven we stokstijf staan. Dit deel van de Umfuli zag er meestal uit als een schilderachtig stroompje. Nu was het een pijlsnelle, onduidelijke karamelkleurige watermassa.

'Vandaag kunnen we niet zwemmen,' zei Sue tegen de jongens.

'Ah, moeder,' zeurde Hamish. Eén woedende blik van zijn vader legde hem het zwijgen op.

Wij kinderen klommen in de laadbak en laadden de spullen uit. We legden de FN-geweren naast de ligstoelen bij het bruisende water, en zetten de flesjes bier, cola, fanta en Schweppes-tonic in een teil met gemalen ijs. De hete zon knipoogde door de bladeren die de open plek gedeeltelijk beschaduwden. Lisa en Gareth speelden in de schaduw, hun blonde en roodharige hoofdjes dicht naar elkaar toegebogen. Mijn moeder en Sue klapten een opvouwbare tafel open en zetten er Tupperware-bakken op met komkommer in azijn, plakken vleestomaten met uien, koolsla en aardappelsla. Vliegen zoemden om ons heen.

'Als je één vlieg doodt, komen er duizend naar zijn begrafenis,' merkte mijn moeder op.

'Net als bij de nikkers,' zei iemand, en we lachten allemaal.

De braai was een oud olievat dat in de lengte doormidden was gesneden. Er waren stukken pijp onder gesoldeerd als pootjes. Iedere plantersfamilie had er een. Thomas schonk drankjes in, maakte grappen en liet zich zelfverzekerd en grootgrondbezitterachtig met een biertje in een ligstoel zakken. Mijn vader, de gewillige knecht, legde met droge houtblokken het vuur aan. Hij maakte aanstalten om de tractor en de sleepkabel te halen. Douglas vroeg of hij mee mocht.

'Het is erg ver, jongen, maar ja, je mag mee als je wilt.'

'Ik ga ook mee, vader, alsjeblieft, mag ik ook mee?' riep ik, terwijl ik opgewonden op en neer sprong.

'Blijf jij maar hier, vriendin,' zei mijn vader een beetje ongeduldig. 'Je kunt het vast niet bijhouden.'

'Wel waar. Ik kan het wel bijhouden.'

Douglas lachte vol minachting. Mijn vader haalde zijn schouders op. Ze zetten het op een rennen. Nauwelijks één kilometer verderop werd ik overvallen door een hevige steek in mijn zij. Ik moest diep vernederd terugstrompelen naar de anderen. Mijn moeder probeerde me te troosten maar ze begreep absoluut niet wat een schande het was. Ik was niet zo goed als een jongen, lang niet.

In minder dan geen tijd keerden de hardlopers terug met de tractor. Door de rook van de braai hing er een blauwe walm op de open plek. Mijn maag rammelde door de geur van de op houtskool gegrilde steak en het druipende vet van de boerenworst. Ik zat in de schaduw te mokken terwijl mijn vader en Douglas, de helden van de dag, bezig waren de vrachtauto te redden. Daarna sprong mijn vader in de snel stromende rivier om af te koelen. Hij lachte, hield zich vast aan de rietstengels, en zei iets tegen iemand op de kant. Toen haalde ik het in mijn hoofd iets dappers te doen. Iets krankzinnigs.

Ongemerkt liet ik mezelf stroomopwaarts in de rivier glijden. Het water was warm en ruiste in mijn oren en ik voelde dat de meedogenloze kracht van de stroom mijn buik masseerde terwijl ik me vasthield aan een omgevallen boom.

'Vang me, vader!' riep ik, en liet los.

Vlak vóór ik vooruitschoot zag ik zijn geschokte gezicht. Te laat besefte ik dat ik een verschrikkelijke fout had begaan. Als de rivier me een paar centimeter te ver langs hem heen sleurde zou ik verdrinken of voor altijd verdwijnen in het groene rijk der krokodillen. Maar ik kon niets doen. Onbeduidend als een boomblaadje werd ik door de stroom meegesleurd, snel en ver. Het leek onmogelijk dat hij me zou kunnen bereiken, laat staan vangen. Plotseling klemden zijn vingers verwoed om mijn pols. Er woedde een strijd tussen de stroom, zijn spieren en de scheurende rietstengels. Op een of andere manier won hij. Hij duwde me op de rivieroever en klauterde achter me aan. Hij schreeuwde, hij omhelsde me, hij ademde in hijgende stoten: 'Vriendin, ben je gek geworden? En als ik je niet had gevangen? Wat dan? Je had kunnen... Je zou zijn... Nee, nee.'

Door een waas van tranen zag ik hem wild zijn hoofd schudden, als een hond, om die gedachte te verdrijven. Toen, met het oog op de Beatties en mijn moeder, die de lunch klaarmaakte en niets wist van ons kleine drama, glimlachte hij geforceerd en plaagde: 'Er waren bijna een paar zéér goed gevoede krokodillen geweest in de Umfuli, dat staat vast.'

De mogelijkheid van de dood; de vrijheid van het leven. Het was in één seconde voorbij.

Vanaf dat moment werd ik verteerd door het verlangen een held te zijn. In mijn omgeving waren allerlei mensen die regelmatig dappere of vermetele daden verrichtten. Dat hoorde ik op het nieuws, van mijn moeder die de krant las, en bij de soldatenkantine in Hartley. Ze werden beschreven in mijn boeken, in de strijdliederen van John Edmonds, en in 'De ballade van de groene baret'. Mijn vader was een held in zijn vrije tijd.

Als gevolg van al deze heroïek keek ik voortdurend uit naar situaties waarin ik me kon ontpoppen tot de held van de dag, al was het op een bescheiden manier. Op een ochtend draafde ik op Charm langs de katoenvelden toen ik een wilde kat ontdekte. Hij zat hoog op de bovenste tak van een dode boom. Ik liet Charm halt houden. Ik wist niet precies wat voor soort wilde kat het was, maar hij leek enorm groot, van waar ik zat. Niet zo groot als een luipaard, maar groter dan een huiskat.

In minder dan geen tijd was ik ervan overtuigd dat de kat een gevaar was voor mens en dier. Ik moest hem tegen elke prijs tegenhouden. Ik sloeg Charm met de teugels tegen haar hals en reed als een ijlbode te paard naar huis. Tijdens het galopperen besefte ik dat het geen zin had, maar ik deed het toch. Ik verlangde naar een drama en, diep van binnen, naar aandacht en goedkeuring. Ik vergat al mijn voornemens over de jacht en liet me meevoeren op een vloedgolf van adrenaline en kracht.

Mijn vader was weg naar de oorlog. Ik dreef Charm naar het huis van de Beatties waar ik de noodtoestand hijgend uitlegde aan Thomas. We scheurden het erf af, slippend over het grind, zodat de honden op de vlucht sloegen. Ik legde mijn hand op de loop van zijn geweer zodat die niet van de bank gleed. Ik kon mijn ogen er niet van afhouden. Aan de ene kant hoopte ik dat de wilde kat er nog zou zijn zodat ik niet op mijn donder zou krijgen omdat ik Thomas voor niets had meegetroond, aan de andere kant hoopte ik dat ze verdwenen zou zijn, zodat ik niet mee hoefde maken wat er nu zou komen.

De wilde kat zat precies op de plaats waar ik haar het laatst had gezien. Haar silhouet stak af tegen de lucht, koninklijk als een zonnegod. Ze zat doodstil.

Thomas hield zijn sproetige hand boven zijn ogen. 'Het is maar een civetkat!' riep hij uit. 'Die veroorzaken meestal geen moeilijkheden. Waarom moet ik haar verdomme doodschieten?'

Terwijl hij sprak richtte hij zijn geweer, en nam een jagershouding aan. Hij wachtte even en keek me aan. Zijn blauwe ogen, vergroot door zijn jampotglazen, keken recht in mijn ziel. In mijn slechte hart.

'Ik wou niet... ik wou alleen... is ze niet gevaarlijk?' stamelde ik, maar hij wendde zich al af en concentreerde zich op de zoeker om de kat in beeld te krijgen.

Ik wilde hem smeken te stoppen, ik wilde zeggen dat ik nog maar een kind was (een dom kind), maar ik was niet in staat een man met zo'n krachtig charisma als Thomas tegen te houden. Ik stond daar koud als een winterochtend naast hem, medeplichtig aan een zinloze moord.

Hij vuurde. De civetkat viel met een vertraagde beweging naar beneden en plofte op de grond.

Thomas tilde haar op bij de achterpoten en zwiepte haar in de laadbak van zijn vrachtauto. Haar prachtige vacht, met de in elkaar overvloeiende vlekken op een platinakleurige ondergrond, was gedrenkt in bloed. Haar ziel leek voor onze ogen weg te vliegen.

Een ziek gevoel, veel erger dan misselijkheid, veroorzaakt door de meest afschuwelijke schaamte, kneep mijn keel dicht. Ik was sprakeloos.

'Ze is mooi, hè?' vroeg Thomas. 'Wanneer je nog eens zo'n dier ziet, moet je haar met rust laten. Ze deed niemand kwaad.'

Ik vergaf het mezelf nooit. Toen ik kort daarna een renpaard van de Beatties van koliek redde, omdat ik de symptomen herkende en wist hoe ik hem moest genezen, voelde ik me geen held. Het was alsof ik een schuld afbetaalde. Niemand behandelde me ook als een held. Op een plantage, zeker op een Afrikaanse plantage, zweren leven en dood voortdurend samen om elkaar intiem te leren kennen, en ieder doet het zijne om ze gescheiden te houden.

8

In januari 1976, negen jaar oud, pakte ik de voorgeschreven hoeveelheid donkergroene onderbroeken in een zwarte ijzeren hutkoffer en vertrok zonder een kik te geven naar kostschool, omdat de meeste blanke planterskinderen dat deden. Een dagschool was meestal niet te doen, vanwege de afstanden en de veelvuldige benzinerantsoeneringen. Daarbij verschafte het de ouders de vrijheid van een kinderloos bestaan, dat toch al vrij was door kindermeisjes en ander personeel. Bovendien dacht men op het hoogtepunt van de oorlog dat de kostscholen veiliger waren dan de plantages.

Dat was grotendeels waar, maar de lagere school van Hartley werd gerund door Don Clark. Mr Clark had een stekelig militair kapsel, waardoor je zijn hoofdhuid kon zien, een nauwkeurige barometer van zijn stemmingen. Meestal was zijn hoofdhuid vuurrood. Op de Hartley kostschool werden meisjes met een liniaal op hun knokkels geslagen. Ze kregen strafregels of een boetpredicatie van Mr Clark, maar jongens kregen er van langs met de stok. Kevin Lunt was zo bang voor Mr Clark dat hij van de zenuwen zijn das opvrat. Aan het eind van elk semester had hij alleen nog maar een stompje over.

In april vorig jaar betrad ik de rode aarde en de ziekenhuisachtige grasvelden van de lagere school in Hartley voor de eerste keer. Mr Clark reduceerde me direct tot een stotterend wrak. Het ging bijna onmiddellijk fout nadat Miss Power, de juf van de eerste klas, me voorstelde aan de rest van de klas.

'Nutsa?' vroeg ze. 'Moet je je naam zó uitspreken?'

'Nee, het is...'

'Coetzee?' vroeg ze, met een Zuid-Afrikaanse tongval.

Ik probeerde haar te verbeteren. Uitgerekend dat woord was een nagel aan mijn doodskist, en ik kon alleen een gespannen gefluister uitbrengen.

Ze bracht een hand achter haar oor. 'Kininter?'

'Ja,' zei ik, om haar het zwijgen op te leggen. 'Ja, ja, ja.'

Ik liet me op mijn stoel zakken, bitter en vernederd. Stilzwijgend vervloekte ik mijn grootvader Frederick, die mijn vader in de steek had gelaten en ons had opgescheept met een onuitsprekelijke Hollandse achternaam. Af en toe onderbrak Miss Power mijn sombere gedachten met onbegrijpelijke vragen over deelsommen. Ten slotte verloor ze haar geduld en gooide me de klas uit. Op de gang werd ik ontdekt door Mr Clark. Drie kwartier nadat ik de school had betreden kreeg ik een donderpreek over de buitengewoon ernstige gevolgen van luiheid en onoplettendheid op de Hartley kostschool, waar mijn nieuwe klasgenoten bijzaten. Miss Power knikte goedkeurend. Na die dag had ik altijd moeite met deelsommen; toen ik de school verliet was ik niet veel wijzer.

Onze juf in de tweede klas was Ursula North, een blonde stoot die alleen primaire kleuren droeg. Ze haatte me op het eerste gezicht, net als Miss Power. Soms werd ze zó woedend om mijn dromerigheid en domheid dat ze mijn oor omdraaide tot ik jankte van de pijn en vreesde dat hij af zou breken. Soms siste ze zo luid een waarschuwing in mijn oor dat mijn trommelvlies kriebelde.

Halverwege het jaar beging mijn vriendin Michelle Swanepoel, een bleek, mager meisje, een kleine overtreding die zo ernstig werd opgevat dat ze naar het kantoor van Mr Clark werd gestuurd. Michelle was zo bang voor Mr Clark dat ze besloot niet te gaan. Ze verstopte zich tien minuten lang in de wc en kwam terug met de boodschap dat Mr Clark tegen haar had gezegd dat ze het nooit meer mocht doen. Miss North was achterdochtig. Het was niets voor Mr Clark om zo vergevingsgezind te zijn. Ze liep naar zijn kantoor om erachter te komen of Michelle de waarheid vertelde.

Een paar minuten later stormde Mr Clark met een afschuwelijk gebrul de klas binnen. Mijn hart voelde alsof er een rinoceros tegenaan was gebotst. Zijn hoofdhuid was een apocalyptische kleur paars en zijn stekeltjes trilden waanzinnig. 'MICHELLE SWANE-POEL!!' bulderde hij.

Michelle werd grijs van schrik. Ze stak een klein dun handje omhoog. In haar herinnering was ze bevroren van angst.

Mr Clark stortte als een buizerd op haar neer, hees haar omhoog uit haar stoel bij de kraag van haar schooluniform en smeet haar tegen een leeg tafeltje aan. Hij greep haar opnieuw en gooide haar een andere kant op. Ze viel tegen het sproetige lichaam van een jongen en gleed met een lijkbleek gezicht op de grond. Hij greep haar bij de schouders, hees haar overeind en gaf haar een laatste, harde klap. Ze viel met een gesmoorde kreet op de grond en bleef daar zachtjes liggen jammeren.

'Wil je nooit, NOOIT, meer liegen tegen je juf!' beet Mr Clark haar toe, en hij beende bevend de klas uit. Zelfs Miss North zag er ontdaan uit.

De volgende dag verscheen 'Swannie', Michelles vader, in het kantoortje van Mr Clark, en ging de confrontatie aan. Als Mr Clark nog één vinger naar zijn dochter uitstak, zou hij hem vermoorden. Hij was zo overtuigend dat de secretaresse van Mr Clark schreeuwend het kantoortje uitrende: 'Swannie vermoordt Mr Clark!'

Het meisjesinternaat werd met een draconische efficiency geleid door onze directrice, Mrs Du Plessis. Mrs Clark, die nors maar vriendelijk was, hield toezicht op ons. Ze had veel gevoel voor humor en we vonden haar erg aardig. In de winter maakten ze ons om zes uur 's ochtends wakker en dwongen ons struikelend rondjes te rennen om het mistige golfveld. We werden achtervolgd door muskieten zo groot als libellen, en onze enkels werden smerig van stof en rijp. In de zomer moesten we iedere ochtend baantjes zwemmen in het kille blauwe zwembad. Klappertandend spartelden we tussen de kikkers en de glibberige klompen kikkerdril. Beide activiteiten werden gevolgd door een gemeenschappelijke douche in een naar Dettol riekende badkamer. We gebruikten de rode Lifebuoy-zeep die mijn moeder thuis hooghartig afwees, en zeepten onze bolle blanke buikjes in. Daarna stonden we gekleed en gekamd in de houding voor een inspectie van ons bed, dat we met een militaire precisie moesten opmaken, met ziekenhuishoeken.

De ergste dag van de week was vrijdag. Dan kregen we malariapillen, en gebakken vis en friet voor de lunch. De vis stonk naar pens; de misselijkmakende geur hing urenlang in de school voordat we aan tafel gingen. In combinatie met de malariapillen die als bitter vergif op je tong smolten, hoe snel je ze ook doorslikte, was dit het smerigste maal ter wereld. Voor het ontbijt kreeg je meestal toast met stroop, of roereieren die zo hard waren dat je een vleesmes nodig had. Of Maltabella, een pap van maïsmeel met chocoladesmaak. Voor het avondeten kreeg je gehakt of lever met uitjes, en als toetje bananenvla of Zambezi-modder (een slappe chocoladepudding) of een griesmeelpudding die we kikkerdril noemden.

Binnen de grenzen van deze gevangenisstructuur gaf de kostschool ons een vreemd maar heerlijk vrij gevoel. Er waren geen ouders die je verboden 's avonds tien witte boterhammen met boter en suiker te eten. Niemand zei dat je geen acaciadoorns zonder ontsmettingsmiddel uit je voetzool mocht halen met een naainaald die iedereen gebruikte. (Toen ik op een ochtend wakker werd, liep er een ontstoken rode lijn van een wondje op mijn rechtervoet tot bovenaan mijn dijbeen. Ik moest snel naar dokter Bouwer worden gebracht met bloedvergiftiging.) Niemand zei dat het geen zin had om weg te lopen als je bijna nooit thuis was, en dolgelukkig was wanneer je er wel was. Ik maakte regelmatig wegloopplannen met mijn vriendin Lisa Trumble, een externe leerling. Ze was de dochter van mijn moeders beste vriendin, Carol. We gebruikten een kaart van Rhodesië met toeristische attracties.

'We gaan per boot naar Zuid-Afrika, of we maken een vlot,' zei ik tegen Lisa, terwijl ik met mijn vinger over de blauwe lijnen van verschillende rivieren streek, langs een waterverftekening van de ruïnes van Zimbabwe. 'Het is alleen moeilijk om de grens over te steken. Dat kunnen we beter stiekem 's nachts doen. Dan hoeven we alleen nog maar de Limpopo af te zakken naar de zee.' Ik had nog nooit een kaart van Zuid-Afrika bekeken, en wist niet dat de Limpopo eigenlijk in Mozambique in de oceaan uitmondde.

Lisa klapte vrolijk in haar handen. 'Wat gaan we doen als we daar zijn?' vroeg ze.

Ineens zag ik Lisa en mij voor me als dakloze, smerige, hongerige kinderen op het strand, terwijl onze wanhopige moeders thuis een zenuwinstorting kregen.

'Allerlei dingen,' antwoordde ik vaag.

Mijn beste vriendin was Jilly Kirkman. Ze was een paardengek, net als ik. Ze was klein, gespierd en zeer gevoelig; het aardigste kind dat ik ooit had ontmoet. 's Middags na de volleybal-, tennis-, hockey- of atletiektraining aten we zoete sappige parten sinaasappel. Daarna speelden we paardje en galoppeerden om de met dennenbomen omzoomde sportvelden, en zweepten onszelf op met twijgjes.

Voor de pauze rende een prefect met een bel door een zonbevlekte tunnel van rode poinsettia's. Wij vlogen onze klaslokalen uit en troepten gillend om de ijscoman die met een ijscokarretje bij het schoolhek stond. We waren verzot op Bengal Juices en Pink Panthers – plastic pakjes chocolade- en aardbeienmelk. We schudden ze flink, prikten een gaatje in een hoek en spoten het schuim in onze mond. Op warme dagen was dat een puur genot. We dronken ze snel op, aten gulzig onze boterhammen met pindakaas en renden naar de sportvelden, waar we elke pauze bij elkaar kwamen om te knikkeren in de kamferachtige schaduw van de dennenbomen.

Hier zwaaiden de populaire kinderen de scepter, zoals overal. Ze waren sportsterren zoals de meisjes Walters, Carol en Lee, en drie klasgenoten, Juliet Keevil, Bruce Campbell en Mark Cremer. Mark, een knappe planterszoon met vrolijke schitterende ogen, werd door bijna iedereen aardig gevonden. Hij plaagde mij en alle anderen meedogenloos, op een vriendelijke, grappige manier zonder enige boosaardigheid, maar zelfs hij kon niet op tegen Juliet en Bruce.

Juliet kwam uit een van die gezinnen waar de ouders dol zijn op elkaar. Alle kinderen zijn goed, eerlijk en dapper en iedereen is actief betrokken bij de school en de gemeenschap. Ze barstte van een ontmoedigend zelfvertrouwen. Ze glimlachte altijd, want ze was goed in sport, intelligent en erg mooi, dus haar leven was een triomftocht van sporttrofeeën, complimenten, prijzen en gouden sterren.

Juliet was een goede vriendin van Bruce Campbell. Hij had korenblond haar en een gave olijfkleurige huid, en leek sprekend op Robert Redford. Hij was ook overal goed in. Alle meisjes waren verliefd op hem en alle jongens wilden net zo zijn als hij. Die adoratie ging grotendeels langs hem heen, want hij was nuchter, had een goede inborst en was eigenlijk alleen geïnteresseerd in de natuur. Zijn beste vriend heette ook Bruce, Bruce Forrester, die in de klas naast me zat. Ze hielden hartstochtelijk van wilde dieren en valken, en waren altijd bezig met het milieu. Ze waren onafscheidelijk. Bruce Forrester was verlegen en een beetje gereserveerd. Hij had vaak last van heimwee en dus hing hij, net als Jilly en ik, meestal rond aan de rand van de knikkerende groep.

Zelfs hier deed de oorlog zijn intrede. In de klas moesten we oefeningen doen om ons voor te bereiden op een granaataanval. We wierpen ons op de grond onder onze schoolbank waar we, zeiden ze, veilig waren voor opspattende granaatscherven. Er hingen posters met waarschuwingen voor allerlei soorten frisbeebommen en bommen als uitsteekvormpjes. We praatten altijd over terroristen. We vertelden dat ze de lippen en oren van slachtoffers afsneden en ze dan dwongen die te koken en op te eten. Iedereen kende iemand of woonde dicht bij iemand die was gestorven of op wie een aanslag was gepleegd. Er was een levendige handel in Rhodesië-stickers, die we op onze bruine koffertjes plakten. Op de stickers stond: RHODESIË IS SUPER en WEES ZUINIG MET WATER, BAAD MET EEN VRIEND, maar er waren ook onheilspellende boodschappen als: LOSLIPPIGHEID KOST MENSENLEVENS en SPREKEN IS ZILVER, ZWIJGEN IS GOUD. Deze stickers vond ik het mooist omdat ze impliceerden dat we even belangrijk waren als geheime agenten. De onvoorzichtige woorden die we ons lieten ontvallen op het speelterrein, terwijl we knikkerden en onze Bengal Juice opdronken, konden iemand het leven kosten.

Wanneer ze niet in mijn oor kneep of spuugde, vertelde Miss North prachtige romantische geschiedenisverhalen over Zuidelijk Afrika. Ze vertelde over Cecil John Rhodes die tijdens de Matebele-opstand in 1896 ongewapend de Mapoto-heuvels inreed om te onderhandelen met de opstandige stamhoofden, en een duurzame vrede bewerkstelligde. David Livingstone ontdekte in 1855 de Victoriawatervallen, die de Afrikanen *Mosi-o-Tunya* noemden, de 'rook die dondert'. H.M. Stanley, die eropuit was gestuurd hem te zoeken, begroette hem met de beroemde woorden: 'Dr Livingstone, neem ik aan.' Ze vertelde ons over Mzilikazi, de eerste koning van de Ndebele, die door de Boeren en Zoeloes werd verdreven uit zijn koninkrijk Transvaal. Zijn zoon en opvolger Lobengula was vrijgevig. Hij verleende allerlei jacht- en mijnrechten aan de Voortrekkers, de eerste blanke pioniers, en liet hen het land binnen dat later Rhodesië werd. We leerden allerlei dingen over ons land. Er was een overvloed aan natuurwonderen, zoals de Victoriawatervallen, een van de zeven wereldwonderen, en het Kariba-meer, waar de buffels graasden, het een na grootste door mensen vervaardigde meer ter wereld. We hoorden verhalen over de ruïnes van Zimbabwe, die ooit werden verondersteld het paleis van koning Salomo te zijn.

In de zomer maaide Mr Truman, de terreinbeheerder, aan één stuk door de sportvelden. De geur van pas gemaaid gras hing in het klaslokaal terwijl we tekeningen maakten van een brandende kring huifkarren, Zoeloekrijgers met schilden, en rivieren die rood zagen van het bloed. Ondertussen vertelde Miss North over de Boerenpioniers, de Voortrekkers, die in 1835 de Grote Trek ondernamen, een grote volksverhuizing om te ontsnappen aan de Engelse heerschappij in de Kaapkolonie. Ze onderhandelden over gebieden waar ze zich wilden vestigen met Dingaan, de Zoeloekoning, die hen later bedroog. Hij stuurde 10.000 krijgers op pad om 400 Voortrekkers aan te vallen in de slag bij de Bloedrivier, maar de Voortrekkers versloegen ze.

Ik luisterde en voelde dat ik er deel van uitmaakte. Mijn betovergrootmoeder van vaderskant Daisy Sarah-Ann Edwards, was een nichtje van Dick King. Hij stond erom bekend dat hij 900 kilometer in tien dagen had gereden teneinde alarm te slaan over een Britse kolonie die door de Hollandse Voortrekkers werd belegerd bij het oude fort in Durban. Hij liep ook 180 kilometer om de Voortrekkers te waarschuwen voor een onmiddellijke aanval van de Zoeloes. De moeder van mijn vader, Ivy Stella, was een achterkleindochter aan moederskant van James Edwards, de kolonist die in 1820 uit Deptford, Londen, was afgezeild op de *Aurora*. Aan vaderskant was ze een achterkleindochter van Johann Heinrich Albert Croft, een missionaris die het Engelse woordenboek in het Xhosa vertaalde. Nadat Piet Retief, de leider van de Voortrekkers, was vermoord, trok James Edwards zich terug op Retiefs plantage, De Goede Hoop.

De kolonisten uit 1820 waren 4000 Engelse emigranten die in een strenge winter scheep gingen naar de Kaapkolonie. Meer dan 90.000 gegadigden waren ingegaan op het aanbod van het ministerie van Koloniën. Iedereen die bereid was tien pond in te leggen en een nieuw leven te beginnen in het wilde Afrika, kreeg een vrije overtocht en 4000 hectare per man. Dit plan werd gepropageerd met pamfletten die hoog opgaven van de exotische, nuttige flora en fauna van de Kaapkolonie – Aloë's! Slagtanden van olifanten! Wilde varkens! Quagga's! Deze door de staat gesponsorde emigratie kwam volgens sommige historici voort uit economische motieven – er heerste veel werkloosheid, armoede en sociale tweedracht in Engeland – maar volgens H.E. Hockly's *The Story of the British Settlers of 1820 in South Africa* was er maar één doel. Er moest een kolonie worden gesticht die een 'stevige en betrouwbare menselijke buffer vormde tussen de oorlogszuchtige Kafferstammen aan de oostgrens, en de Europese kolonie aan de westgrens van het gebied dat bezet en ontwikkeld moest worden door die buffer'.

Aan moederskant had ik voornamelijk Engelse en Ierse voorouders. Mijn betovergrootvader, Hugh William Donnan, kwam uit Belfast en was architect en bouwmeester; een zakenrelatie van Rhodes tijdens de aanleg van Fernwood, een landgoed bij Kaapstad dat later een toevluchtsoord werd voor de regering. Hij woonde met mijn betovergrootmoeder in Fernwood Manor op het landgoed. Mijn overgrootvader, Charles Leonard O'Brien Dutton, de vader van mijn grootmoeder, diende tijdens de Boerenoorlog in het Britse leger en werd later minister van het protectoraat Bechuanaland (nu Botswana).

Tijdens de aardrijkskundelessen onderwezen Miss North en de andere onderwijzers ons in de Afrikaanse cultuur. Ze vertelden over gewoontes zoals de *lobola*, een bruidsschat die gewoonlijk werd uitbetaald in vee. Er waren veel verschillende stammen in Rhodesië, maar de belangrijkste waren de Mashona en de Matebele. Oorspronkelijk waren ze vijanden, maar ze hadden lang geleden een twijfelachtige wapenstilstand gesloten. De blanken – voornamelijk van Britse en Europese (Duitse en Nederlandse) afkomst – waren ver in de minderheid. In 1969 bestond de bevolking van Rhodesië uit 229.000 blanken, 14.000 kleurlingen en Aziaten en 4,8 miljoen zwarten. De blanken bestuurden het land. Wij waren ervan overtuigd dat het beter was voor iedereen, zeker omdat onze president Ian Smith had laten doorschemeren dat de zwarten over duizend jaar nog niet in staat zouden zijn zelf te regeren.

Ian Smith was altijd op de tv, die zeldzame keren dat ik naar het nieuws keek. Hij had een edel gezicht dat er vertrouwenwekkend en vastberaden uitzag. Hij had een keurig kapsel en was altijd gekleed in een pak met een das. Iedereen die ik kende idealiseerde hem. Op televisie vertelde hij over de oorlog tegen de communistische guerrillastrijders die ons land wilden afpakken, en over de Britten die boos op ons waren omdat we niet meer door hen geregeerd wilden worden. Een paar jaar geleden hadden ze de Verenigde Naties overtuigd dat ze ons sancties moesten opleggen om ons voor onze opstandigheid te straffen, maar we lagen daar niet wakker van. We hadden alles wat we nodig hadden, inclusief bier; onze vrienden de Zuid-Afrikanen zorgden voor olie.

Zelfs de rantsoenering van benzine was geen probleem. Iedereen bracht draagbare braais en koeltassen vol Castles en Lions en vlees mee naar de garage van Smith in Hartley. We aten T-bone steaks in de zon en vertelden elkaar oorlogsverhalen onder de vrije blauwe hemel. We lachten, deelden ons eten en waren trots op onze veerkracht.

Ian Smith was verantwoordelijk voor de Unilaterale Onafhankelijkheidsverklaring op 11 november 1965. Deze datum stond in onze harten gegrift. Op die dag hadden we aan Groot-Brittannië en de rest van de wereld verklaard dat we alles voortaan op ons eigen houtje zouden doen, of ze het leuk vonden of niet. De toespraak van Ian Smith aan zijn volk was legendarisch. Hij ontroerde me elke keer, hoe vaak ik hem ook hoorde.

Ik geloof dat wij een dapper volk zijn; de geschiedenis heeft ons een heroïsche rol toebedeeld. Wij zijn bevoorrecht, want we zijn het eerste westerse land in de afgelopen twintig jaar dat de overtuiging en de kracht kan opbrengen te zeggen 'tot hier en niet verder'. Wij hebben vandaag een beslissing genomen; de Rhodesiërs weigeren hun geboorterecht te verkopen. Niemand gelooft toch dat Rhodesië het laatste doelwit is van de communisten en het Afro-Aziatische blok, zelfs als we ons zouden overgeven? We strijden voor het behoud van rechtvaardigheid, beschaving en het christelijke geloof, en in de geest van deze overtuiging hebben we Rhodesië vandaag onafhankelijk verklaard.

We waren een dapper volk en de geschiedenis had ons een heroïsche rol toebedeeld.

Ik schreef de naam van mijn land met een markeerstift in mooie letters op mijn schoolboeken, naast de paardenplaatjes en de hartjes met initialen van popsterren. Charm, Donny Osmond en Rhodesië, mijn eerste liefdes.

9

Op een maandagochtend lag ik in bed en hoopte dat de Umfuli-
rivier 's nachts buiten haar oevers was getreden, zodat we de brug
naar Hartley niet konden oversteken en ik één of twee dagen niet
naar school hoefde. Bij het opstaan ontdekte ik dat er nog iets leu-
kers was gebeurd: mijn schooluniformen waren midden in de
nacht gestolen. Na een tijdje realiseerde mijn moeder zich dat er iemand had ingebroken. Nadat iedereen behalve ik ijverig had rond-
gerend om mijn schooluniformen te zoeken, ontdekte ze dat haar
horloge weg was. Toen zag ze vuile afdrukken en glassplinters in de
eetkamer. Ze werd pas echt overstuur toen ze zag dat de tandpasta
en de tandenborstels weg waren.

Na ongeveer twee weken werd de inbreker gepakt. Om redenen
die nooit duidelijk zijn geworden werd hij in kettingen geboeid
naar ons huis gebracht om de misdaad na te spelen. Hij werd geflankeerd door twee politieagenten, een blanke en een zwarte. Hij
was zo klein als een Bosjesman, en had de huidskleur van een kleurling. We stonden allemaal op de veranda en keken hem beschuldi-
gend aan. De overblijfselen van onze bezittingen lagen vies en rokerig in een roze deken gewikkeld – ónze deken – aan zijn voeten. Hij
was even kwaad als wij.

'Oké, laat de baas zien wat je hebt gedaan; hoe je het huis bent
binnengekomen,' beval de blanke politieagent. Hij stond met zijn
armen over elkaar tussen mijn ouders. De zwarte politieagent, die
vertaalde, hield de inbreker losjes vast bij zijn spierbal.

De inbreker deed alsof hij nadacht. Hij wist dat zijn leven voortaan een hel zou zijn. Midden in zijn ellende was hij vastbesloten
nog één keer te lachen. Hij beschreef hoe hij het eerste deel van de

avond onder de kamelenvoetboom in de voortuin had gezeten, terwijl hij ons gadesloeg en wachtte. Toen het laatste licht uitging, brak hij een ruitje in de eetkamer. Hij pakte alles wat hij kon dragen uit de zitkamer. Hij haalde de schooluniformen en wat linnengoed van het droogrek in de gang. Toen kwam hij in mijn kamer. Na in mijn kast te hebben gerommeld op zoek naar kleren, trok hij de roze deken van mijn bed – met een voorzichtig rukje.

Mijn vader maakte een gesmoord geluid dat klonk als 'Jesses!' Zijn gezicht was krijtwit met rode vlekken; een toonbeeld van onderdrukte woede.

De stem van de inbreker klonk uitdagend. Met elke snelle blik opzij van zijn bloeddoorlopen ogen leek hij te zeggen: 'Weet je hoe gemakkelijk het was? Weet je hoe gemakkelijk het zou zijn geweest iets veel ergers te doen?'

Hij ging verder met zijn toneelspel. Hij kneep zijn ogen tot spleetjes en liet zien dat hij door de kier van mijn slaapkamerdeur gluurde. Hij hoorde mijn zusje huilen en zag mijn moeder door de keuken lopen. Hij maakte van de gelegenheid gebruik om de badkamer in te schieten, waar hij het horloge, de tandenborstels en de tandpasta in zijn zak stopte. Voor hij ontsnapte wachtte hij tot mijn moeder terugliep naar haar kamer. Ze droeg, zei hij grijnzend, een piccanin jurk, een klein jurkje.

Ik was te jong om de geile ondertoon in zijn stem te begrijpen. Hij impliceerde dat de aanblik van mijn moeder in haar korte, doorzichtige witte nachthemd, verlicht door de flakkerende ganglamp, verboden gedachten in hem had gewekt. Hij wist dat dit mijn vader zou kwetsen. Hij nam wraak door het mijn vader te vertellen, terwijl hij onder politiebescherming stond.

'Godvergeten zwarte klootzak,' riep mijn vader. Hij wierp zich op de inbreker en verkocht hem twee keiharde legervuistslagen voordat de politieagenten iets konden doen.

'Nee, Errol!' schreeuwde de blanke. Je zag een kluwen van ledematen en hoorde een klap terwijl ze worstelden om hem in bedwang te krijgen. De inbreker rechtte hijgend zijn rug. Het zweet stroomde in dikke stralen langs zijn voorhoofd omlaag. Toen de politieagenten hem wegsleurden was de uitdrukking in zijn ogen niet langer getemperd door verdriet. Nu zag je alleen haat.

Mijn vader deed het trio uitgeleide. 'Man, dat was een goed gevoel,' zei hij toen hij afscheid nam. 'Man, o man!' Hij lachte gemeen. Mijn moeder wierp hem een woedende blik toe. Op de veranda hing de dierlijke geur van de gevangene en de stank van rokerige kleren in de vochtige lucht.

'Waarom kan je vader zijn afschuwelijke driftbuien niet beheersen?' zei mijn moeder woedend. Haar woede steeg en voegde zich bij de vergiftigde sfeer op de veranda. 'Toch krijg ik de rillingen bij de gedachte dat die afschuwelijke man de deken van je bed heeft getrokken. Terwijl je sliep.'

Ik zei niets. Ik vond het doodeng dat mijn instinct me niet had gewekt. De eerste keer dat mijn vermogen gevaar te voelen en te overleven op de proef was gesteld, was ik jammerlijk gezakt.

Mijn moeder en ik zochten tussen de armzalige spullen in de roze deken. Ze waren zo smerig dat het geen zin had ze te wassen.

We gooiden ze weg.

In de schoolvakanties zwierf ik rond over de plantage met mijn vader en Jock, zijn schaduw. Tijdens het werk kneep mijn vader zijn ogen voortdurend tot spleetjes tegen de zon, de luiheid van zijn arbeiders en de opkringelende rook van zijn Peter Stuyvesant-sigaret (ik bleef hopen dat hij zou overstappen op Lexington, want die had de beste advertentie: 'After Action, Satisfaction'). Ik probeerde katoen te oogsten, knabbelde aan zoete jonge tarwearen, en volgde hem door het maïswoud, terwijl ik in het niet zonk tussen de groene stengels. Hoog boven ons schommelden de pluimen heen en weer in de azuurblauwe hemel.

Het ontsmettingsbad voor de koeien was een van mijn favoriete plaatsen op de plantage. Hier stonden lange rijen protesterende koeien hun gespleten hoeven te schrapen zodat er zuilen fijn stof opstegen. Het stof sloeg tegen mijn tanden en prikte in mijn ogen. Je hoorde de zware lichamen neerploffen, het geklik van hoeven, het protesterende geloei en het roepen en fluiten van de veejongens

– 'Dopen, dopen, dopen, dieper!' Steeds opnieuw hoorde ik de buiklanding van de koeien. Ze werden ondergedompeld in de giftank met het lage dak. Daarna sloeg de chemische lucht van Coopers desinfectiemiddel op mijn neusgaten. Later liep ik tussen de natte koeien, die rilden, klaaglijk loeiden en de stinkende druppels van hun rug schudden in de herstellingspaddock. Ik voelde de warme, smurrieachtige modder en mest tussen mijn tenen sijpelen.

Al die tijd stond mijn vader kettingrokend cijfers te noteren op de achterkant van een sigarettenpakje. Zijn armen rustten gespannen op de reling van de veekraal. Hij was gespitst op slecht nieuws – een verdwaalde koe, een kreupel kalf of het kleinste spoortje mishandeling. De veejongens draaiden de koeien aan hun staart of gaven ze een duwtje als ze te lang aarzelden aan de rand van het ontsmettingsbad. Als ze het waagden een stok te gebruiken of als mijn vader merkte dat er door onachtzaamheid een ziekte, breuk of wond onopgemerkt en onbehandeld was gebleven, zodat een van zijn dierbare koeien – zijn 'mooie meisjes', zoals hij ze noemde – moest lijden, werd hij razend.

De koeienjongens bewogen in hetzelfde tempo als de koeien, alsof hun lichaamstaal in de loop der jaren automatisch die van de dieren weerspiegelde. Hun overalls stonden altijd open tot aan hun middel, of waren omlaag gerold over hun gespierde buik en vastgeknoopt om hun heupen, en hun tenen, verweerd en gebarsten door jarenlang blootsvoets lopen, staken uit hun rubberlaarzen. Koeien waren heel belangrijk als symbool voor rijkdom en succes in de Afrikaanse cultuur. Daardoor dwongen de koeienjongens veel respect af onder hun gelijken, en bij mijn vader. Zij en mijn vader waren voortdurend in een machtsstrijd gewikkeld.

Hij kende hun zwakheden en zij die van hem. Soms haalde hij streken uit. Hij bood ze een lift aan in de laadbak van zijn vrachtauto maar verzuimde te vertellen dat ze die ruimte moesten delen met een enorme python in een jutezak. Op een gegeven moment bewoog de zak. De koeienjongens vlogen alle kanten op, terwijl mijn vader krom van het lachen over zijn stuur hing. De koeienjongens hoefden hem geen poetsen te bakken. Ze genoten van mijn vaders tegenslagen, die meestal te maken hadden met zijn maag, die in opstand kwam tegen allerlei dagelijkse gebeurtenissen op de plantage. Als hij een abces moest doorprikken of per ongeluk in de kippenstront trapte ging hij verschrikkelijk over zijn nek. Hij werd zelfs misselijk bij de gedachte aan iets waarvan hij misselijk werd. Een tijdlang gaf hij elke ochtend over in de tropische rietplanten van mijn moeder, omdat hij zo bang was dat Thomas niet tevreden zou zijn over zijn werk.

Omdat hij altijd vooraan stond als de dieren een behandeling kregen, werd hij regelmatig gebeten, geschopt en gemaltraiteerd door de wezens van wie hij hield. De koeienjongens leefden voor deze incidenten. Een keer onderzocht hij een Ngoni-stier met de wijd uitstaande, gekromde hoorns van een os. De stier zwaaide met zijn kop en doorboorde zijn buik. Het was een wonder dat zijn organen niet waren geraakt.

'Jezus, de munten lachten,' vertelde mijn vader grijnzend toen hij thuis kwam. Vreemd genoeg genoot hij van deze interacties. 'Ze vonden het echt een giller.'

Hij weigerde naar een ziekenhuis te gaan om het gat in zijn buik te laten onderzoeken. Hij verbond de wond met dierenontsmettingspoeder en ging weer aan het werk.

Waar mijn vader liep, werd hij op de voet gevolgd door Jock. Op elk willekeurig moment zag je de vrachtauto van mijn vader tussen de velden met katoen, tarwe en koeien heen en weer schieten. Jock zat altijd bij het raam, met zijn flapperende donkere oren in de wind en een grijns op zijn brede Staffordshire-snuit. Net zo goed als er mensen ter wereld komen met een uniek innerlijk licht, zijn er dieren, en Jock was er één van. Voor hij een jaar oud was bezat hij alle eigenschappen van zijn naamgenoot, Jock of the Bushveld. Mijn vader had meer waardering voor moed in mensen en dieren dan voor alle andere eigenschappen – behalve goede manieren – en Jock bezat onmiskenbaar moed en goede manieren. Hij droeg zijn zwarte vacht als een cape van sabelbont om zijn trotse schouders en hij had gedrongen, elastische spieren. Zelfs als puppy haalde hij nooit gekheid uit; hij was altijd ernstig en waakzaam, en hield elke beweging van mijn vader in de gaten.

Toen Jock ongeveer negen maanden was, zette mijn vader zijn vrachtauto stil aan de rand van een katoenveld op Morning Star om naar een enorme baviaan met blauwe billen te kijken. Hij zat op zijn hurken en harkte bladeren naar zich toe om een soort muur te maken. In een flits dook Jock uit het raam. De baviaan tilde hem gewoon op met zijn enorme poot. Hij rukte Jocks achterpoot eraf met zijn kromme, okergele snijtanden. Het enige wat Jocks poot met zijn lichaam verbond waren een paar pezen en bloedvaten. Mijn vader scheurde met hem naar Tinx Rabi, de dierenarts, en Tinx beloofde mijn vader dat Jock weer de oude zou worden nadat hij de poot had gehecht. En dat was ook zo.

Op een dag begon Jock dringend en staccato te blaffen op een manier die in Afrika maar één ding kon betekenen. Ik was er niet bij. Mijn vader was in de veekraal met de nauwe uitgang om de koeien één voor één te wegen. Hij zette het op een lopen voordat het geluid volledig tot hem was doorgedrongen. Hij sprong over het hek in de paddock en riep Jock dat hij moest stoppen, moest terugkomen, zichzelf moest redden vóór het te laat was.

Jock was vijftig meter de savanne ingelopen. Zijn staart wees met een felle bocht omhoog. Boven hem, over de lengte van drie grote struiken gedrapeerd, hing een zwarte mamba.

In Gadzema zeiden de mensen altijd dat je een zwarte mamba kon herkennen aan zijn kop. Die had de vorm van een doodskist waar de meeste van zijn slachtoffers in terechtkwamen. Ik kon ze alleen al herkennen aan hun gemene uitstraling. Zwarte mamba's zijn eigenlijk niet zwart maar grijsgroen of beige, met kleine griezelige oogjes. Ik was er als kind van overtuigd dat dit de oorspronkelijke slang was in de tuin van het paradijs. Als ik op Charm reed dacht ik wel eens aan de theorie dat een kwade zwarte mamba sneller was dan een galopperend paard. Ik wist één ding zeker: als het Charm was, zou ik het niet lang maken.

Voordat mijn vader Jock kon grijpen, liet de slang zich uit de bosjes vallen en snelde naar een mierenheuvel. Jock rende blaffend achter hem aan. Toen Jock zijn tanden in zijn lijf zette, kwam de slang omhoog in een monsterlijke boog – een helse wijd open zwarte bek – en beet hem vier of vijf keer snel achter elkaar. Toen gleed hij als gesmolten lood een hol in. In een vlaag van waanzin greep mijn vader zijn staart en trachtte hem uit zijn schuilplaats te trekken, maar hij kreeg geen houvast. De koude grijze schubben glipten gemakkelijk uit zijn hand.

Jock stierf in zeventien minuten. Op dat moment racete mijn vader als een gek door de buitenwijk van Hartley naar de dierenarts die niets voor hem kon doen.

Ik lag op mijn stapelbed te lezen toen ik de deur van zijn vrachtauto hoorde dichtslaan, de achterdeur hoorde opengaan, en Peter hoorde uitroepen: 'Ah, ah! *Yena file?*'

Iets of iemand is dood, dacht ik. Ik spitste mijn oren, maar het enige wat ik opving was het medeleven in Peters melodieuze stem: 'Hé, baas, sorry, sorry, sorry! Tss, sorry, sorry, sorry.'

Ik gooide mijn boek weg en vloog de gang in. Jocks lichaam hing slap in mijn vaders armen. Zijn donkere ogen waren gebroken, zijn tong hing zwart uit zijn bek en er droop schuim uit zijn bek op de gewreven vloer.

Ik slaakte een kreet. Mijn moeder schrok op en kwam de kamer uit. Een hand vloog naar haar mond en de andere greep de vingers van Lisa, die met verbijsterde nieuwsgierigheid naar Jock opkeek. Toen hij zijn mond open deed, scheurden de woorden zich los uit mijn vaders borst, alsof ze uit een bodemloze pijn werden opgevist. 'Zwarte mamba... dompelplaats... zeventien minuten...'

Het was de enige keer dat ik hem ooit zag huilen.

Hij wikkelde Jock in een deken en droeg hem de tuin in. We wisten dat we hem niet achterna moesten lopen. Ik klom in mijn stapelbed en bleef daar tot mijn gezicht strak stond van de zoute tranen. De schaduw van mijn vader kwam voorbij onder de boom buiten mijn raam. Ik zag dat hij zijn last neerlegde. En door het open raam hoorde ik zijn hijgende luide snikken en het scherpe geluid van de spade terwijl hij zijn mooie zwarte hond aan de rode aarde toevertrouwde.

10

Zo leerde ik voor het eerst hoe Afrika geeft en neemt. Voor mijn vader was het een les te veel. Hij kreeg hierna andere honden, hij zorgde voor ze en beleefde plezier aan ze, maar hij zou nooit meer zoveel van een andere hond houden als van Jock.

Toen werd Beauty in stukken gescheurd nadat ze de melkjongens achterna was gelopen naar het huis van de Beatties. Sue belde mijn moeder en zei zakelijk, als een echte plantersvrouw: 'Ik bel om je te zeggen dat onze honden jullie wrattenzwijn hebben doodgebeten.'

Kapot van verdriet verdubbelde ik mijn pogingen de lammetjes onder mijn hoede te beschermen. Ik drukte ze stevig tegen me aan bij het voeden. Ze probeerden met hun warme, zachte mondjes te drinken uit alles binnen hun bereik – mijn haar of zelfs mijn kin – en ze boorden hun wasbleke hoefjes in mijn dijen. Elke keer dat de schapen lammerden kreeg ik een nieuwe verzameling weeskindertjes. Uiteindelijk kreeg ik er drie op één dag, waarna mijn vader er een eind aan maakte. De dood van Jock en Beauty bewees dat liefde niet genoeg was. Je moest God aan je zijde hebben, of het geluk, en je had kennis nodig.

Ik besloot dat ik dierenarts zou worden als ik groot was, net als mijn vriendin Jilly. In tegenstelling tot Jilly begon ik direct met mijn opleiding.

Ik vond een houten hutkoffer in de logeerkamer, maakte hem schoon en plunderde de eerstehulpverbanddoos voor een basisvoorraad. Ik zeurde mijn vader net zolang aan zijn kop tot hij me een paar overtollige restjes ontsmettingsmiddelen en antibiotica gaf. Als Eric Staples, de nieuwe dierenarts, op Giant werd ontboden, keek ik over zijn schouder mee en hing aan zijn lippen. Ik pikte begerig alle spuiten en naalden in, zodra hij die weggooide. Ik leerde ook zoveel mogelijk van mijn vader, die op de plantage alle niet-spoedeisende medische behandelingen deed, en hielp hem een paar kalfjes te verlossen. Ik las de serie van James Herriot: *It Shouldn't Happen to a Vet*. Ik zeepte trots mijn onderarm in en stak hem in de behaaglijke warme cervix van de koe, net zoals James, en tastte naar het wonder van het leven: de natte kalfjes en hun piepkleine, zachte hoefjes.

In de tussentijd had mijn moeder het plan opgevat rijk te worden met citroenen. Toen mijn moeder klein was leed mijn grootmoeder aan langdurige depressies. Mijn moeder logeerde elk jaar maandenlang bij de Mowbrays, vrienden van mijn grootvader, in een paleisachtig huis in een buitenwijk van Salisbury. Ze hadden veel bedienden, een zilveren eetservies en een koel, smaragdgroen grasveld dat naar overvloed rook. Aan die logeerpartijen had ze een hang naar luxe overgehouden, gaf ze toe, hoewel haar ouders straatarm waren, en wij niet veel beter.

Daarom verzon ze altijd plannen om snel rijk te worden. Volgens een legende had Thomas Hartley in 1874 een olifant doodgeschoten en daaronder een stuk witte kwarts gevonden, een duidelijke aanwijzing dat er goud in de grond zat. Toen Medicine een stuk roze kwarts in de tuin vond, was mijn moeder overtuigd dat we op een goudmijn zaten. Toen dit geen goud opleverde liet ze haar blik vallen op de citroenboom die ze het afgelopen jaar had gesnoeid en vertroeteld, en die haar had beloond met een enorme hoeveelheid citroenen. Uit de verte zag hij eruit als één grote citroen. Mijn moeder was ervan overtuigd dat de weg naar rijkdom voor haar open lag, en was een paar weken druk bezig speciale citroenzakken te zoeken en een verkooppunt te organiseren. Medicine en zij vulden zestig zakken met vruchten.

Jammer genoeg was de hele onderneming alleen een triomf van enthousiasme.

'Het verbaast me dat de prijs van de zakken bijna even hoog was als de opbrengst van de citroenen,' zei mijn vader spottend. 'Ik begrijp er niets van.'

Van de ene dag op de andere herstelde Lisa van al haar kwalen en allergieën, hield op met huilen en werd een levendige, nieuwsgierige dreumes met schitterende bruine ogen. Dit veroorzaakte een nieuw probleem, want Maud was 's morgens druk bezig met wassen en andere werkjes, en mijn moeder had maar weinig aandacht voor haar. Ze zat te babbelen aan de telefoon, wierp een vage blik uit het raam en zag dat Lisa en Gareth met een nachtadder aan het spelen waren.

Mijn ouders wisten zelden of nooit waar ik was en wat ik deed. Ik ging bijna altijd in mijn eentje rijden, dikwijls door de dichtbegroeide wildernis in afgelegen weilanden, waar mij allerlei dingen konden overkomen. Mijn moeder dacht daar nooit over na, maar maakte zich zorgen over kleinigheden (of ik wel een trui aanhad op een koude dag). Mijn vader en zij stonden lijnrecht tegenover elkaar. Zij was overbezorgd. Hij werd woedend als ik enig teken van slapheid vertoonde.

Zij zei: 'Zet je cap op. Rijd alsjeblieft voorzichtig. Niet te hard.'

Hij zei: 'Wat mankeert je? Kun je niet meer rijden? Snotter niet zo.'

Soms sloeg er een stop door in mijn moeders hoofd. Iets wat op een andere dag aanleiding gaf tot vreselijke voorspellingen over dood en verminking, vond ze ineens een prima idee. Toen ik een tiener was ging onze auto kapot in het Lion & Cheetah Park, tijdens een uitje met haar Indiase reisvriendin Pat. Zonder te aarzelen droeg ze me op de auto uit te stappen en te duwen, terwijl er op drie meter afstand negen leeuwen zaten.

Wat ik stom genoeg deed.

Maud was de enige die echt op me lette. Ze verscheen op bijna telepathische wijze als Douglas en ik op het punt stonden iets gevaarlijks of verbodens te doen, en zei, op een toon die je een vreselijk schuldgevoel bezorgde: 'WAT DOEN JULLIE DAAR? *Basopa*, kijk uit, of de baas geeft je een pak slaag!'

Mijn vaders standpunt kwam goed van pas wanneer ik iets wilde doen wat mijn moeder gevaarlijk vond, zoals rijden op renpaarden. Ik werd geïnspireerd door mijn vaders verhalen over de tijd dat hij meedeed aan de paardenrennen voor amateurs. Toen hij Thomas ontmoette bood hij aan in te vallen voor een jockey die op het laatste moment voor de wedstrijd niet durfde. Hij reed zo goed dat Thomas daarna niemand anders meer op zijn paarden liet rijden. Mijn vader won tientallen wedstrijden voor hem en ze werden goede vrienden. Maar zijn gloriemoment kwam toen de oude Jimmy Beattie tegen hem zei: 'Errol, ik wil dat je vandaag in míjn kleuren rijdt.'

'Jezus, ik rééd die dag!' zei mijn vader geëmotioneerd. 'Ik won die dag geloof ik vier wedstrijden. Ik zal die dag nooit vergeten.'

Aangezien ik ook vier wedstrijden wilde winnen, net als mijn vader, klom ik op Butcher Boy, een renpaard dat vele prijzen had gewonnen. Toen hij op hol sloeg naar de grote weg trok ik zo hard mogelijk aan de teugels. Ik besloot van zijn rug te springen om niet tot moes te worden gepletd onder de wielen van een toeristenauto. Daar zat ik duizelig onder een boom op een zongeblakerde *vlei* en keek naar het bloed dat mijn linker rubberlaars vulde en langzaam over de rand begon te sijpelen.

Voorzichtig trok ik mijn broekspijp op. Ik zag een gapend gat opengereten vlees en een wit bot. Ik duwde mijn broekspijp weer omlaag. Er was niets gebeurd.

Een stofwolk duidde aan dat er hulp op komst was. Ik bleef zitten tot mijn vader mij optilde. Hij zei: 'O, godverdomme, lieverd', en bracht me snel terug naar huis. Mijn moeder riep in paniek dat ik een been zou verliezen, bedolf me onder de zoenen en schold mijn vader de huid vol, terwijl ze mij overhevelden naar de achterbank van de auto, bovenop een stapel dekens. Ze maakten de hele weg naar de stad ruzie over de vraag wiens schuld het was. Ze zwegen alleen als ik kreunde om indruk te maken. Dokter Bouwer was niet in zijn praktijk, dus we reden kilometers over de Black Adder Road om hem te zoeken. Hij onderbrak zijn tenniswedstrijd, reed achter ons aan naar Hartley en lapte me op met drie keurige rijtjes hechtingen.

Thuis maakte mijn moeder een bed voor me op de bank. Ze zette mijn krukken binnen handbereik. Ze was altijd in haar element als ze Lisa of mij kon verplegen. Ze kwam herhaaldelijk naar me toe, streelde me over mijn hoofd en hield tirades over mijn onverantwoordelijke vader die me aanmoedigde gevaarlijke dingen te doen, wat onnoemelijk slecht was voor haar gezondheid.

'Het is een wonder dat ik geen spierwitte haren heb.'

Een paar dagen later gaven ze een feestje. Ik lag in bed met mijn gemummificeerde been op een kussen en een glas punch zonder alcohol, wat chips en een dipsaus van roomkaas met tomaat en Worchestershiresaus op mijn nachtkastje. Ik had medelijden met mezelf, maar ik was ook erg opgelucht dat ik niet mee hoefde doen aan de feestelijkheden buiten. Na een bezoek van een groep beschonken planters uit de buurt had mijn moeder tegen me gezegd dat ik niet meer bij hen op schoot mocht zitten.

'Waarom niet?'

'Het hoort niet, daarom.'

'Waarom hoort het niet?'

'Omdat mannen soms een beetje raar zijn, en daarmee basta.'

'Waarom zijn ze een beetje raar?'

'STEL GEEN DOMME VRAGEN. Waarom luister je niet één keer gewoon naar je moeder?'

Op mijn eerste schooldag zei Miss North, de blonde stoot in een marineblauw pakje, rode schoenen met plateauzolen en vuurrode emaillen oorbellen, dat ik met de andere kinderen uit mijn klas over de parketvloer moest kruipen om iets te meten. Mijn verband werd vuil en bloederig. Ik hinkte naar haar toe om de schade te laten zien. Ze keek met een vies gezicht naar het bevlekte gaas en snauwde: 'Ga in jezus' naam maar naar de ziekenboeg.'

De ziekenboeg bestond uit twee smetteloze ziekenhuisbedden in een apart gebouw. Daar bedolf de vriendelijke zuster Honey Metcalf de kapot gescheurde hechtingen met een kleverige blauwe zalf. Twee dagen lang lag ik tussen de keurige gesteven lakens in het tijdsvacuüm dat kenmerkend is voor een ziekte, waarin de geluiden uit de buitenwereld tot je doordringen, gefilterd door een zware, desoriënterende stilte, en de uren seconden duren, of zelfs jaren. Mijn enige gezelschap was een glimlachend zwart dienstmeisje dat arriveerde met dienbladen vol roereieren, gehaktbrood en Zambezi-modder.

'Hallo, *masikati*… goede middag,' riep ze de eerste keer dat ik haar zag; haar stem klonk als muziek in de steriele ziekenboeg.

'Hallo, goede middag,' antwoordde ik, en kon de verleiding niet weerstaan haar uitspraak te imiteren. '*Maswera sei.*'

'*Taswera kana maswerawo* – ja, het is een goede dag,' antwoordde ze lachend. 'Spreek je Shona?'

'Nee,' zei ik; ik voelde me een bedrieger. 'Alleen Chilapalapa.'

De ochtend-, middag- en avondgroeten waren de enige woorden Shona die ik kende.

Ze wees naar mijn gezwachtelde been en vroeg: 'Is het gebroken?'

Ik vertelde haar over Butcher Boy. Die harteloze Miss North had me gedwongen over de vloer te kruipen, waardoor mijn hechtingen kapot waren gesprongen.

'Aaah!' Ze sprong achteruit alsof Miss North haar ook een klap had gegeven. 'Dat is afschuwelijk! Zonde!' mompelde ze vol medeleven. 'Zonde, zonde, zonde.'

Ik moest wel glimlachen, en voelde me getroost en gekoesterd door haar goede zorg.

Op de vierde dag was er een ernstige infectie ontstaan, en ik moest met spoed naar dokter Bouwer. Hij maakte de wond schoon en schreef opnieuw antibiotica voor, maar hij kon niets doen aan de kapot getrokken hechtingen. Als gevolg daarvan kreeg ik een litteken met hard littekenweefsel dat met mijn scheenbeen meegroeide. Het grootste deel van mijn adolescentie legde ik mijn benen in de knoop om het litteken te verbergen; later pronkte ik ermee als een oorlogswond.

Ik ging naar huis voor een tweede herstelperiode. Daar ontdekte ik de *Encyclopaedia Rhodesia*. Ik had het boek maanden geleden geleend uit de schoolbibliotheek, en was vergeten het terug te brengen. Ik raakte onmiddellijk in paniek. Ik verbeeldde me dat ik naar Mr Clark zou worden gestuurd. Hij zou tegen me schreeuwen, me een boete geven en me waarschijnlijk tegen een tafel gooien. Ik moest me van het boek ontdoen. Als er geen boek was, zou er ook geen late datum zijn waardoor ik in moeilijkheden kon komen, dacht ik.

Ik hinkte naar buiten naar de houtkachel voor de boiler, een bakstenen oven die het water voor het hele huis verhitte, en legde het boek op de trap terwijl ik de gloeiendhete oranje kolen opporde. Het was heiligschennis om de hele encyclopedie in één keer in het vuur te gooien. Ik besloot te beginnen met de titelpagina en één of twee onbelangrijke bladzijden.

'*Hayikona, hayikona. Yinindaba*? Wat doe je?'

Ik sprong schuldbewust op.

Maud stond achter me met haar handen op haar heupen. 'Wil je dat boek in het vuur gooien? Waarom? Waarvoor?'

'Daarom,' zei ik onbeleefd.

'Wat betekent "daarom"? Geef hier.' Ze stak haar hand uit. Als mijn ouders niet in de buurt waren, kieperde Maud een paar beleefde zinswendingen overboord.

'Wil jij het hebben?' vroeg ik aarzelend.

'*Nxa!*' Ze wendde haar hoofd af en lachte spottend, alsof ze zo'n belachelijke vraag niet kon beantwoorden.

'Oké,' zei ik. Ik was opgelucht, want ik had nu geen verbrand, niet teruggebracht bibliotheekboek op mijn geweten. 'Jij mag het hebben.'

Ik vergat het incident tot de volgende dag, toen Thomas op bezoek kwam. Ik hoorde hem brullen in de zitkamer en bleef een eind uit de buurt. Sinds het incident met de civetkat had ik mijn best gedaan hem te ontlopen. De stemmen van mijn ouders rezen en daalden. Toen hoorde ik mijn naam roepen. Mijn ouders gebruikten mijn naam alleen wanneer ik in moeilijkheden zat. Ik liep met lood in mijn schoenen naar ze toe.

Het eerste wat ik zag was de encyclopedie.

Toen begreep ik dat zelfs kleine zonden uiteindelijk worden ontdekt. In Kaapstad had ik een keer een gummetje van een jongen gepikt omdat het naar kauwgum rook. Er zat een speciaal borsteltje bij waarmee je de rubberkruimels kon wegvegen. Ik wist zeker dat we te arm waren om zo'n gum te kopen. Later probeerde ik zijn naam eraf te schaven met een keukenmes, maar de inkt was diep in het rubber gedrongen. Hoe ik ook schaafde; zijn naam bleef zichtbaar als een brandmerk. Uiteindelijk had ik een schuldgevoel, zonder dat het me iets opleverde.

Mijn moeder zei op een bange halve fluistertoon: 'Er is iets vreselijks gebeurd. We denken... we denken dat Maud jouw schoolencyclopedie heeft gestolen.'

Ze legde uit dat Thomas Maud de vorige avond had aangehouden op de terugweg naar de kraal. Hij had het boek in haar fietsmand aangetroffen. Hij had haar een tijdlang ondervraagd. Toen ze bleef volhouden dat ik het aan haar had gegeven, had hij haar van leugens beticht. Hij was ervan overtuigd dat ze het boek had gestolen, en wilde dat ik het bevestigde.

Ik luisterde met stijgend ongeloof. Zelfs op die leeftijd, in die tijd, was ik verbijsterd dat Thomas Maud 's avonds op de stille weg naar de kraal aanhield, in haar mand keek en haar ondervroeg. Thomas kende Maud, hij kende haar al jaren; hij had haar moeten vertrouwen. Hij had haar moeten respecteren, hij had niet tussen haar bezittingen moeten rommelen en haar niet moeten vernederen.

Vol schaamte mompelde ik tegen het olijfgroene tapijt: 'Ik heb het aan haar gegeven.'

'Zeg dat nog eens,' beval mijn vader met een zachte stem, die veel angstaanjagender was dan geschreeuw.

Ik keek op en mijn blik kruiste de vijandige laserstralen van mijn vader en Thomas. Ik zei: 'Ze heeft het niet gestolen. Ik heb het aan haar gegeven.'

Er viel een geschokte stilte. Toen keerden ze zich allemaal tegen mij en vroegen hoe ik zoiets afschuwelijks had kunnen doen. Ik had niet alleen een boek van de school gestolen, maar ik had het weggegeven aan het kindermeisje, zonder stil te staan bij de gevolgen; Thomas had de politie bijna gebeld. Ik moest het boek onmiddellijk terugbrengen, mijn verontschuldigingen aanbieden en de boete betalen.

'Je denkt zeker dat je heel wat bent?' vroeg mijn vader. 'Je denkt zeker dat je kunt doen wat je wilt?'

Mijn moeder was voornamelijk opgelucht dat Maud onschuldig was.

Maud was razend op me.

'Waarom bezorg je me moeilijkheden?' foeterde ze. 'Baas Beattie, die vent is veel te brutaal.'

'Het spijt me, Maudie, het spijt me heel, heel erg,' zei ik. Het speet me echt. Heel erg.

Ze was niet tot bedaren te brengen. '*Wena mampara, wena,*' zei ze vol minachting.

Ik was een waardeloos persoon; ik kon er niets tegen inbrengen.

11

Voor mij begon de oorlog pas goed toen Miss North ons vertelde dat een van onze klasgenoten zichzelf 's nachts had doodgeschoten. Zijn vader was opgeroepen voor het leger en hij probeerde de man in huis te zijn. Er lag een geladen geweer op het kleedje naast zijn bed. Hij kwam uit bed en stapte er bovenop.

We waren allemaal geschokt en sommige kinderen huilden, maar niet één van ons kon het werkelijk bevatten. Die jongen zat een paar meter verderop, was bang voor Mr Clark, worstelde met zijn huiswerk, keek vol verlangen naar de zon buiten het raam. Hoe kon hij in één nacht zijn uitgewist als een lelijke tekening? Algauw was hij één van de velen. Nadat de Rhodesische regering jarenlang had getracht de guerrilladreiging binnen de grenzen in bedwang te houden, begon ze in juni uitvallen te doen over de grenzen heen. Eind 1976 telde de lijst van onschuldige en minder onschuldige oorlogsslachtoffers al een paar duizend namen.

Voor het eerst hing er een sfeer van een land in oorlog. Er werd een soldatenkantine geopend naast de Smith-garage in Hartley. Ik ging daar naartoe met mijn moeder, stond in een hoekje met mijn benen in de knoop om mijn litteken te verbergen, en keek naar de Afrikaner vrouwen, de beste kokkinnen uit de omtrek. Ze serveerden de uitgeputte soldaten uit de rimboe *babotie* (curry met eieren en gehakt), gebraden varkensvlees met een korstje en appelsaus, vruchtensla in witte kommen, stroperige koeksisters en geglazuurde cake, vol room en aardbeien.

De soldaten spraken een eigen taaltje. Terwijl ik verlegen rondhing zweefden er flarden van gesprekken mijn kant op. Ze waren op het nippertje ontsnapt aan 'platte honden' (krokodillen) in de Zambezi, ze hadden nikkers 'gedonderd' (gedood) in de *shateen* (de wildernis) bij Gona-Re-Zhou ('vrijplaats voor olifanten'). Ze zeiden: 'Mijn god, die floppies werden vol lood gepompt. We gaven ze echt op hun huid.'

Op Giant streken troepen soldaten neer. Ze dronken *shumba's* (Lion-biertjes) in onze zitkamer. Lisa, die twee of drie was, stond tussen hen in en vermaakte hen met lange, ingewikkelde verhalen over neerstortende vliegtuigen, die ze naspeelde voor een extra dramatisch effect. Aangezien ik altijd verlamd werd door verlegenheid, vond ik het ongelooflijk dat we familie waren.

Mijn vader kikkerde nog het meest op van de escalatie in de oorlog. Hij stamde af van generaties soldaten, en het leger zat hem in het bloed. Zijn grootvader van moederskant, Johannes Croft, een vriendelijke Duitser, was tijdens de Eerste Wereldoorlog krijgsgevangene geweest in Engeland. Hij had zijn eigen laarzen opgegeten om in leven te blijven. Mijn vaders ouders hadden elkaar in het leger ontmoet. Ivy Stella, mijn grootmoeder, werkte als klerk in de postkamer van de vrouwelijke luchtmacht in Pretoria toen ze Frederick Antonie ontmoette, een Hollandse soldaat. Hij was haar grote liefde. Toen ze trouwden, kreeg haar leven een nieuwe glans.

Aan het eind van de Tweede Wereldoorlog werd Frederick overgeplaatst naar Italië. Fredericks vader was een van de grootste, dikste mensen die mijn vader ooit had gezien. Hij was zó dik dat hij een speciale piccanin in dienst moest nemen om zijn schoenveters te strikken en zijn enorme voeten te wassen in een plastic teil. Op de dag dat mijn grootmoeder beviel van Neal, mijn vaders broer, kreeg ze een telegram met de boodschap dat Frederick was vermist. Mijn vader was pas anderhalf. Er zijn twee versies van het vervolg. In de ene versie keerde Frederick als een ander mens terug naar Zuid-Afrika. Hij zat Ivy regelmatig met een mes achterna door het huis. In de andere versie keerde hij nooit meer terug naar Stutterheim, waar Ivy en de kinderen op hem wachtten. Hij ging rechtstreeks naar Port Elizabeth. Daar bleek hij later te wonen met een andere vrouw, die een kind van hem verwachtte.

Hoe het ook zij, Ivy's wereld stortte in. Ze was een slanke, aantrekkelijke vrouw, een en al jukbeenderen en blauwe ogen, en ze had al meer dan haar portie ellende meegemaakt. Haar stiefgrootmoeder, een vroegere gouvernante van de kinderen van de Duitse keizer, had geprobeerd Ivy's vader te vergiftigen met een roompudding vol arsenicum. Toen ze hoorde dat ze per ongeluk haar lievelingskleinzoon had vermoord, Ivy's geliefde jongere broer en beste vriendje Bertie, viel ze dood neer door een hartaanval. Haar hele leven werd Ivy gekweld door verdriet om Bertie.

Na de verdwijning van Frederick hertrouwde Ivy drie keer. Zolang als ik me kon herinneren zweefde ze op de rand van de dood. Onze betrekkingen met haar werden gekenmerkt door een verhoogde intensiteit en grote liefde, omdat je nooit wist of ze er de volgende keer nog zou zijn. In werkelijkheid was haar kleine, broze lichaam van puur staal. Haar gevoel voor humor liet haar nooit in de steek. Ze was de spil waarom de hele familie (de Zuid-Afrikaanse tak) draaide.

Zodra hij de nieuwsberichten hoorde over de eerste uitvallen naar het buitenland, was mijn vader vastbesloten zich aan te sluiten bij de Selous Scouts, een speciale eenheid van gemengd ras die georganiseerd was zoals de luchtmacht. De Selous Scouts waren gespecialiseerd in het infiltreren van guerrillatroepen. Hun overlevings- en opsporingstechnieken behoorden tot de beste ter wereld. Mijn vader begon op Giant aan een moordend trainingsregime, als voorbereiding op de beruchte selectieprocedure. Hoe uitgeput hij ook was na zijn werk op de plantage; hij sprintte hoge kopjes op met rugzakken vol bakstenen of hij klom in touwen in de tuin.

Halverwege 1976 meldden mijn vader en de andere aspirantrekruten van de Selous Scouts zich in de Nkomo-kazerne in Salisbury. Daar werden ze gefouilleerd op vishaken en er werd een neushoornvogel langs de linies gestuurd om voedsel op te sporen. Twintig kilometer vóór het trainingskamp in Wafa bij Kariba werden de rekruten gedropt. Ze moesten paren vormen en kregen bevel het laatste stuk te rennen met een zandzak op hun rug en een geweer. Velen kwamen nooit in Wafa aan. Degenen die wel aankwamen ontdekten dat er geen eten en geen kazerne was, alleen een paar leemhutten. De eerste vijf dagen kregen de soldaten geen eten. Om hun marteling te vergroten hingen ze er op de derde dag een rottend kadaver van een baviaan op het plein in de verzengende hitte van Kariba.

'Als je de held wilde uithangen, liep je erheen en sneed een stuk bavianenvlees af,' vertelde mijn vader later. 'Degenen die dat deden werden natuurlijk verschrikkelijk ziek.'

Gelukkig voor zijn zwakke maag hield hij het niet uit tot de vijfde dag. Dan zou de baviaan worden gekookt en gevoerd aan de uitgehongerde soldaten, met maden en al. Op de vierde dag keek hij naar de terneergeslagen mislukkelingen, die hun spullen in de vrachtauto laadden die hen mee zou nemen, toen de chauffeur riep: 'Wil één van jullie dienst nemen bij de Grey's Scouts?'

De Grey's Scouts was een elite-eenheid van bereden infanterie, genoemd naar een vrijwilligerskorps dat was opgericht tijdens de Matebele-opstand in 1896. Mijn vader wist niet dat ze bezig waren het regiment nieuw leven in te blazen.

'Ik wil meerijden,' riep mijn vader, die bijna de chauffeur omvergooide toen hij aan boord sprong. 'Ik ren hier heuvels op en klim in touwen, terwijl ik op een paard zou kunnen zitten! Jezus, waarom zou ik rennen als ik kan rijden?'

Terug in Salisbury rende hij de hele weg van de Selous Scouts kazerne naar de nieuwe barakken van de Grey's Scouts. Druipend van het zweet kwam hij aan, nog steeds smerig van de afgelopen dagen.

'Mijnheer,' hijgde hij. 'Ik wil me graag aanmelden voor de selectie van de Grey's Scouts.'

'Nou,' zei de aanmeldingsofficier lijzig. 'Als je zo graag wilt...'

Het mobilisatieschema voor de Grey's Scouts was vier weken dienst, vier weken vrij. Toen mijn vader in dienst ging waren ze nog bezig paarden in te rijden en hoefsmeden te rekruteren. Hij hielp bij de bouw van de nieuwe kazerne van de Grey's Scouts in Nkomo, en hakte *mopani*-bomen die zo hard waren als beton.

De avond voor zijn eerste exercitie zat ik aan zijn voeten in de logeerkamer terwijl hij zijn FN-geweer uit elkaar haalde en schoon-maakte. Hij sorteerde zijn rantsoenen, en maakte een minirantsoen voor mij. Dit werd een vast ritueel. Mijn vader nam de gedroogde aardappelpuree, rijst, kerriepoeder, pinda's en de blikken Lucky Strike-sardines, rundvlees en gehakte ham ('gehakte foetus' noem-den de soldaten dat), die hij met de Afrikaanse soldaten ruilde voor hun heerlijke *nyemo*-bonen. Zodra hij alles had verzameld wat hij nodig had, laadde ik de overtollige pakjes kleverige koffie, tubes jam, boter en gecondenseerde melk in mijn oude schoolrugzak. Zo-dra hij weg was trok ik mijn legeruniform en rubberlaarzen aan, en liet een paar klappertjes in mijn klapperpistool glijden. Ik patrouil-leerde te voet langs de grensschutting en at een welverdiend rant-soenmaal in mijn boomhut (meestal een thermosfles koffie met ge-condenseerde melk en brood).

Nu zeefde ik kogels tussen mijn vingers door en vroeg: 'Ben je niet bang, vader?'

'Absoluut niet. Als je fit en goedgetraind bent, kan je niets over-komen.'

Vier weken later was hij terug. Hij viel met de deur in huis in vol-le camouflage-uitrusting, met zijn geweer in de hand. Zijn geur – een onvergetelijke mengeling van paardenzweet, mannenzweet, zadelleer, geplette dennennaalden en vochtige aarde – riep als niets anders het leven van de Grey's Scouts op. Ik was wild jaloers. Zijn ogen waren moe maar ze staken als aquamarijnen af tegen zijn zon-verbrande huid, en zijn hele gezicht straalde door alle avonturen die hij had meegemaakt. Hij tilde Lisa op met de ene getatoeëerde arm en omhelsde mij stevig met de andere. Bij een kop zwarte koffie ver-telde hij dat ze, na met hun paarden getransporteerd te zijn naar het noorden van Inyanga, bij de grens met Mozambique, in twee weken 400 kilometer hadden gereden. 'De paarden aten alleen appels.'

Op de hoge bergpassen konden ze kilometers ver kijken, maar ze konden ook van kilometers ver worden gezien. Overal waar ze kwa-men waren er sporen van de tamtam die voor hen uitsnelde. De dor-pelingen sloegen op trommels of lieten dunne rookpluimen ont-snappen om de terroristen te waarschuwen dat ze eraan kwamen.

'Door de tamtam kwamen we vaak in aanraking met terroristen, maar er vielen weinig doden,' zei mijn vader zakelijk.

Toen gebeurde er een afschuwelijk ongeluk. Een paard verloor zijn evenwicht terwijl hij over een verraderlijk pad werd geleid en stortte gillend in het ravijn. De hele staf was van slag. Ze ontdeden het arme dier van zijn tuig en sneden een voorhoef met een individueel brandmerk af. Ze moesten het meenemen naar het basiskamp om het paard te laten identificeren.

Jaren daarvoor kampeerden wij in Inyanga met Sheila, een Schotse collega van mijn moeder, en haar Spaanse man Joseph. Hij was kok, en ik herinner me voornamelijk de verrukkelijke chocoladedonuts die hij maakte in hun café. Sheila's ouders hadden een huis in de bergen, en wij zetten een tent op in hun tuin. Op de eerste avond verliet mijn moeder het kampvuur om iets te pakken in de donkere tent, en raakte een donzige rups aan. Binnen enkele seconden was haar hand één gezwollen vuurbal van pijn. Er werd een gaslamp gehaald en de moeder van Sheila begon aan de moeizame taak alle haartjes te zoeken en ze met een pincet uit te trekken. Om afleiding te zoeken voor de verveling en de pijn, haalden Sheila en mijn moeder dwaze herinneringen op aan de lunch die ze elke dag op kantoor aten: samosa's van de Bengal Tiger en gebakken bananen met kaneelsuiker en citroensap van Flanagan's, die ze elke dag bestelden tot de kok bij Flanagan's wilde weten of ze zwanger waren.

's Nachts was het kil in de bergen. De uren verstreken. Na een tijdje kroop ik lekker in mijn slaapzak, net buiten de sissende witte lichtcirkel. Ik lag daar gezellig met mijn voeten op een Afrikaanse kruik (een in de kolen verhitte in jute gewikkelde baksteen). Ik glimlachte omhoog naar de fonkelende sterren tot zij en de gebogen silhouetten van de vrouwen wazig werden en verdwenen in de vergetelheid.

Ondanks het rupsendrama herinnerde ik mij Inyanga als een plaats met feeërieke valleien, ragfijne mist en fel groen – 'lijkt op Schotland', zei Sheila. De lucht was schoon, koud en scherp als de bergstroompjes vol forellen. In de ochtend en vroege avond werden de Chimanimani-bergen in de verte aan het oog onttrokken door dampige sluiers paars en blauw. Jaren later zag ik Inyanga moeite-loos voor me, alsof ik naast mijn vader reed; hij hield zijn geweer vast en spoorde zijn paard aan de steile hellingen te bestijgen of af te dalen naar valleien waar de Gabon-adders zich in dikke, herfstach-tige windingen tussen de varens verstopten. Tegen zo'n achtergrond klonk zelfs de bebloede hoef, het identiteitsplaatje van een gesneu-velde held, romantisch. Ik wenste weer dat ik een jongen was, of zelfs een man, op een sterk paard, met een goedgeolied geweer, die zijn land verdedigde.

12

Sinds mijn vader een keer was gaan vissen met zijn vrienden – mijn moeder haatte zijn meeste vrienden omdat ze te veel dronken en hem aanspoorden hetzelfde te doen – en een *vundu* mee naar huis had genomen, een enorme prehistorische meerval met een bruine buik, groter dan ik en vele malen zwaarder, had ik hem aan zijn kop gezeurd dat ik met hem wilde vissen; dat niet alleen, ik wilde ook kamperen. Maar hij was altijd in het leger, of hij had het te druk op de plantage. Eindelijk spraken we af dat we laat op een zaterdag zouden gaan. Hij wist een mooie plek aan de rivier bij Shamrock waar ik nog nooit was geweest. Hij wist zeker dat je daar goed kon vissen. We hadden geen tent maar grondzeilen, dekens en een leger-slaapzak en we zouden bij het water slapen onder de blote hemel.

Om daar te komen moesten we de Lowood Road nemen.

De Lowood Road was een kronkelige grindweg langs een paar verafgelegen plantages in de streek, voordat hij terug boog naar de Sinoia Road. Deze lus had de bijnaam Sunset Boulevard. Tot voor kort hadden mijn moeder en ik ons op die weg gewaagd, want een bezoek aan Sybil Norman, een talentvolle schilderes, was de moeite waard. Ze maakte olieverfschilderijen van wilde dieren op allerlei dingen, van etensborden tot kalebassen. Haar cheeta's, ijsvogels en andere dieren waren zo prachtig geschilderd dat ze bijna leefden. Zij en Brian, haar man, bezaten een tarweplantage tegenover Brae-mar aan de rand van de Tribal Trust Lands (stukken land die als re-servaat dienden voor Afrikaanse stammen). In 1973 besloegen de Tribal Trust Lands een gebied van 800.000.000 hectare, een kwart van Rhodesië. De Tribal Trust Lands waren een broeinest voor ter-roristenactiviteiten.

Na een rondleiding door haar atelier zaten we op het terras en keken naar de hoppen die knikkend als bruingekroonde farao's over het grasveld liepen. Een bediende zette een mocca-walnotencake en scones vol jam en room op een tafel, gedekt met een wit gesteven tafelkleed, terwijl Sybil thee schonk uit een schitterende zilveren theepot. De tuin liep steil omlaag naar de geïrrigeerde tarwevelden. Naarmate de middag verstreek deden de schaduwen de blauwgroene kleur van de tarwe donkerder lijken, en de sproeiers veroorzaakten nevelbanken. Rookpluimpjes van de vuren in de kraal zweefden boven de paarse achtergrond van de verre kopjes. Het was een buitengewoon rustig tafereel; het wekte de illusie dat de wereld goed was; dat we niet kortgeleden 1200 terroristen hadden afgeslacht in een trainingskamp in Mozambique; dat we niet midden in een oorlog zaten.

Maar in januari 1977, toen mijn vader en ik vertrokken op onze langverwachte vistocht – allebei zenuwachtig en gespannen omdat we thuis lang hadden moeten wachten met het oog op het weer – was een rit over de Lowood Road net zoiets als spitsroeden lopen. In bepaalde gedeelten stonden de bomen even verstikkend dicht op elkaar als in het oerwoud. De bomen waren een goede plaats voor een hinderlaag, door de nabijheid van de rotsachtige kopjes – domein van luipaarden, *dassies* (bergkonijnen) en muurschilderingen van Bosjesmannen.

Op deze weg had mijn vader een keer een luipaard zien baden in de rode gloed van de dageraad. Hij zat te zonnen op de top van een mierenheuvel. Dit tafereel was uiterst zeldzaam, aangezien luipaarden buitengewoon schuwe nachtdieren zijn. Mijn vader was zo getroffen door zijn arrogante schoonheid dat hij de vrachtauto stilzette om naar hem te kijken. In een flits sprong Muffy uit het raam, net als Jock. Het luipaard sprong grauwend overeind en zette het op een lopen naar de wildernis, terwijl het zwarte stukje pluis achter hem aanstoof. Mijn vader rouwde al om haar toen ze ongedeerd terugkeerde, met een kwispelende krulstaart.

Deze gebeurtenis, samen met een andere in Lion's Vlei, waar

Muffy een zwarte paardantilope in een kring van rotsen in een hoek dreef en gevangen hield, ondanks zijn grote gebogen hoorns, overtuigde mijn vader ervan dat ze even dapper was als de onvervangbare Jock. Maar haar moed werd haar ondergang, net als bij Jock: ze werd doodgebeten door een veel grotere hond.

Een eindje voorbij Morning Star werd de lucht drukkend. Zelfs de vogels hielden op met zingen. We lieten de veilige warmte van ons bouwvallige huis met elke kilometer verder achter ons. Het was alsof we ongemerkt de uiterste grens van de beschaving hadden overschreden, naar een wetteloos niemandsland waar een verlammende eenzaamheid heerste.

Ik dacht aan Muffy en aan de kogels in de muur boven het babywiegje in Braemar toen ik mijn vader uit de verte hoorde zeggen: 'Je weet toch hoe je landmijnen moet herkennen?'

'Wat?' Ik probeerde tijd te rekken. Ik probeerde terug te gaan in de tijd om de vraag te begrijpen. Ik had geen idee hoe lang hij al tegen me praatte. Buiten het raam zag ik grote op elkaar gestapelde rotsblokken die vreemde schaduwen over de weg wierpen.

'Zeg niet "wat". Waarom luister je niet als ik tegen je praat?' Hij hijgde van plotselinge woede en liet de lucht ontsnappen met een pressurecookerachtig gesis. 'Ik zeiiii, je weet toch hoe je landmijnen moet herkennen?'

Twee pijlen van paniek boorden zich in mijn lever. Ik had hem nu al boos gemaakt en ik was aan zijn genade overgeleverd, zo ver van mijn moeder. Ik schudde vlug mijn hoofd; er brandden tranen in mijn ogen.

'Nou, de hoofdzaak is, je kijkt uit naar een pas gegraven gat of omgewoelde aarde. Iets wat er onnatuurlijk uitziet, wat er niet hoort te zijn.'

'Zijn de landmijnen groot?' Ik zag ze voor me als struikeldraden, slingerend onder de weg.

'Weet je, niet echt. De nikkers verstoppen ze zelfs onder koeienvlaaien.'

'Hoe weten ze dan dat je er overheen zult rijden?'

'Het is een soort kansberekening. Vroeg of laat gaat er een af.'

'Maar hoe kunnen we ze zien, als ze zo klein zijn?'

Zijn mond vertrok. 'Ag, als het professioneel is aangepakt heb je eigenlijk geen schijn van kans.'

Tijdens de rest van de tocht spande ik mijn ogen in om oneffenheden op de weg te ontdekken. Er bleken er veel te zijn. Een bergje graan dat van een tractor was gevallen, brokkelige opeenhopingen van veelkleurige aarde, verbleekte bergen antilopenkeutels, gevallen blaadjes. Ondanks het feit dat er waarschijnlijk landmijnen lagen, of misschien juist daarom, reed mijn vader bijna nooit langzamer dan 100 kilometer per uur. De angst sloeg me om het hart. Ik zag de koeienvlaaien onder de wielen doorglijden, en verwachtte elk moment in stukken te worden geblazen.

Bij Shamrock verlieten we de weg voordat we de belangrijkste plantage hadden bereikt. We ratelden over een koeienrooster en hobbelden over een bospaadje. Door de rimboe kwam de ijzeren geur van de regen opzetten. Mijn vader tuurde met zijn ogen tot spleetjes geknepen naar de lucht. De zonsondergang was gedeeltelijk roze en gedeeltelijk onweergrijs.

'Het ziet er slecht uit,' zei hij. 'Het ziet er heel slecht uit.'

We parkeerden aan de rand van een rotsachtige oversteekplaats in de rivier, naast een wirwar van biezen. We laadden ons visgerei uit en zochten een plaatsje, maar ik zag aan de blik op mijn vaders gezicht dat hij deze tocht al had afgeschreven. Hij was woedend op zichzelf omdat hij thuis niet naar zijn weerinstinct had geluisterd. Waarschijnlijk dacht hij dat ik hem had omgepraat. Ik was bang dat ik de schuld zou krijgen. Een dreigende windvlaag verstoorde de zijdeachtige waterstroom. Mijn vader wierp een verongelijkte blik op de zwarte lucht boven ons en beende de rimboe in om hout te sprokkelen.

Een tijdje later zat ik geknield bij de kolen. Ik was licht in het hoofd door de heerlijke geur van boerenworst, kruiden en rook, toen er opeens een enorm *woesj!* rijk aan mineralen klonk. Er kwam een muur van regen als een waterval over de rivier aanzetten. 'God zal me liefhebben!' schreeuwde mijn vader. Toen sprongen we lachend en hijgend overeind door het koude tintelende water. Mijn vader kromp in elkaar toen hij de sputterende boerenworst met blote handen oppakte en in een plastic bakje deed, terwijl hij probeerde zich te beschermen tegen de stortvloed.

We sprongen in de vrachtauto en sloegen de deuren dicht, maar ons haar zat al tegen ons gezicht geplakt en we hadden kippenvel op onze armen. De regen kletterde hard op het dak en stroomde in brede zilveren stroomversnellingen over de voorruit, ondoorzichtig als kwik. Onder de regen ruiste de rivier als muziek die op de verkeerde snelheid wordt afgespeeld. Onze wereld was teruggebracht tot een hol klinkende grot. Ik zat gevangen in de cabine met mijn vader, sprakeloos van verlegenheid. Het was altijd moeilijk zijn aandacht te vangen. Meestal kon hij niet stilzitten. Meestal liep hij te ijsberen. Hij vrat zich op of vervloekte zichzelf omdat hij het rinkelen van de telefoon of de wensen, noden en verlangens van ieder mens in de kamer of aan tafel niet had voorzien. En hij snauwde ons af omdat wij zijn wensen niet hadden voorzien. Maar nu zat hij tijdelijk opgesloten. Zoals altijd wanneer hij werd geconfronteerd met een ramp, vrolijkte hij plotseling op.

'Wat een zootje,' grinnikte hij, terwijl hij de dop van de thermosfles openschroefde en er een dampende stroom koffie met gecondenseerde melk ingoot. 'Jammer van het vissen, vriendin, maar dit is schitterende regen voor het katoen en de koeien. Schit-terende regen.'

Hij juichte bijna, zo vrolijk was hij.

We probeerden zoveel mogelijk boerenworst te redden en aten de aangebrande stukken met dikke pillen Tomazo's brood, koude gebraden kip, tomaten en een grote hoeveelheid zout.

'Vertel eens een verhaal, vader,' smeekte ik. Dus hij rookte en vertelde me over een regenachtige avond van vroeger, toen hij een kleine jongen was in Uitenhage. De pechvogel wiens taak het was de poepton twee keer per week uit het gemakhuisje van de familie te verwijderen gleed uit, terwijl hij in een stortbui over het steile pad door de achtertuin naar het hekje probeerde te lopen, en verdronk bijna in de inhoud.

Ik moest altijd lachen om dat verhaal. Ik lachte nog harder om het gezicht van mijn vader, dat altijd verbleekte bij de herinnering aan de hardnekkige stank. Maar ik hield het meest van de verhalen over de sprookjesachtige winter die hij en zijn broer Neal hadden doorgebracht op de plantage in Gubu van zijn grootvader Croft, toen hij vijf was. Zijn vader speelde 'You are my Sunshine' op de gitaar, terwijl de sneeuwvlokken langs het raam dwarrelden. Neal en hij maakten een sneeuwpop onder een grote eik die kreunde onder het gewicht van dikke vrachten glinsterende sneeuw. Twee Afrikanen op Basutu-pony's reden naar de boerderij om zijn grootvader te spreken; hun capes staken als schitterende kleurvlekken af tegen de sneeuw.

Hij was nog maar een kleine jongen, en zijn ouders waren al drie jaar gescheiden. Hij kon toen niet weten dat hij zijn vader in zijn kinderjaren maar twee keer zou zien. Hij wist ook niet dat die momenten in zijn herinnering zouden worden gegrift, als volmaakte uren, net zoals dit moment in mijn herinnering zou worden gegrift.

Toen ik duizelig werd van moeheid zei ik: 'Goedenacht, vader.'

'Goedenacht, vriendin. Slaap lekker.'

Ik deed de deur van de vrachtauto op slot en legde er een kussen tegenaan. Mijn kleren waren nog steeds vochtig. Ik lag in een dunne deken gewikkeld te bibberen op de harde kunstleren stoel, en sliep onrustig. Ik probeerde niet te denken aan terroristen die ons toevallig zouden ontdekken terwijl ze bezig waren landmijnen te plaatsen. Ik troostte me met de gedachte dat de kikkers en krekels (die volgens de verhalen stil vielen bij de eerste tekenen van gevaar) dapper doorkwaakten en -tsjirpten in de afnemende regen. Ik was me de hele nacht bewust van mijn vader die klaarwakker naast me zat met de koude loop van zijn FN-geweer tussen ons in, en het vleugje zwavel en het vonkje bij elke nieuwe sigaret die hij opstak, en de spanning in hem waardoor mijn maag thuis in een zenuwknoop raakte en die me gewoon doodsbang maakte, maar die hier, op deze afgelegen plek, de spanning van een soldaat was. De spanning was terecht en maakte dat ik me veilig voelde.

13

Misschien begon het in die tijd – een voortdurende angst op een laag pitje. Je merkt het nauwelijks zodat je er snel aan gewend raakt. Het is een natuurlijk onderdeel van de fysieke bijverschijnselen van een oorlog, zoals pijn en verrekte spieren in het leven van een beroepsatleet. Ik was bang wanneer ik alleen op Charm reed door de met tijgerspinnenwebben gedrapeerde wildernis op het kopje, waar soms één enkele vogel zong, als een onheilsbode. Ik was bang wanneer mijn vader naar het leger vertrok, en wanneer hij terugkwam. Ik was bang op school en op de Hartley Club, een tennis-, rugby-, golf- en squashclub waar de planters uit de streek elkaar ontmoetten. De bieragressie maakte me bang als ik daar binnen kwam. Ik was bang toen mijn moeder in allerijl naar het ziekenhuis in Salisbury werd gebracht voor een spoedoperatie aan een cyste. Ze lag daar, geelwit en breekbaar, met de paarse oogleden van een vogel die pas uit het ei is gekropen, alsof ze elk moment kon doodgaan.

'Maak je maar geen zorgen,' zei ze steeds weer met een zachte, bijna levenloze stem zodat ik me duizendvoudig zorgen maakte.

Ik had een taart voor haar gebakken. Een groene taart, met waterig chocoladeglazuur en een diepe kuil in het midden. Michelle Adcock had ook nog nooit gebakken, en we hadden die ochtend samen geëxperimenteerd. Michelles eerste poging was een daverend succes maar ik was een trage leerling. Ik probeerde het drie keer. De keuken van de Adcocks veranderde in een uitvoerig druipschilderij van meel, cacao, groene kleurstof en ei. Ondanks enorme hoeveelheden bakpoeder werd elke taart een grotere mislukking dan de vorige. Michelle maakte de fout zich te verkneukelen binnen gehoorsafstand van mijn vader; hij blafte haar af om mij te verdedigen en maakte haar aan het huilen.

Nu zette ik mijn beste taart op het ziekenhuiskastje. Mijn moeder was teleurgesteld, dat kon ik zien. 'Heb je geen bakpoeder gebruikt?' fluisterde ze en glimlachte flauwtjes. Toen ze mijn gezicht zag kneep ze in mijn hand en zei: 'Dankjewel, liefje. Ik zal zo een stukje eten.' Ik wist dat ze het niet zou doen.

Haar paarse oogleden gleden weer dicht en ze zonk terug in het kussen. Mijn vader schuifelde met zijn voeten en tastte naar zijn sigaretten. Door mijn moeders vele kwalen had hij geen enkel geduld met ziektes. Om mijn gekwetstheid te verbergen deed ik het ziekenhuiskastje open en legde er een schoon nachthemd en ondergoed in dat we voor mijn moeder hadden meegebracht. De zoete troostrijke geur van marshmallows en Johnsons babypoeder zweefde naar buiten in de lucht die zwaar was van ether en ontsmettingsalcohol. Maar het was niet zoet en troostrijk genoeg. We gaven mijn moeder een zoen en gingen weg.

Onderweg naar huis huilde ik. De mislukte taart voelde als een gebrek aan liefde.

Toen mijn moeder thuiskwam uit het ziekenhuis, hoorde ik voor het eerst over de gestorven baby's, de baby's vóór mij en Lisa. Ze borstelde haar haren voor de spiegel toen ze erover vertelde. In mijn verbeelding stonden ze tussen ons in als geestverschijningen.

De oudste van de baby's, de eerste, was vijf maanden oud geweest toen ze 'naar de engelen ging' en ik had bijna, bijna een grote zus gehad die Launa heette. Maar na mijn geboorte had een slechte dokter in Gatooma iets verkeerd gedaan met haar buik. Daarom hadden ze tegen haar gezegd dat ze geen kinderen meer kon krijgen, en daarom moest ze steeds naar het ziekenhuis om geopereerd te worden. Ze raakte haar buik aan. Een paar dagen eerder had daar nog een rij stekelige hechtingen gezeten, zodat het eruitzag alsof iemand had geprobeerd haar doormidden te zagen.

'Lisa was een wonderbaby,' verklaarde mijn moeder.

Ik verwerkte deze informatie in stilte. Ik zou ook graag een wonderbaby zijn geweest. 'Launa,' zei ik eindelijk. 'Dat is een rare naam.'

Een bron van verdriet, diep begraven, borrelde even op in een agressieve woedeaanval. Ze sloeg me zo hard met de haarborstel dat er een rode striem op mijn arm verscheen. Ik deinsde achteruit maar ze bleef schreeuwen en slaan. Dat maakte me niet bang. Ik begreep dat ze gekwetst was en voelde een diepe schaamte omdat het mijn schuld was. Ik begreep nu ook waarom ze ons zo probeerde te beschermen. Nee, wat me bang maakte was dat ik in een halve seconde iets achter haar ogen had gezien – een binnenwereld die niet toegankelijk was. Achteraf vroeg ik me altijd af of ons leven zo was als het leek.

Voordat ik daar verder over na kon denken, werd Peter gek.

Wat me absoluut niet verbaasde, moet ik zeggen.

Tijdens ons eerste jaar op Giant kwam James, de jongere broer van mijn moeder, logeren met zijn vriendin Maggs, een hippie-schilderes uit Engeland, een vreemde vogel in onze streek (het hippieachtige, bedoel ik). Ze had me onmiddellijk voor zich gewonnen door een kist boeken voor me mee te brengen; een boek over astronomie, *Struwelpeter*, een boek van Dr Seuss, een boek over katten en muizen, geschreven door een dertienjarig kind en, het allermooist, een paardenencyclopedie met een zwarte hengst op de omslag.

Het boek van die dertienjarige inspireerde me tot het schrijven van een eigen boek. Ik schreef een drama in een schrift over een schaapje dat er precies zo uitzag als Snowy en een slang in de houtstapel. Mijn moeder nam me mee naar de plantage van de familie Don, dicht bij Morning Star, want Lou Don was de dichtstbijzijnde kennis met een typemachine. Ik had gehoord dat uitgevers alleen getypte boeken lazen. Ik wist helaas ook dat ze alleen van typewerk zonder fouten hielden, en daar leed ik een nederlaag.

James had een Dean Martin-kapsel. Hij zag eruit als Zeus door jarenlange sportwedstrijden. Hij had acht jaar op de universiteit gezeten in plaats van de gebruikelijke vier omdat hij het zo naar zijn zin had. 'Mijn probleem was dat ik zo ver was gekomen zonder ooit te werken. Toen ik moest werken, wist ik niet hoe,' zei hij tegen ons.

Alles aan James was apathisch, loom en tevreden. Hij leek op een

kat die te lang in de zon heeft gelegen. Hij was ontkomen aan de op-
roep voor de militaire dienst, niet opzettelijk, maar door een admi-
nistratieve fout. Hoewel hij zich schuldig voelde werd hij niet zozeer door zijn geweten geplaagd dat hij vrijwillig dienst nam. Deze
bijzonderheid, in combinatie met zijn grote luiheid, was mijn vader
te veel. Als workaholic kon hij geen tolerantie opbrengen voor lui-
aards, als soldaat had hij minachting voor ontduikers van de dienst-
plicht. Bovendien had hij mijn grootvader nooit vergeven dat die
tegen hem had gezegd dat hij net zo moest worden als James, en
melk moest drinken in plaats van bier.

'Als dát gebeurt wanneer je melk drinkt, nou...' foeterde hij.

Toen ze op een ochtend vertrokken, stonden we buiten de keukendeur in de zon, terwijl de tuinjongens de Renault volaadden
met tassen vol verse groenten en eieren. Mijn moeders bleke hand
lag op de zonverbrande arm van mijn vader. Mijn vader zei: 'Het
was erg gezellig, het was erg gezellig,' (niet helemaal oprecht), als
antwoord op het bedankje van James. Peter stond breed glimlachend op de trap naar de keuken. Toen gebeurde het. Maggs, blo-
zend van het lekkere eten en de prettige stemming, sloeg haar armen om zijn hals en gaf hem een zoen.

De tijd stopte. De aarde zweefde weg. Het was alsof ik de scène
van bovenaf gadesloeg, op een wolk. Ik zag de vrolijke onschuld van
Maggs. James kromp in elkaar, mijn ouders stonden sprakeloos en
ik keek van de een naar de ander. Ik begreep dat er een verschrikkelijk taboe was geschonden. In het midden stond Peter, verbijsterd.

Ik was er altijd van overtuigd dat die zoen voor Peter de laatste
druppel was. De schaamte omdat hij door een blanke vrouw was
gezoend, dreef hem in een neerwaartse spiraal waar hij nooit meer
bovenop krabbelde. Noem het de terugwerkende kracht van het geheugen, noem het wat je wilt, maar hij was nooit meer de oude. Hij
bleef nog anderhalf jaar voor ons werken, maar je hoorde zijn melodieuze stem steeds minder vaak in onze keuken. In het voorjaar
van 1977 pleegde zijn vrouw zelfmoord en toen verdween zijn melancholieke glimlach helemaal. Haar familie gaf Peter de schuld van

haar dood en ze huurden een medicijnman in om hem te vervloeken. Toen ging hij de mist in.

Achter zijn rug zeiden de tuinjongens dat hij gek was. Wanneer ik bij hen in de moestuin in mijn eigen bed stond te spitten, liep Peter mompelend het huis uit om een emmer te legen op de composthoop. Ze tikten tegen hun voorhoofd en zeiden: '*Yena penga, lo cook*. Hij is gek, die kok.'

'*Hayikona*,' zei ik, half verdedigend, half gefascineerd doordat Peter, tussen het steeds vreemder wordende boterkarnen door, geleidelijk aan gek werd.

'Heus, *piccanin missis*,' hield Medicine vol. '*Yena penga stelek.*'

Toen we een keer aan de ontbijttafel zaten hoorden we geschreeuw in de tuin. Mijn moeder en ik renden naar buiten en zagen Peter, die niet was komen opdagen voor zijn werk. Hij waggelde als een dronkaard onder de seringenboom. Zijn koksjas was gekreukeld en alle knopen zaten los. Er bungelde een leren buidel om zijn hals. Het zweet stroomde als wit water over zijn donkere borst.

'Wat gebeurt er, Peter? Wat is er aan de hand?' vroeg mijn moeder met een stem die gezag en afkeuring moest uitdrukken, maar eerder klonk als een verschrikte kreet.

Hij brabbelde onbegrijpelijk tegen haar.

'Wat is er met je? Ben je dronken?' Ze wendde zich tot de tuinjongens. 'Medicine, wat zegt hij? Heeft hij gedronken?'

Geen van ons zag dat Peter een gebroken melkfles achter zijn rug hield tot hij ermee zwaaide. De tuinjongens, het doelwit van zijn woede, sprongen buiten bereik van de puntige glasscherven, maar Peter verstijfde. Hij hief zijn hoofd op alsof hij naar de commando's van een verre stem luisterde. Plotseling slaakte hij een oerkreet en ging ervandoor, zonder één blik in onze richting. We zagen hem voor het laatst toen hij moeiteloos over de hekken van de tuin en de paddock sprong.

'Hij zag eruit als een springpaard,' zei mijn moeder later.

14

Toen waren we nog veerkrachtig. Mijn moeder werd eenendertig in februari 1977 en begon folders en vliegtuigdienstregelingen te verzamelen voor de droomreis die ze al sinds haar kindertijd wilde maken. Oorspronkelijk zou de hele familie gaan, maar mijn vaders geweten stond hem niet toe vakantie te nemen van de plantage of de oorlog, en ik volgde zijn voorbeeld.

'Waarom zou ik mijn paard alleen laten?' vroeg ik mijn niet-begrijpende moeder.

Mijn beeld van een vakantie was Beira en naar houtskool smakende garnalen, of de treinreizen uit mijn vroege kindertijd, toen de coupés roken naar leer, gelakt hout en beroete rails. Als je de wc doortrok zag je de rails onder de trein door vliegen en als je naar de restauratiewagen liep rukten de treinstellen angstaanjagend aan hun kabels alsof ze los zouden schieten, net als je ertussen stapte. Na een tijdje werd het voorbijglijdende landschap Zuid-Afrikaans. We kochten Zoeloe-armbandjes met kraaltjes en smarties en gedroogde vruchten van de venters op de stations. Wanneer het buiten donker werd, toverden nette geüniformeerde bedienden die eruitzagen als legerofficieren onze coupé om in een couchette met uitklapbare bedden. Ze werden opgemaakt met witte gesteven lakens en lekkere zachte dekens. De nachten in het schommelende bovenste stapelbed, gesust door het ritmische gedender van de rails, waren onvergetelijk.

Mijn moeder hield vroeger ook van de treinreizen, maar nu droomde ze van Europa in de lente. Ze wilde naar Griekenland, Zwitserland, Oostenrijk, Engeland, Schotland, Frankrijk, Spanje en de Canarische Eilanden. Ze bezocht al die landen op haar eerste reis. Uiteindelijk ging ze alleen. Lisa logeerde zes weken bij Sue Beattie, en ik was voornamelijk op kostschool of zenuwachtig thuis bij mijn vader. Ik logeerde een paar keer bij mijn grootouders in hun flat in Salisbury, waar overal Kaapse viooltjes stonden en plaatjes van katten hingen. Mijn grootvader had een eigen kamer dus ik sliep in bed bij mijn grootmoeder. 's Ochtends bracht ze me koffie in een porseleinen kop, een schoteltje met mariabiscuitjes en een glazen pot gecondenseerde melk op een dienblad.

Mijn grootvader stopte de hele dag zijn pijp met sterk ruikende tabak, en las. Hij hield van katten, maar niet van kinderen. In zijn kamer hing een houten bord waarop stond: 'Wanneer je in een lastig parket zit, denk dan aan Jonas, hij kwam eruit.' Maar mijn grootmoeder was warm. Ze glimlachte en was geweldig. Ze nam me mee naar de Anglicaanse kathedraal van St Mary and All Saints, die naar wierook en mirre rook. Er was een charismatische deken met sneeuwwitte haren, een gelukzalig gezicht en wapperende gewaden, en er hing een sterke religieuze sfeer die me het gevoel gaf dat ik echt in Gods huis was.

Mijn grootmoeder was opgegroeid in Mafeking. In die tijd was dat de hoofdstad van Bechuanaland, waar haar vader minister was van het protectoraat. Als meisje galoppeerde ze zonder zadel en hoofdstel op nauwelijks ingereden pony's door het landschap. In de vroege jaren twintig galoppeerden zij en haar tienerzusje Ruth een keer langs de witte trein waarin David, de prins van Wales zat. Haar paard rende tegen een prikkeldraadhek aan en maakte een salto. De prins, die door het raam van de restauratiewagen naar hen wuifde, liet de trein stoppen en gaf opdracht de meisjes te redden.

Mijn grootmoeder had een stamboom die via haar vader, Charles Leonard O'Brien Dutton terugging tot 742, het geboortejaar van Karel de Grote, de koning van de Franken, die op eerste kerstdag in 800 tot keizer werd gekroond door paus Leo III. Onze voorouders hadden wonderbaarlijke namen als Pepijn *Roi d'Italie* of Hrolf de Ganger. Een notitie bij de stamboom vermeldde dat Ghisela, een afstammeling van Pepijn, door haar vader ten huwelijk werd gegeven aan Hrolf, om de vrede te bewaren. Hij accepteerde haar toen hij

zich ervan had vergewist dat ze groot genoeg was. Hrolf werd opgevolgd door William Longsword, Richard the Fearless, Richard the
Good, Robert the Magnificent (ook bekend als Robert the Devil) en
zo verder tot Willem de Veroveraar in 1066.

Een van onze familieleden, William Smith O'Brien, de broer van
mijn betovergrootmoeder, was een MP die campagne voerde voor
de afscheiding tussen Engeland en Ierland. Hij werd een Ierse revolutionair; de leider van een militante Ierse federatie die in 1848 vo-
gelvrij werd verklaard. In de maand juli van dat jaar vielen zijn aanhangers in County Tipperary een politiekorps aan bij een mislukte
revolutie die bekendstond als 'de slag in het koolveld van de wedu-
we McCormack'. Hij wist te ontkomen op het paard van de hoofd-
agent. Hij werd gevangengenomen, schuldig bevonden aan hoog-
verraad en veroordeeld tot de galg. Er waren zoveel mensen die
smeekten om hem te redden, dat het vonnis werd verzacht tot le-
venslange verbanning. Hij werd voor vijf jaar naar Tasmanië gestuurd. In 1856 kreeg hij gratie en keerde terug naar Ierland, maar
niet naar de politiek.

Mijn lievelingsverhaal over mijn voorouders ging over een oudoom, Jack, zeeman bij de koopvaardij, die in alle onschuld had aangemonsterd op een schip dat wapens smokkelde. In zijn laatste
brief staat:

Lieve Frank,
Ik weet niet hoe ik moet beginnen. Schrik niet. Ik hoop dat
het uiteindelijk goed uitpakt. Ik had aangemonsterd op een
stoomschip met passagiers dat van Kingston naar de Citroen-
baai in Costa Rica voer. Het schip blijkt nu een beruchte blok-
kadebreker te zijn, die al verschillende ladingen wapens en
munitie heeft gesmokkeld. In plaats van Costa Rica zette het
schip koers naar Cuba, waar het afgelopen vrijdagavond werd
geënterd door een Spaans oorlogsschip *Foonedo* [?]. Wij en
het schip zijn hier naartoe gebracht. Verschillende maten zijn
doodgeschoten. Gisteren werden we voorgeleid voor het militaire gerechtshof en vanochtend werden we veroordeeld tot

de doodstraf om halfvier. Wees niet bedroefd; bid voor me
(dat doe ik zelf ook wanneer ik klaar ben met deze brief).
Je liefhebbende broer,
Jack

Mijn grootmoeder was erg boos op mijn moeder omdat ze haar man en kinderen in de steek liet en op reis ging, maar mijn moeder liet zich geen schuldgevoel aanpraten.

'Mijn gezin is veertien jaar op de eerste plaats gekomen,' zei ze tegen mijn grootmoeder. 'Veertien jáár. Nu denk ik voor de verandering aan mezelf.'

Het was niet veertien jaar want ik was pas tien, maar ik stond volledig achter haar, want het was haar langgekoesterde droom, en ik verheugde me op een opwindend cadeautje uit het buitenland. Mijn vader vond het helemaal niet erg en Lisa was te klein om het erg te vinden. Alleen onze mening was belangrijk. Mijn moeder vloog weg op 19 mei.

Nadat Peter was gedeserteerd had Maud zich geopenbaard als een fantastische kokkin. Zij zorgde voor mijn vader en mij. Ze maakte 'cottagey pie' voor ons en kippen met een dikke laag paprikapoeder en meel die langzaam werden geroosterd in kloddens braadvet. Die kip was zo lekker dat je je vingers erbij opat, net als de krokante geroosterde aardappelen die erbij zaten. De volgende dag aten we altijd kippensoep. Ze maakte ook altijd jus van 'ui-jen' en tomaten, die overal heerlijk bij smaakte, vooral bij sadza en boerenworst.

Aangezien mijn moeder in Europa was, greep ik de gelegenheid aan een python te temmen. Toen ik eenmaal een paard had zette ik mijn zinnen op een python of, nog beter, een vijlslang, een glimmend, koraalrood wezen dat legendarisch gehoorzaam was, hoewel de Afrikanen geloofden dat de aanblik van een vijlslang een voorteken was van een sterfgeval in de familie. Mijn vader beloofde er een voor me te zoeken. Hij kon geen vijlslang vinden maar hij hield woord en nam twee pythons voor me mee. De eerste noemde ik Charlie, maar alleen al zijn grootte – zes meter lang en zo dik als een vrachtautoband – betekende dat hij in een grote houten kist moest worden opgesloten. Na veertien dagen lieten we hem vrij uit medelijden. Hij en ik kenden elkaar alleen door een spleet in het deksel. Wanneer ik mijn gezicht dicht bij die spleet bracht, rook ik natte bladeren en muizen.

Daarna kwam Samantha, twee meter lang, die beter te hanteren was. Maud keurde dit ten zeerste af. Zoals de meeste Afrikanen had ze een hekel aan slangen. Alle Afrikanen geloofden dat er een periode van droogte zou komen als je een python kwaad deed. Dat bijgeloof werd gedeeld door de blanke planters. Tot nu toe had ik alleen een python gezien in het Snake Park tijdens ons schoolkamp in Resthaven, een natuurgebied waar we mee naartoe waren genomen door onze lieve meester uit de vierde klas, Mr Mitchley. Mr Mitchley droeg een geleerd brilletje; hij was een natuurliefhebber en een hartstochtelijk voorstander van natuurreservaten. Hij indoctrineerde ons met de etiquette voor de rimboe zoals: 'Neem niets behalve foto's, laat niets achter behalve voetafdrukken', en leerde ons de kunst der natuurbescherming door allerlei prachtige schoolprojecten. In Resthaven bestudeerden we rotsschilderingen van de Bosjesmannen. Hij liet ons zien hoe we een python op de juiste manier moesten vasthouden, en hoe we een geit moesten villen. Dit waren verreweg de waardevolste lessen op de lagere school, en behoorden tot de zeer weinige met een praktische toepassing.

Thuis hielp mijn vader mij Samantha uit de kist te tillen. Ik zat op de bank met haar hoofd in mijn rechterhand en haar dunne staart in mijn linker. Ik had geleerd dat ik haar op die manier gemakkelijk kon loswikkelen als ze een beetje onstuimig werd en aan de wurgslangprocedure begon.

Toen werd er op de achterdeur geklopt. Mijn vader verliet de kamer om de deur open te doen. Hij bleef een hele tijd weg; waarschijnlijk moest hij een crisis op de plantage bezweren. Ik voelde me erg groot, terwijl ik daar in mijn eentje in de zitkamer zat met een koele, zware python op mijn blote benen. Ik vond haar erg mooi. Haar fijnbesneden hoofd leek veel meer op dat van een zoogdier dan andere slangenhoofden en haar camouflagetekening had bijna alle kleuren van de regenboog. Zelfs haar ogen leken vriendelijker. Terwijl ik haar bewonderde sloeg ze een paar windingen om mijn linkeronderarm. Ik lette er niet op omdat ik nu een band met haar kreeg en bijna liefde voor haar voelde. Toen begon ze te knijpen. Onmiddellijk was ik hulpeloos. Nu mijn vrije hand was uitgeschakeld, kon ik mezelf niet meer bevrijden. Snel volgden er nog meer windingen. Terwijl ze een prachtige Chinese armband maakte, werden mijn vingers een bloedeloze kleur geel en ze werden steeds dichter naar haar kaken getrokken.

Ik stond in dubio. Moest ik mijzelf bij de achterdeur vertonen – een sprieterig blank kind als Mowgli uit Jungleboek, omwikkeld door een grote, gevaarlijke slang – met het risico dat onze gast een hartverlamming zou krijgen, of moest ik gewoon hopen dat mijn vader terug zou komen voor het te laat was?

Ik stond op het punt verslonden te worden toen mijn vader haastig de kamer inkwam.

'Jezus, lieverd, doe je je best om gebeten te worden?' riep hij, terwijl hij Samantha's staart greep en haar met kracht loswikkelde. Uiteindelijk belandde ze los op het kleed. Razend van woede begon ze hem te achtervolgen door de kamer. Ze wierp zich op hem met haar hele lichaam, terwijl hij schreeuwde en wegdook en haar probeerde af te weren met een kussen.

Ik rende naar de gang, sloeg de deur met een klap dicht en liet hun begaan. De belangrijkste vuistregel met slangen is: wees geen held.

Mijn moeder veranderde door het reizen even ingrijpend als mijn vader door het plantersleven en de Grey's Scouts. Het bevestigde voor haar dat de wereld zoveel meer te bieden had dan de muren van onze rommelige boerderij en de verstikkende verveling van Hartley, de club en het eindeloze drinken. Na die reis lag ons huis vol folders over Canada met afbeeldingen van bladeren die je je niet in de natuur kon voorstellen, foto's van kinderen in Kasjmir in valleien vol wilde bloemen, verzoeken om liefdadigheid van leprakolonies en nummers van *Time*. In Europa was ze bevriend geraakt met enkele Amerikanen die haar uitspraak hadden beïnvloed – vitamine was nu vidamine – en haar een abonnement op de *Texas Highways* hadden gegeven. In de vijf jaar daarop keken we elk kwartaal naar foto's van enorme, ongelooflijk geordende landschappen, fokkerijen voor Morgan-paarden en uitnodigende wegen van glimmend zwart asfalt.

Ik vond de *Time* het leukst, niet om de artikelen maar om de dubbelbladige Marlboro-advertenties met cowboys op Quarter-paarden die mustangs bij elkaar dreven, snelstromende rivieren doorwaadden en broeierig in de verte staarden, scherp afstekend tegen winterse bergkammen met ceders. Ik plakte ze op de muur en deed alsof ik één van hen was. In combinatie met de *Texas Highways* en zo nu en dan een glimp van *Happy Days*, *The Beverly Hillbillies* en *Hawaï 5-0* kreeg ik een indruk van Amerika dat werd bewoond door boswachters, excentriekelingen en stoere, in leer gehulde helden, waar zelfs het landschap was gewassen en gestreken.

De terugkeer van mijn moeder verliep volgens een vast patroon. Wij wachtten op het winderige balkon van het vliegveld in Salisbury, aten broodjes met biefstuk in tomatensaus en ademden de uitlaatgassen van de vliegtuigen in. Als de passagiers uit het vliegtuig stapten was mijn moeder altijd degene in een Indiase sari, een Indonesische sarong of een zijden Japanse jurk; degene met alle manden. Ze droeg een prachtige hoed en ze was bruin; in elk geval bloosde ze van haar reizen en straalde alsof ze licht gaf zoals ze nooit, ooit, straalde op de plantage. Mijn vader was altijd gespannen. Hij bekeek haar half bewonderend, half wantrouwig. Wie had ze ontmoet en wat had ze zonder hem gedaan? We kwamen zelden thuis zonder een ruzie. Nog voordat ze haar koffer had uitgepakt liet ze een folder zien of ze liet zich iets ontvallen waaruit ik opmaakte dat ze haar volgende reis plande.

Door het succes van haar reizen hunkerde mijn moeder naar een leven buiten de grenzen van Giant Estate, vooral omdat mijn vader zes maanden per jaar weg was in het leger. Ze nam het baantje als boekhouder van Thomas over van Chris Adcock. Ze bestierde Thomas' kantoor in Hartley, een 'smerig, stoffig' hol naast de krantenkiosk van de Burrows. Terwijl ze bezig was met de grote schoonmaak ontdekte ze een grote doos met een etiket GEVAARLIJK erop, achter in een archiefkast. De doos zat vol dynamiet. Oud dynamiet. Dynamiet waaruit kristalachtige plasjes nitroglycerine druppelden. Mijn moeder verliet het kantoor zo snel dat ze slipsporen achterliet. Thomas beweerde dat het veilig was, maar ze weigerde terug te komen tot het dynamiet weg was. Daarom slingerde mijn vader, die zich nooit druk maakte over zulke dingen, de doos in de laadbak van zijn vrachtauto en hobbelde weg over de plantageweggetjes, op zoek naar een plaats waar hij het kon dumpen.

Hij had Samantha ook weer teruggebracht naar de rimboe, nadat ze Coquette bijna had opgegeten, mijn moeders favoriete Siamese kat (zonder dat mijn moeder het wist).

Eenmaal in Hartley werd mijn moeder vrijwilliger voor de verkiezingscampagne van 'P.K.' van der Byl, de minister van Defensie van Ian Smiths Rhodesische Front, tijdens de verkiezingen van 1977. Mijn moeder hield van politiek – niet om de saaie details maar om de persoonlijkheden. Behalve de president zelf was er geen grotere persoonlijkheid dan Pieter Kenyon Fleming-Voltelyn Van der Byl. Hij was een Afrikaner aristocraat uit de Kaapprovincie met een haviksneus. Hij noemde zichzelf een herenplanter, en had een grote reputatie als royale gastheer. Hij was erg populair door zijn kernachtige gezegden en toespraken die het leger en het land moed gaven. Hij zei dingen als: 'Als de oorlog heviger wordt, is er geen sprake van overgave. We zullen vechten om elke rivier, elk kruispunt, elk dorp, elke stad en elk kopje.'

Hij was een beroemde rokkenjager, en trouwde met een prinses uit Liechtenstein. Een keer, toen mijn moeder in zijn kantoor zat te werken, kwam ze tot de ontdekking dat hij tegen een deurpost geleund naar haar stond te kijken. 'Jee, je bent zo mooi,' zei hij zacht en hitsig.

Niet iedereen vond het leuk dat mijn moeder zich ontpopte tot een vlinder. Het veroorzaakte een gespannen onderstroom tussen haar en een aantal plaatselijke vrouwen, die dachten dat mijn moeder achter hun mannen aanzat, of zij achter haar. In Hartley werden de messen geslepen. Ik ging wel eens met haar naar de soldatenkantine. Wanneer ze naar binnen liep, mooi, levendig en onschuldig, kropen sommige vrouwen in hun schulp als zeeanemonen die dichtklappen om zichzelf te beschermen, als venusvliegenvangers, met stijf geknepen mondjes als de aars van een hond.

Maar de roddel wervelde om haar heen en liet haar ongedeerd. Blikken die zelfs ik, een dromerig kind, opving, gingen langs haar heen. Ze had het veel te druk. Ze plande een reis naar Japan in de kersenbloesemtijd, en wilde de lepralijders redden.

15

Langzaam, met een gestaag knetterende intensiteit, als een brand in de rimboe die oplaait en uit de hand loopt, werd de wereld buiten onze grensschutting grimmiger. Zelfs Lisa voelde het. Ze barstte een keer aan tafel in snikken uit en riep: 'Mammie, als je doodgaat, hoe moet ik dan de weg vinden naar het weeshuis?'

Een tijdje later werd het vee van mijn vader tegengehouden door een bende oproerkraaiers in Hartley. De kudde werd van Giant naar Lion's Vlei gedreven, een van Thomas' andere plantages. Nadat hij had toegekeken hoe het vee in de buitenwijken van de stad over de brug van de Umfuli-rivier werd gedreven, reed mijn vader vooruit en wachtte op hen bij de omheinde veekraal. Toen ze niet kwamen opdagen sprong hij in zijn vrachtauto en ging naar hen op zoek. Hij vond de kudde dicht bij de Location, een zwarte wijk bij de spoorlijn, die grotendeels bestond uit hutten van golfplaat, lelijke stenen huisjes en ronddwarrelend afval. Een stank van rottende sinaasappelschillen en menselijk afval hing altijd als een wolk boven die buurt. Een agressieve groep mannen, de meeste gewapend met stokken, had de koeien uit protest omsingeld omdat ze te dicht langs de armetierige maïsplanten liepen die daar tussen het afval groeiden. De stieren liepen angstig rond, en loeiden hoog en paniekerig. De veejongens stonden er schaapachtig naar te kijken.

Mijn vader reed tot midden in de groep oproerkraaiers en boog zich uit het raam.

'Zijn jullie van plan mijn vee te laten gaan?' vroeg hij op een beleefde, waarschuwende toon.

'Nee,' antwoordde de aanvoerder. De menigte kwam dreigend naderbij.

Nonchalant, om ze niet te alarmeren, strekte mijn vader zijn arm uit naar het stoffige dashboardkastje van de vrachtauto, greep zijn revolver en vuurde twee keer in de lucht. Binnen enkele seconden was het terrein verlaten. De kudde en mijn vader, met toeterende oren, gingen verder naar hun vertrouwde omheinde veekraal.

Omstreeks diezelfde tijd werd Snowy gekidnapt.

De meeste lammetjes en kalfjes moesten terug naar de kudde zodra ze oud genoeg waren om zichzelf te redden, maar Snowy, mijn schaapje, en Daisy, mijn Hereford-kalfje mochten bij me blijven, omdat ze onze eerste weeskindertjes waren. Daisy liet me zelfs op haar magere rug zitten. Dan zwaaide ik met mijn benen langs haar roodbruine zongestoofde flanken. Snowy werd op klaarlichte dag weggegrist. Dat was al beangstigend genoeg, maar haar terugkeer, twee weken later, was nog erger. Medicine liet me Snowy zien, die dood op haar zij achter een opslagruimte in de tuin lag. Haar buik was opgezwollen, haar wol was samengeklit en haar grijze tong krulde uit haar bek. Ze was ergens anders doodgemaakt en bij ons afgeleverd als een boodschap.

Als een soort teken.

Als wraak.

Toen kwam Maud bij mijn moeder met een verhaal over een oude geitenhoeder die was vermoord door twee blanke planters. De Afrikanen waren in opstand gekomen. Volgens de geruchten hadden beide mannen op verschillende dagen de geiten in het wilde weg verspreid aangetroffen, terwijl de 'geitenjongen' sliep. Ze hadden hem afgeranseld om hem een lesje te leren. Een paar dagen later was hij dood.

Mijn moeder wilde de politie erbij halen, maar mijn vader verbood haar in actie te komen op grond van roddels uit de kraal. Hij schreeuwde: 'Wat zeg je daar? Die mensen hebben een gezin. Ze hebben kínderen. Hun leven wordt volkomen geruïneerd, en waarvoor? Hoe weten we of het waar is? Misschien is hij gewoon van ouderdom gestorven.'

Ik dacht: En het gezin van die geitenjongen dan? Vindt niemand dat erg?

Maar ik dacht dat de grote mensen het beter wisten, en ik had van de inbraak geleerd dat het plattelandsrecht vreemd in elkaar zat. Ik liet het erbij zitten en hoopte, net als mijn moeder, dat het alleen maar kletspraatjes waren van mannen die tot diep in de nacht voor het vuur bij hun *kaya's* zaten (huizen, meestal leemhutten), *umbanje* (marihuana) rookten en Chibuku dronken. Als er een greintje waarheid in school zou iemand anders maatregelen nemen. De familie van de geitenjongen, bijvoorbeeld.

Maar niemand deed het ooit.

Op 10 januari 1978 liep ik aan het begin van het nieuwe schooljaar de vijfde klas in. Ik merkte dat de kinderen er verloren bijstonden, in fluisterende groepjes, in plaats van vrolijk te praten aan het eind van de vakantie. Bij een of twee kinderen zag je sporen van tranen, als roze japen over hun gezicht. Bruce Campbell huilde openlijk, zijn gouden hoofd gebogen.

'Wat is er, Brux?' vroeg Juliet bezorgd. 'Wat is er aan de hand?'

Hij grauwde iets en schudde haar hand af. Dat was niets voor hem. Mr Clark kwam de klas in. Hij zag er bleek en terneergeslagen uit en hij was zenuwachtig. Toen wist ik dat er iets verschrikkelijks was gebeurd. Iets waar we niet aan konden ontkomen. Iets wat ons zou veranderen.

Bruce Forrester, de jongen die naast mij in de klas zat, was dood. Hij was vermoord, samen met zijn vader, vriend en grootmoeder in een terroristische aanslag op de plantage Rainbow's End. Met een ongewoon vriendelijke en meelevende stem vertelde Mr Clark dat het de vorige avond was gebeurd. De vorige avond leefde Bruce nog. Mijn ogen dwaalden naar zijn lege stoel in het klaslokaal, en mijn borst stroomde leeg, als de zee die zich terugtrekt.

De stille jongen met de natuur in zijn ogen zou vandaag met ons aan een nieuw schooljaar beginnen.

Hij had zijn toekomst en zijn hele leven vóór zich.

Thuis waren mijn ouders verbijsterd door het nieuws. Ze kenden de Forresters en vonden ze erg aardig. Beiden hadden een bijzondere herinnering aan Ben, de vader van Bruce. Mijn vader had een heerlijke dag doorgebracht met Ben en een groep opzichters van een wildpark. Ze hadden geprobeerd wildebeesten te vangen in *boma's* (tijdelijke omheiningen), in de tijd dat Ben wild verzamelde voor het reservaat in Rainbow's End.

'Hij was een eersteklas vent,' zei mijn vader. 'Eersteklas. Een echte heer.'

Mijn moeder had Ben maar één keer ontmoet maar ze was hem nooit vergeten. Hij kwam het kantoortje van Thomas binnen, en ze betrapte zich erop dat ze hem aanstaarde, echt staarde, omdat hij zo'n mooi gezicht had. Bijna engelachtig, vond ze. Hij had de grootste, groenste, onschuldigste ogen die ze ooit had gezien. Hij was lang, mager en bruinverbrand en hij hield een jagershoed in zijn brede bruine handen. 'Hij was niet knap op een Hollywood-achtige manier,' zei mijn moeder, 'maar op een onschuldige manier. Hij was erg zachtaardig. Hij was een grote verlegen jongen die alleen van dieren en de natuur hield.'

Tot nu toe was de oorlog altijd op een afstand gebleven, hoewel hij steeds naderbij kwam en dreigender werd. Op school praatten we over de oorlog, we waren er bang voor, het overheerste onze gedachten, maar het was onecht en surrealistisch, alsof we een rol speelden in onze eigen film. De stickers op onze koffers, de oefeningen met granaten, het wuiven naar de zonverbrande soldaten en de snelle autoritten naar school met ouders, gewapend met revolvers en automatische geweren – het leek allemaal een groot, krankzinnig avontuur. Zelfs toen die jongen van school zichzelf doodschoot was het nog steeds een spel, want het was hoe dan ook gewoon een ongeluk. Toen werd Bruce vermoord. Er stonden korrelige zwart-wit-foto's van hem, zijn vader, zijn grootmoeder en zijn vriend in de *Herald* en het was geen spel meer.

Het was helemaal geen spel.

Rainbow's End
1978-1980

1

Als ik aan mijn leven denk, is het verdeeld in twee stukken: vóór Rainbow's End en daarna. We kwamen daar wonen toen ik elf was, een verlegen, onhandig kind, bezeten van paarden, met lange bleke benen als een veulen met bloedarmoede. We verlieten Rainbow's End toen ik bijna zeventien was. Inmiddels was Rhodesië veranderd in Zimbabwe. In de jaren op Rainbow's End veranderde ik voorgoed. Toen ik wegging geloofde ik, net als de Afrikaanse schrijfster en piloot Beryl Markham: 'Als je een plaats moet verlaten waar je hebt gewoond, waarvan je hield, en waar je verleden diep begraven ligt, kun je maar op één manier vertrekken: zo snel mogelijk.'

Ik verliet Rainbow's End zo snel mogelijk omdat er geen andere manier is een plaats te verlaten die al je kinderlijke dromen en nachtmerries belichaamt – of een land waar de waarheid een leugen blijkt te zijn.

Maar dat kwam veel later. In het begin was er alleen een vervallen huis in een overwoekerde wildernis aan de oever van een langzaam stromende rivier. Het was eind juli, een tijd van kraakheldere ochtenden en oneindige winterluchten. Mijn vader maakte zich al een tijd zorgen dat hij als de Kilimanjaro zou uitbarsten wanneer hij nog één uur langer voor Tom Beattie moest werken (ze leken te veel op elkaar, dat was het voornaamste probleem), dus hij had Richard Etheredge benaderd, een planter die de veiligheidsdienst had gebeld op de avond van de aanslag op Rainbow's End, om advies te vragen over een nieuwe baan als zetbaas. Richard en zijn vrouw Katherine waren de eigenaars van Stockdale, een weelderige vruchtbare citrusplantage aan de Umfuli naast Rainbow's End. De Etheredges hadden niet alleen de beste connecties in Gadzema, ze behoorden ook tot de aardigste mensen. Terwijl mijn vader zijn haar gladstreek, met zijn hoed in zijn handen draaide en zich verontschuldigde voor zijn bestaan, zei Richard: 'Ik zal je in contact brengen met een goede vriend van mij...'

Die vriend was Roy Lilford, de broer van Camilla Forrester. Er was een baan als zetbaas van Rainbow's End, dat sinds 10 januari had leeggestaan.

'Wanneer kan ik beginnen?' vroeg mijn vader.

Ik herinner me onze eerste tocht naar Rainbow's End als een reeks filmbeelden, die niet minder levendig zijn geworden door de tijd.

Een zwarte ploegschijf met de witgeverfde naam van de plantage, half aan het zicht onttrokken door stof en een zwiepende tak knalroze bougainville: RAINBOW'S E-N-D

Een hoog wildhek dat oneindig ver doorloopt. We volgen deze imposante lijn, terwijl de kiezelstenen wegspringen onder de wielen

Tabaksschuren, tien verdiepingen hoog

Een leigrijze weg en, aan het eind, een bosje fluisterende zilveren gombomen, met hun kastanjekleurige, afbladderende bast

Uiteindelijk het huis zelf, verlaten en verwaarloosd als een grafsteen op een vergeten begraafplaats

We klommen uit de auto en stonden op een kluitje naar het huis te kijken. Naar de met vochtvlekken overdekte muren en het verrotte rieten dak en de donkere bomen die veel te dicht op het huis stonden. Mijn vader had al zijn overtuigingskracht en een flinke woedeaanval moeten aanwenden om mijn moeder zover te krijgen dat ze mee ging kijken. 'Maar waarom dát huis?' vroeg ze telkens huiverend. 'We kunnen toch zeker ook ergens anders heen? Kun je geen andere baan zoeken of het uitpraten met Thomas? Waarom moeten we wonen in een huis waar vier mensen zijn vermoord? Ik vind het griezelig.'

Maar als mijn vader eenmaal zijn koers had uitgestippeld, waren alle beslissingen definitief. Hij had de baan aangenomen. Hij kwam niet terug op zijn woord, al zou hij het mooiste huis ter wereld krijgen.

'Het is toch mooi?' riep hij enthousiast, alsof het waar zou worden als hij hard genoeg riep. 'Heb je ooit in je leven zo'n ongelooflijke omgeving gezien, met die rivier en het wildreservaat? *Ag*, weet je, het huis is misschien een beetje vervallen maar Roy zegt dat hij het voor ons zal opknappen en bewoonbaar maken. Dat heeft hij beloofd. Belóófd.'

Hij beende met grote passen weg over het rommelige gele erf en wij liepen schoorvoetend achter hem aan. We wisten niet wat we ervan moesten denken, hoe we ons moesten voelen. Een Afrikaan in overall kwam aanrennen om ons binnen te laten.

'Het is zo donker,' zei mijn moeder, en ze huiverde weer.

We stapten over de drempel in een kleine hal. De kou rees als een kille golf omhoog van de betonnen vloeren en voerde de bedompte geur mee van een afgesloten huis. Het rook naar riet, oude boenwas en sadza. Recht voor ons was een lege zitkamer. Je kon zien dat er pas geveegd was, meer niet. De ramen waren vuil; er hingen spinnenwebben aan het plafond; er scharrelden gekko's over de vieze boekenplanken. Afgezien van twee kogelgaten in de muur waren er geen tekenen van het bloedbad dat hier was aangericht, maar het was moeilijk om het niet voor je te zien. Mijn ogen dwaalden onwillekeurig af naar de plaats waar de bank moest hebben gestaan. In mijn verbeelding zag ik een jongen die erachter kroop om te ontsnappen aan de kogelregen. Daarna, toen de mannen weg waren, probeerde hij de doodse stilte te verwerken, en de vuurrode vloed.

We deden deuren en ramen open, terwijl we door het huis liepen. Vierkanten wit zonlicht slopen naar binnen en verwarmden de vloeren en kamers. Elke voetstap veroorzaakte een reeks echo's. Zoals veel Rhodesische boerderijen was het huis eenvoudig en goedkoop gebouwd, zonder architect of ontwerp. Het huis was lang en uitgestrekt, met willekeurige toevoegingen en uitbouwtjes. We hoorden later dat het gebouwd was met ongebakken Kimberleystenen, die hier op de plantage waren vervaardigd, op elkaar gemetseld met klei uit de mierenheuvel, in plaats van cement.

Eigenlijk had het huis een ʟ-vorm, met een hal tussen de twee vleugels. De korte poot van de ʟ was de grote slaapkamer en de slaapkamer waar Sheila Forrester, ziek in bed, door het raam was doodgeschoten door de vluchtende terroristen. Het andere deel bestond uit een eenvoudige zitkamer en eetkamer, gevolgd door een ontbijtruimte en een keuken met een roestvrijstalen aanrecht, geëmailleerde kasten en een dak van golfplaten. Er was ook een voorraadkamer en een washok met zwartgeblakerde muren. Er stond een vettige beroete houtkachel vol as naast de achterdeur.

Een gang leidde van de eetkamer naar een spelonkachtige badkamer die naar meeldauw rook. Er stond een bad vol roestvlekken en er was een sputterende proestende douche met gezuiverd rivierwater. Er was een colonne mieren op weg naar de wasbak. Daarnaast waren de slaapkamers waar Camilla die zomermiddag, zeven maanden geleden, bij Julie zat en haar *The Snow Goose* voorlas, zonder te weten wat haar te wachten stond. De slaapkamers waren gescheiden door een poort. Ze zouden worden gedeeld door Lisa en mij. Behalve een paar willekeurige voorwerpen, zoals een lamp en een stuk touw, waren ze leeg.

Tijdens deze vreemde, pijnlijke rondleiding zette ik mij schrap voor een aanval van de spoken uit het verleden op Rainbow's End. Pas toen ik een cirkelvormig kogelgat zag in het raam van mijn kamer, en daar doorheen, een glimp van de groene rivier en het lichtgele wildreservaat als een riftvallei, drong tot me door dat hier geen kwaadaardige sfeer hing. Het voelde niet alsof hier boosaardige geesten rondwaarden. In tegendeel. Het was een goed huis, het was vredig.

'Er is hier geen kwaad, hè, mam?' vroeg ik, terwijl ik haar aankeek voor bevestiging. We stonden daar bijna nederig in de kamer die zoveel had meegemaakt. De kamer deed aan een klooster denken, met de schuin invallende zon over de betonnen vloer en de stilte die alleen verbroken werd door het troostrijke gekoer van duiven. Mijn moeder was het met me eens.

Jaren later bracht ze die tegenstrijdigheid voorzichtig ter sprake bij Camilla. Camilla antwoordde dat het kwam omdat er zoveel liefde was geweest in het huis. Als er in Rainbow's End spoken waren, waren het gelukkige spoken.

En zo gebeurde het. In de maand daarna maakten we verschillende verkenningstochten vanuit Giant, en ondertussen werd het vermolmde grijze rieten dak van de zaagselspuwende dakspanen gerukt en vervangen door palen van de gomboom die met creosootolie waren behandeld. Ze werden bedekt met honingkleurig gras. Afrikaanse vrouwen zaten gezellig te kletsen in een kring onder de gombomen. Ze maakten het grasdak, met hun benen recht voor zich uitgestrekt, en een beker thee binnen handbereik. Voor het eerst sinds een halfjaar klonk er gelach in het huis. Ze kamden het speciale gras, sneden het op maat en knoopten het in stijve bundels. We klommen op zelfgemaakte ladders en keken naar de uiterst bedreven rietdekkers, die wonderen verrichtten. Ergens anders werden door bouwvakkers van de plantage binnen een week drie stallen met touw afgebakend, gebouwd en met riet gedekt. Om de stallen werd een paddock gebouwd met palen van de gomboom. In de voortuin, bij de waterpoel, werd met bamboestokken een moestuin afgebakend, waar sla, worteltjes, erwten en kleine pompoenen werden geplant. De verwilderde boomgaard werd gesnoeid. Alle muren, stallen en bijgebouwen werden witgekalkt en de bomen die het meeste licht wegnamen bij het huis werden gekapt.

Op vrijdag 1 september 1978 reden we over de loodgrijze weg langs de tabaksschuren naar ons nieuwe huis. Het veiligheidshek was zo kort geleden gebouwd dat er overal stukken ijzerdraad en ijzervijlsel op het gras lagen. Onze bezittingen waren al gearriveerd. Ze reisden roemloos met een tractor en aanhangwagen. Charm en twee vroegere paarden van de Grey's Scouts, Persian Lady en Cassandra, die een veulen verwachtte van Troubleshooter (dat ik had opgeëist) reden achter ons aan in een veewagen. Medicine en Maud gingen ook mee. Maud kreeg het witgekalkte bijgebouwtje voor de bedienden – de 'cottage', zoals mijn moeder het noemde – onder de naar eucalyptus geurende takken van de gombomen. Ze woonde daar alleen (of met haar kinderen als die haar kwamen opzoeken).

Ik bruiste en stroomde over van opwinding. Toen ik het huis zag, met een gouden dak en glanzende witte muren, en het grasveld dat mooi groen werd door een maandlang sproeien en goede zorgen, straalde ik nog meer. Het huis had een volledige gedaantewisseling ondergaan.

Ik nam mijn zusje bij de hand, we maakten het hek naar het wildreservaat open en renden omlaag naar de oever van de Umfuli.

'Kijk uit voor krokodillen,' riep mijn moeder ons na. 'Kom niet te dicht bij het water, anders krijg je bilharzia.'

We schonken haar geen aandacht. We keken wel goed uit voor de twee struisvogels, Cheeky en Beaky. Ze hadden ons gewaarschuwd dat Cheeky mensen aanviel die zich te voet in het wildreservaat waagden (en ze schopte met zijn enorme prehistorische tenen). We konden ze niet van elkaar onderscheiden, maar we vonden ze allebei doodeng. De andere wilde dieren leverden voor zover we wisten geen problemen op. Op onze eerste tocht door het wildreservaat zagen we de giraffe, een etherisch wezen uit een andere wereld. Sindsdien vond ik het altijd een wonder dat we een giraffe in de achtertuin hadden. Maar het was niet alleen de giraffe. Het was de plaats. Het wintergras prikte in mijn voetzolen, de Umfuli stroomde om mijn enkels. Lisa en ik stonden op de overwoekerde aanlegsteiger. De rivieroevers verrezen hoog boven ons, we zagen de boomwortels als aderen door de oevers lopen. We hoorden het muzikale geraas van de natuur.

We volgden de bocht van de rivier naar de kooi waarin de Forresters visarenden hielden. De kooi was ongeveer tien meter hoog en bijna even breed en stond in een bosje geelhoutbomen. Door die bomen heen zag je het water en een mysterieus, met oerwoud begroeid eiland met ondoordringbare groene muren dat uit de rivier oprees. De stokken waar de majestueuze adelaars op hadden gezeten waren lang geleden gevallen of scheefgezakt, en hun habitat van riet en planten was dood. Toch hing de geest van de vogels nog in de kooi. Een sfeer van eenzaamheid die tastbaarder en onheilspellender was dan alles wat ik in het huis had gevoeld, hing in de kooi.

'Kom, Lisa,' zei ik vlug. 'We gaan nu terug.'

In het huis waren alle muren licht, helder wit geverfd. De kamers zagen er luchtig en uitnodigend uit. De meeste deuropeningen waren veranderd in poorten. Mijn moeders liefde voor kleuren was overal zichtbaar. De keuken was lindegroen, met gingang gordijnen in dezelfde kleur; de grote slaapkamer was oosters, met pauwen, rozen en Japanse prenten. Een grijze merrie verdedigde een kastanjebruin veulen boven de haard in de zitkamer. De grotachtige badkamer was papajakleurig – althans de deur, de houten vlonder en allerlei voorwerpen. Uit de kranen spoot nog steeds bruin water uit een boorgat. De douche was schoongemaakt en werkte min of meer.

De houtkachel werkte ook en daar zou, verzekerde mijn vader ons, het lekkerste eten op worden gekookt dat we ooit hadden geproefd. 'Het gebraad! Man, o man!'

Om al die heerlijkheden te bereiden hadden we een kok in dienst genomen die zo oud was dat hij eenvoudig *Madala* werd genoemd: oude man. Om Medicine te helpen hadden we Gatsi in dienst genomen, een goedgebouwde neger uit Mozambique die voortdurend stralend lachte, en een jonge, gespierde, zwijgzame paardenjongen die Luka heette. Hij werkte me op de zenuwen, want zijn haar was precies terroristenhaar.

Eenmaal in mijn kamer hing ik mijn Olivia Newton-John-foto's en de Marlboro-cowboys met hun snelstromende rivieren doorwadende Quarter-paarden aan de muur. Ik ruimde mijn kist met diergeneesmiddelen op, want alles lag door elkaar na de reis op de aanhangwagen. Mijn kleren en boeken zaten in een aftandse kaki koffer. Ik leegde de koffer op mijn deel van het houten stapelbed. Het onderste deel van het stapelbed stond in Lisa's kamer. In de hoek stond mijn witte toilettafel. Het enige meubelstuk dat was overgebleven uit de tijd van de Forresters was een houten kast, die we hadden gekregen om onze spullen in op te bergen. Ik liep naar de kast en legde mijn hand op de deur.

Toen zag ik het: een bruin uitroepteken van opgedroogd bloed.

Een soort komma, als een afgebroken leven. Ik rende naar de badkamer, maakte een handvol tissues nat en probeerde het bloed weg te wissen, mijn snikken onderdrukkend. Eenmaal opgelost kwam het weer tot leven, werd het weer bloed. Ik werd teruggeworpen in het klaslokaal, in de stoel naast Bruce. Ik zag zijn zeeblauwe ogen en zijn lichte, met sproeten bespikkelde armen en benen in zijn schooluniform zo duidelijk voor me dat ik hem bijna kon aanraken. Ik zag hem over zijn schouder glimlachen naar de knappe Bruce Campbell met zijn olijfkleurige huid. Ik hoorde die twee praten over valken en zag ze gebogen over hun natuurbeschermingsprojecten. Het zat me dwars dat ik hem al die tijd had gekend, drie jaar lang, en me geen enkel woord kon herinneren dat hij had gezegd. Ik herinnerde me alleen het gevoel dat hij opriep.

Ik haatte mijn geheugen dat me bedroog. Ik haatte de oorlog die zijn adem had weggerukt en mij had laten leven, zonder dat ik het verdiende, alsof het lot mij had geroepen om een kilometer in zijn schoenen te lopen. Ik haatte het schuldgevoel; ik wilde wegvluchten uit deze kamer en nooit meer terugkomen.

Buiten zongen de vogels alsof dit de mooiste dag was die ooit was aangebroken, de lucht bolde als kobaltblauwe zijde tussen de frisse jonge blaadjes van de *msasa*-boom en de vertrouwde geluiden van het boerenbedrijf woeien naar binnen op de frisse wind. Ik herademde. Bloed was alleen maar bloed. Het was geen spook. Ik boende het stevig weg en spoelde de tissues door de wc, waar ze omlaag zonken in een rood-witte kolk. Toen liep ik terug naar mijn kamer, nam een armvol kleren en legde ze op de houten planken. Het was een kast. Gewoon een kast.

Bij zonsondergang zaten we in de voortuin op harde ijzeren tuinstoelen en keken naar de wilde dieren die zich verzamelden bij de waterpoel. Lachende duiven koerden op de takken boven ons hoofd. Achter ons rukten de paarden in hun nieuwe paddock aan het jonge gras en briesten onrustig toen ze het waarschuwende geblaf van de impala's hoorden.

De hele bevolking van het wildreservaat verscheen ter ere van onze komst. Kleine groepjes impala's kwamen snuffelend tevoorschijn uit het bosje om de bruine stuwdam. Ze kwispelden met hun witte konijnenstaartjes. Het wildebeest stond met zijn voorhoeven in de modder en zijn achterdeel op de oever. Alles aan hem was komisch. Hij had een verstrooide uitdrukking op zijn snuit en een rimpelige plompe hals. Zijn dikke buik ging abrupt over in smalle grijze heupen, zodat hij eruitzag als een wildebeestgewichtheffer. Zijn manen leken zelfs op een matje. Hij draaide zijn hoofd onze kant op en schudde theatraal met zijn hoorns. De struisvogels patrouilleerden langs het hek; hun hoofden bewogen op en neer als periscopen. Alleen de giraffe ontbrak. Ten slotte verscheen zij ook en paradeerde sierlijk langs het huis. We hadden besloten dat we haar Jenny zouden noemen, niet Gracey, zoals ze nu heette.

Mijn vader rookte en dronk Castle-bier, het witte schuim plakte aan zijn bovenlip. Mijn moeder vierde de gelegenheid met een glas Nederberg-rosé, en Lisa en ik dronken grote teugen cola uit groenige flesjes, die we lieten klinken met de glazen van onze ouders: 'Proost.'

Ik schommelde in mijn stoel en liet de foxterriërpuppy's aan mijn tenen knabbelen. Ondanks mijn vaders welgemeende tegenwerpingen waren ze hem opgedrongen door zijn nieuwe baas, Roy, die de honden met liefde fokte, zonder rekening te houden met inteelt. Wanneer je bij hem thuis kwam sprongen ze tegen het veiligheidshek op in een grommende, jankende meute. Maar Patches en Pebbles waren lief en onschuldig, zoals de meeste baby's. Lisa liet zich naast hen op het gras glijden en ze tuimelden over haar benen en sperden hun roze bekjes open, hun tandjes klikten en hapten. Ik voelde me plotseling gelukkig. We waren bij elkaar en niemand had ruzie.

Op een gegeven moment realiseerde ik me dat ik Afrika zag, echt waarnam, zoals nooit tevoren. De rimboe werd diepzwart, lang voordat de lucht donker werd. De silhouetten van de acacia's kregen een gouden rand of werden doorschoten met vuurrood, alsof ze elk moment de vurige bal achter zich konden aansteken en spontaan in brand konden vliegen. De parelhoenders stegen onhandig op en vlogen roepend de lucht in om zich in de bomen te nestelen, en de vrolijke liedjes van de dagvogels maakten plaats voor de melancholieke geluiden van de nachtdieren. De kruidige geur van de bomen en planten werd in de schemering koel en zoet, alsof de suikers in de grassen in opmars waren. Deze geur mengde zich op een prettige manier met de rook uit de houtkachel en de gekarameliseerde sappen van de lamsbout, en de creosoot op de nog vochtige gomboompalen van het hek om de paddock.

De zon zonk weg in de rivier. Terwijl de avond viel kwam er ongemerkt een diepe vrede uit de rimboe en spoelde over ons heen.

De sigaret van mijn vader gloeide in het donker. 'Dit is het leven,' zei hij.

'Dit is de hemel,' beaamde mijn moeder dromerig. Ze gaf me een duwtje. 'Denk je eens in, nu kun je al je vriendinnen vertellen dat je een giraffe in de tuin hebt.'

Maar daar dacht ik niet aan. Ik dacht eraan hoe heerlijk afgelegen Rainbow's End was. Alsof niemand bestond behalve wij. Het was nu al ons huis, onze plantage. De toekomst strekte zich als een eindeloze weg voor ons uit, zinderend van belofte.

Toen herinnerde ik me het bloed op de kast.

Later lag ik in bed met de ramen wijd open te luisteren naar het lawaaierige slagwerk van de kikkers in de waterpoel, het krassende lied van de krekels, de aanhoudende trommelslagen en kreten van de vrouwen in de verafgelegen kraal, die deels een Afrikaans slaapliedje waren, deels oneindig dreigend, als een oorlogsdans van wilden. Toen ik op die eerste avond op Rainbow's End in slaap viel voelde ik me tegelijk angstig en opgetogen.

2

Als er ooit een paradijs was uitgevonden voor een kind, was het Rainbow's End. De tuin alleen al was een overvloed van exotische vruchten. Er groeiden witte en paarse cactusvijgen die we plukten met handschoenen van krantenpapier om onze vingers tegen de stekels te beschermen. ('Als je het met je handen doet, moet je huilen,' waarschuwde Madala. 'En dan huil je over twee dagen nog.') We aten de koele vruchten vol nectar uit de ijskast. Er stonden citrus-, mango-, passievrucht- en moerbeibomen die zwart zagen van de vruchten. De buigzame witte takken van een moerbeiboom waren met elkaar vervlochten geraakt en vormden een volmaakte wieg. Ik lag hele middagen in de schaduw van de ruwe bladeren te lezen. Ik at moerbeien tot mijn gezicht en de bladzijden vol paarse spatten zaten en mijn buik pijn deed.

Buiten het veiligheidshek groeiden er in de verwaarloosde boomgaard guave's, papaja's, granaatappels en perziken, hoewel die laatste ondermaats waren en bitter door de wormen. Er was een tweede moestuin achter de boomgaard waar grotere groenten werden verbouwd zoals aardappels, pompoenen, spinazie en maïs. Het groenteafval werd aan de kippen gegeven, net zoals op Giant. Hun onderkomen in de boomgaard was minder sjiek dan eerst, maar hun ren was veel groter. De kippen maakten daar goed gebruik van en namen zulke uitzinnige zandbaden dat ze stofwolkjes veroorzaakten. Ik moest altijd glimlachen omdat ze zo goed in hun vel zaten. De haan was niet aardig (gewichtig en arrogant), maar de dikke rode kippen paradeerden vrolijk rond als gezellige vrouwen met dikke konten die niet alleen blij zijn met de bouw die de natuur hun heeft gegeven, maar die blijdschap ook uiten in geïmproviseerde stammendansen.

Dit was nog maar het begin. De plantage zelf besloeg veertig hectare tabak, maïs en katoen. Er liepen grote kudden rode koeien over de savanne. Er waren kilometers lange zandwegen waar je kon galopperen en stuwmeren waar je de paarden kon laten zwemmen. Aan drie kanten om het huis lag het wildreservaat, er was vier hectare rimboe met doornstruiken, zongebleekte vleien, diepe greppels, grote grillige bomen en verlaten mijnen. Er kronkelde een ruw omgeploegde weg door het landschap. In de lente was het een plaatje van wilde bloemen.

Bij zonsop- en zonsondergang verzamelde zich het wild rond de waterpoel; overdag liepen de dieren door het hele reservaat. De vijftig impala's splitsten zich in kleinere kudden en weidden tussen de msasa- en mopani-bomen of in het open veld; het wildebeest bleef voornamelijk in de buurt van het stuwmeer aan de zuidwestelijke grens van het reservaat; en Jenny, de giraffe, die zo tam was dat je naar haar toe kon lopen zonder haar aan te raken, zwierf overal rond op zoek naar gezelschap. Meestal stond ze bij het wildhek voor het huis, bij de waterpoel met de struisvogels of onder de uitgespreide takken van de bergacacia's aan de oever van de Umfuli.

De rivier was een betoverend mooi, eindeloos veranderend speelterrein. In het droge seizoen kwam een zandstrand droog te liggen tussen de biezen. Lisa en ik gingen daar picknicken, of sprongen over de stuwdam. In de regentijd stortte het water donderend over de stuwdam en maakte turbulente jacuzzi's tussen de rotsen daaronder. Ik spartelde daar alleen en soms met Lisa of een vriendin, en waadde levensgevaarlijk over de stuwdam. Wanneer de rivier op haar hoogst was werd de stuwdam altijd glibberig van de algen, maar ik raakte altijd in vervoering van de adrenalineroes, door mijn krachten te meten met de kracht van het heldere, bruisende water.

Voor het eerst in ons leven leefden we in direct contact met de natuur. Er lagen krokodillen te zonnen op de zandbank bij de stuwdam, met wijd open bekken zodat de koereigers hun griezelige tanden schoon konden pikken; gemaskerde wevervogels kibbelden luidruchtig in de gombomen, en impala's sprongen om de water-

poel, als trampolinekunstenaars die hun nieuwe springveren uittes-
ten.

Groene meerkataapjes sprongen over het veiligheidshek als bonte gymnastiekleerlingen, tot wanhoop van mijn moeder. Ze zaten
midden in haar aardbeienveld met hun pootjes vol vruchten; het
sap droop over hun buik en hun bruine oogjes glinsterden ondeu-
gend: 'Wie, ík?' tot Gatsi of mijn moeder schreeuwend met stokken
zwaaiend op ze af kwam rennen. Meestal reden de jonkies stevig als
rodeocowboys op de rug van hun moeder, maar op een dag vluchtte
de troep zo snel weg dat er een babyaapje achterbleef. We stopten
het aapje in Lisa's oude rieten wieg. Daar lag hij drie weken lang
opgekruld onder een flanellen lakentje. Hij was in alle opzichten
precies een mensenbaby. Hij huilde zelfs als een baby, maar dan
zachter. Hij had een gerimpeld grijsroze gezichtje en goddelijke onschuldige vochtige bruine ogen, en hij klampte zich vast aan Lisa's
Paddingtonbeer alsof zijn leven ervan afhing. Als ik hem uit zijn
wiegje tilde om hem te voeden lag hij hulpeloos als een pasgeboren
baby aan mijn borst, en ik voelde zijn warme huid en zijn kleine rib-
benkastje door mijn bloes heen.

Meestal verdraagt de natuur geen menselijke inmenging, vooral
niet met jonkies, maar het babyaapje was een uitzondering. De
troep keerde na een maand terug. Gatsi droeg het aapje buiten het
veiligheidshek en zette het op een boomstronk. Zodra Gatsi uit het
zicht was verdwenen, sprong de moederaap naar haar baby toe. Ze
besnuffelde hem, keek over haar schouder of ze achtervolgers zag,
slingerde hem op haar rug en verdween met lange, soepele sprongen.

Niet al onze nieuwe dieren waren zo vertederend. Tot groot verdriet van mijn moeder kwamen er allerlei soorten slangen uit alle
gaten en spleten tevoorschijn. Boomslangen lagen op de loer op de
eetkamerstoelen of bungelden van de dakbalken. Adders kronkelden langzaam in de schaduwen op de veranda. Enorme pythons deden zich te goed aan onze kippen en eieren. Na hun maal konden ze
zich niet meer door het kippengaas wurmen. Ze vielen ter plekke in
slaap met een bobbel in de vorm van een kip in hun middel, tot ie-

mand mijn vader erbij haalde. In het pikkedonker tilde hij de slangen met zijn blote handen voorzichtig op, stopte ze in een zak en bracht ze naar het andere eind van de plantage. Net als zijn soldatenleven getuigde zijn betrekkingen met slangen en andere onhandelbare dieren van een krankzinnige moed.

Toen de eerste impala's werden afgeschoten, maakten we biltong (gedroogd vlees). We sneden het vlees in dunne repen en wreven het in met zout, suiker, zuiveringszout, koriander en grof gemalen zwarte peper, en lieten het een nacht lang in een braadpan marineren met Worcestershiresaus en bruine azijn. De volgende dag depten we het overtollige vocht met keukenpapier af en hingen het vlees met opengebogen paperclips aan een ijzerdraadje dat langs de hete, winderige veranda buiten de slaapkamer van mijn ouders was gespannen. Vijf of zes dagen later was het vlees voldoende gedroogd voor mijn vader, die van vochtige, zachte vette biltong hield. Hij sneed dunne plakken af met zijn Zwitserse legerzakmes en at ze voor de televisie. Ik hield meer van kurkdroge, zoute kruidige biltong, in stukjes gebroken. Ik nam ze mee in mijn broekzak op lange wandelingen door het wildreservaat, en at ze in de zon met een koud flesje cola.

Mijn moeder kreeg geen hap door haar keel. Voor haar stond rauw vlees, gedroogd of niet, gelijk aan toxoplasmose, een door parasieten veroorzaakte ziekte die in het ergste geval koorts, hoofdpijn, toevallen, misselijkheid, oog- en hersenbeschadiging tot gevolg had – hoewel godzijdank niet de dood.

Afgezien van slangen en biltong was ze nu al hopeloos verliefd op Rainbow's End. Mijn moeder verbeeldde zich hoe het leven zou moeten zijn. Vervolgens ging ze aan de slag om dat beeld gestalte te geven. Een wit boerenhuis met een rieten dak, een giraffe in de voortuin en de rivier die daarlangs stroomde was volmaakt zinnenstrelend. Giant had niet helemaal goed uitgepakt. Rainbow's End zou de vervulling zijn van haar droom dat Lisa en ik opgroeiden in een heerlijke Enid Blyton-idylle.

Maar ik loop vooruit op mijn verhaal. In ons eerste weekend op

Rainbow's End gebeurde er iets waardoor het karakter van de oorlog dramatisch veranderde. Het was zondag en we probeerden de nieuwe televisie uit. Hij was eigenlijk niet nieuw – al bijna tien jaar oud, maar het was een echte televisie met grote plastic knoppen en een nephouten kast. Hij was inbegrepen bij het huis, net als de kast. We zagen een poedersneeuwachtige verzameling grijze en witte schaduwen, die dikwijls werden onderbroken door verontschuldigingen voor de onderbreking van de uitzending, die te maken had met de R B C, waar niets aan te doen was, en een onophoudelijk gekmakend gerol, waar na een langdurig gevecht met de roestige antenne in de tuin wel iets aan te doen was.

Mijn moeder stond in de zitkamer en gaf aanwijzingen; Lisa en ik fungeerden als tussenpersonen in de deuropening en de voortuin.

'Vooruit of achteruit?' riep mijn vader.

'Achteruit,' zei ik tegen Lisa. De antenne knarste.

'Probeer vooruit,' zei mijn moeder.

'Vooruit,' zei ik tegen Lisa.

'Stop! S T O P! Nee, nu gaat hij te ver.'

'Te ver,' zei ik tegen Lisa. 'Vooruit of achteruit?' vroeg ik aan mijn moeder.

Op zijn post bij de antenne schreeuwde mijn vader: 'Wel godver hier en daar, mensen!'

'Zeg dat hij niet uit zijn vel springt,' zei mijn moeder.

Ik boog uit de voordeur. 'Het is goed,' zei ik tegen Lisa.

'Het is goed,' gaf ze door aan mijn vader.

Hij beende het huis in, wierp zich in een stoel en nam een grote slok Castle. Een opgeluchte bieruitdrukking gleed over zijn gezicht. De geur van hop en Lion-lucifers zweefde in mijn richting. 'Wat is er op de kast?' vroeg hij, zijn stem verheffend boven de herrie in de keuken, waar Madala bezig was met het avondeten. Maud liep op haar Bata-takkies de kamer in en bleef staan bij de eettafel. Ze vouwde haar handen voor haar schort. 'Goedenavond, baas.'

'Avond, Maud.' Een spier van antipathie trilde in de kaken van mijn vader. Hij draaide zich om, maar niet echt.

'Avond, mevrouw.'

'Goedenavond, Maudie, dank je,' zei mijn moeder vaag. Ze was verdiept in *Look & Listen*, de televisiegids. Doordat er maar één kanaal was waren de verwachtingen hoger gespannen in plaats van lager. 'Het nieuws komt zo,' zei ze tegen mijn vader. 'Zullen we naar het nieuws kijken?'

Boven hun hoofden ving ik Mauds blik op en glimlachte. Ze deed haar best om niet te lachen. Elke avond voerden we hetzelfde ritueel op en elke avond probeerden we niet te lachen. Ze wuifde op een grappige manier. Ik wuifde stiekem terug. Lisa giechelde.

De bel luidde en we gingen aan tafel. Madala's hand trilde terwijl hij de deksel van elke pot tilde, en een stoomwolk liet ontsnappen. 'Kleine pompoentjies,' dreunde hij op, 'aardappelpuree, lamskoteletjies, boontjies, jus.'

'Ja, Madala, dank je,' zei mijn vader, te hard in zijn lamskotelet hakkend. 'Dank je, kokkie,' glimlachte mijn moeder.

'Dank je wel, Madala,' voegde ik eraan toe, stak mijn lepel in de boterzachte holte van het pompoentje en schepte het draderige gele vruchtvlees eruit. Als ze jong genoeg waren at ik ze in hun geheel, met pitten, schil en al; ze smolten hemels op mijn tong.

Het was bijna zes uur, het nieuws zou zo beginnen. Binnen een uur viel de totale verduistering van een nacht op een plantage, ver van de stadslichten, maar de gordijnen waren al dichtgetrokken om de terroristen te verhinderen ons dood te schieten met onze verlichte silhouetten als doelwit. Als we bij vriendinnen logeerden of bij mensen aten die zich niet aan de avondklok bij zonsondergang voor gordijnen hielden, raakten Lisa en ik in paniek. Waarom waren de gordijnen niet dicht? Waren ze niet bang voor terroristen? Waren ze niet bang om dóódgeschoten te worden?

Ik maakte me zelfs zorgen toen we op vakantie in Zuid-Afrika waren, waar geen terroristen waren. Op onze eerste en enige reis overzee (naar Spanje, Zwitserland en Griekenland) eerder dat jaar, had de afwezigheid van terroristen en de avondklok me lastiggevallen als fantoompijn.

Mijn vader snauwde: 'Zit rechtop en eet behoorlijk, Lisa.' Hij werd woedend van smakgeluiden.

Mijn moeder gaf Lisa een kneepje onder de tafel. 'Sttt, het nieuws begint.'

Het belangrijkste nieuws ging over een Viscount-lijnvliegtuig, de *Hunyani*, dat vijf minuten nadat het om vijf over vijf vanuit de luchthaven in Kariba was opgestegen van de radarschermen was verdwenen. Er waren tweeënvijftig passagiers aan boord. Kort voordat het vliegtuig verdween, hoorden ze de piloot roepen: '1 mei, Rhodesië 825, help me. Beide motoren zijn weggevallen aan stuurboord. We storten neer.'

'God,' hijgde mijn moeder. 'Die arme, arme mensen.'

'Wat erg,' zei mijn vader geëmotioneerd. 'Dat is verschrikkelijk.'

We wisten toen niet (dat kwamen we pas te weten toen mijn moeder maandag, en elke dag daarna, naar Hartley ging om de *Herald* te kopen), dat achttien van de tweeënvijftig passagiers de noodlanding van de *Hunyani* in het Urungwe Tribal Trust Land bij de grens met Zambia hadden overleefd. Tien van de overlevenden werden doorzeefd met kogels nadat ze verdoofd uit het wrak kwamen wankelen; doodgeschoten door terroristen die deden alsof ze een reddingsploeg waren. Vlak voordat ze het vuur op de groep openden, schreeuwde een van de mannen: 'Jullie hebben ons land afgepakt.' Iedereen die nog ademde hakten ze dood met bajonetten.

Acht van de achttien overlevenden van de vliegtuigramp bleven leven en vertelden wat er was gebeurd. Drie wisten te ontsnappen tijdens de chaos van het bloedbad, en de overige vijf waren op dat moment onderweg om hulp te halen bij de plaatselijke bevolking – die niet werd geboden. De meeste Afrikanen waren te bang of te vijandig om hulp te bieden.

De emoties die dit opriep waren moeilijk te verwerken. Het welde op in je borst en deed pijn als een gebroken hart. In oorlogstijd is de dood – zelfs de alledaagse dood – niet alleen een overgangsrite. Je bent ermee verbonden, en elk verlies hakt een stukje van je weg.

Toen ik thuiskwam van kostschool na een driedaagse schoolweek, hoorde ik dat de RBC-tv een BBC-interview had uitgezonden met Joshua Nkomo, waarin de ZIPRA-leider vrolijk lachend vertelde dat zijn soldaten de *Hunyani* hadden neergeschoten. 'De Rhodesiërs vervoeren altijd soldaten en militaire hulpmiddelen in Viscounts, en wij zagen geen reden om aan te nemen dat dit iets anders was,' luidde zijn rechtvaardiging. Mijn moeder was woedend omdat hij op krantenfoto's een Rolex-horloge met diamanten droeg. In het weekend bevestigde de *Herald* wat veel mensen al vermoedden: de Viscount was neergehaald door een hittezoekende Sam-7-raket.

Op zondag 9 september speelden zich emotionele taferelen af buiten de Anglicaanse kathedraal van St Mary and All Saints in Salisbury, waar ik was gedoopt, waar ik vaak duizelig van de wierook naast mijn grootmoeder in de kerkbanken had gezeten. Tweeduizend rouwenden verzamelden zich onder de wenende Christus in de regenboogglans van het gebrandschilderde raam. Nog eens honderden verdrongen zich buiten op de trap van de kathedraal. De meeste mensen zwegen maar sommige waren te bedroefd of wraakzuchtig om zich te beheersen. Er was aan het licht gekomen dat Ian Smith geheime besprekingen had gevoerd met Nkomo. Op een spandoek stond: 'PM Smith – Zeg tegen Nkomo als je hem weer in het geheim ontmoet: "Loop naar de hel, moordende klootzak."'

Op Rainbow's End zetten we de radio harder toen de deken, de hoogeerwaarde John da Costa, aan zijn preek begon. Ondanks zijn overtuiging dat kerkelijke autoriteiten zich buiten de politiek moesten houden, zei hij, waren er tijden waarin het noodzakelijk was je uit te spreken, 'in rechtstreekse en oprechte bewoordingen, als een trompet die zuivere noten blaast.' Dit was zo'n moment.

Iedereen die de waardigheid van het menselijk leven eerbiedigt walgt van de gebeurtenissen rond de vliegtuigramp met de Viscount *Hunyani*. De overlevenden hebben het volste recht op medeleven en hulp van alle andere mensen. Het neerstorten was al erg genoeg, maar het ging gepaard met de meest beestachtige en verraderlijke moord. Wij blijven verbijsterd en ongelovig achter; het hart van ieder die de naam mens verdient is vervuld van afkeer.

Deze beestachtige moord, de ergste uit de recente geschiedenis, stinkt in de neusgaten van de hemel. Horen wij echter oorverdovende protesten uit de landen die zichzelf 'beschaafd' noemen? Nee. Als mannen uit de parabel van de barmhartige Samaritaan, 'lopen ze voorbij, aan de overkant van de weg'.

Ik luister naar een veroordeling door David Owen, die zelf dokter is, en geleerd heeft mensen in nood bij te staan.

Ik luister, en de stilte is oorverdovend.

Ik luister naar een veroordeling door de president van de Verenigde Staten, afkomstig uit het wederdopergebied, en weer is de stilte oorverdovend.

Ik luister naar een veroordeling door de paus, de aartsbisschop van Canterbury, door allen die Gods naam liefhebben.

Weer is de stilte oorverdovend.

Zijn woorden waren zó bezield dat ze leken te zeilen op de geluidsgolven. Ze weerklonken door de kamer waar we zaten te luisteren. Hij geloofde niet in blanke superioriteit of zwarte superioriteit, zei hij. Niemand was beter dan een ander tot hij had bewezen beter te zijn. Degenen die regeerden of wilden regeren moesten bewijzen het vertrouwen van de mensen waardig te zijn.

De afschuwelijke noodlottige vlucht uit Kariba zou jarenlang in ons geheugen zijn gegrift, zei hij. Bij de schuldvraag spaarde hij niemand. Hij klaagde de kerk, de maatschappij, de politici en de Verenigde Naties aan. Hij beschuldigde de televisienetwerken en filmmakers die het geweld verheerlijkten als vermaak, de daders die vermoedelijk de zondagsschool hadden bezocht, de mensen die zichzelf gelovigen noemden en luidkeels ageerden tegen het communisme, maar nooit een kerk betraden.

'Als wij,' zei hij, 'die beweren God lief te hebben, meer liefde en begrip, geduld en vertrouwen in anderen hadden getoond, zouden de kerken niet zo'n slechte naam hebben als nu. Ik ben verbijsterd over het zwijgen van alle politieke leiders in de wereld. Ik ben bedroefd omdat onze kerk er zo slecht in is geslaagd te doen wat ze predikt. Moge God ons allemaal vergeven, en moge Hij al deze mensen die zo plotseling en onvoorbereid zijn gestorven tot zich nemen in het licht van Zijn gelukzalige aanwezigheid. Amen.'

Later noemde hij deze preek de 'meest rampzalige' van zijn hele ambtstermijn, maar toen verenigde hij ons als nooit tevoren. Hij verbond ons. Nu, meer dan ooit, stonden we alleen tegenover de rest van de wereld. Zelfs Ian Smith had ons in de steek gelaten.

Ik was nog lange tijd betoverd door de preek. Ik dacht eraan toen ik die avond de honden meenam naar de Umfuli.

'*Mupfuri*,' noemden de Mashona de rivier. 'Zij die voorbijkomt.'

Kwamen wíj gewoon voorbij?

De aarde onder mijn blote voeten was nog warm van de hitte, en de lucht was koel, vochtig en compact door de rook van de vuren in de verre kraal. De rimboe glansde goud in de ondergaande zon. Terwijl ik zat te kijken naar de honden die hapten en snuffelden in het ondiepe gedeelte en probeerden mee te drijven op de stroom, overviel mij een vreemd gevoel. Ik voelde dat wij ons, door te kiezen voor Rainbow's End, willens en wetens in het gevecht hadden begeven. Maar ik had daar vrede mee. We konden deze oorlog winnen. We zouden winnen want we hadden het recht aan onze kant. Zoals het lied zei, we zouden zorgen dat ons land vrij bleef, en de vijand tegenhouden.

Ik voelde dat mijn hele leven had geleid tot dit punt. Ik had tot nu toe geslaapwandeld. Dit was het waard om voor te vechten en ja, waard om voor te sterven.

3

Op Rainbow's End was de oorlog plotseling veel dichterbij dan op Giant Estate, waar de soldaten op de veranda een biertje kwamen drinken. De oorlog leefde echt in dit huis. De oorlog was hier binnengekomen en had een familie weggemaaid. De naam van de oorlog was met bloed geschreven. Het was niet langer abstract, een rode angstvlek op het avondnieuws. Of de hartverwarmende gemeenschapszin van de plantersvrouwen die babotie en vruchtensla opschepten in de soldatenkantine. Of zelfs de gladgestreken goede wil van het radioprogramma met verzoeknummers van soldaten. Het soldatenliefje Sally Donaldson las de boodschappen van wanhopige soldaten vol heimwee voor en draaide hun lievelingsliedjes: 'If I Said You Had a Beautiful Body, Would You Hold it Against Me?'

De oorlog was voortdurend aanwezig in ons leven: een cape die we niet konden uittrekken, een Rode Letter, alleen dit was een 'O'.

En dus wierpen we flinterdunne verdedigingswerken op. Een veiligheidshek, dat gemakkelijk kapotgesneden kon worden. Een meute nutteloze, luidruchtige honden. Een ongewapende nachtwacht, altijd de oudste en krakkemikkigste man op de hele plantage; de enige arbeider die we konden missen. Ze konden hem omkopen, hij kon in slaap vallen. Een gemeenschappelijke telefoon. Je moest je elke avond op een specifieke tijd melden met je speciale telefoonteken. Als je dat verzuimde kreeg je een vrachtauto vol soldaten op je dak om te controleren of je dood was of vergeetachtig. In dat geval wou je dat je dood was. Een wapenvoorraad: een FN-geweer, een jachtgeweer, een .22-geweer, een revolver en een paar granaten. Naast het hek in de achtertuin hing een ploegschijf aan een paal. In geval van nood of een terroristische aanslag moesten de plantagearbeiders of Maud erop slaan met een *ntsimbi*. Dan zou mijn vader naar buiten rennen met zijn FN-geweer.

Deze maatregelen waren eigenlijk alleen psychologisch. Ze stelden ons gerust. Ze gaven uitstel voor het onvermijdelijke (bij gebrek aan beter). Ze zeiden tegen de terroristen dat ze nu meer barrières moesten overwinnen dan eerst, op de avond toen ze ongehinderd naar het huis konden lopen om haar geschiedenis te veranderen.

Mijn standvastigheid werd eerder op de proef gesteld dan ik wilde. Binnen enkele weken na de verhuizing ontdekten we dat het tv-beeld een paar keer per maand, vooral in perioden met veel onweersbuien, wanneer het huis trilde van donderslagen als botsende keien en de staalblauwe gevorkte bliksemflitsen over het erf knetterden, ineenkromp tot een grijs vierkantje en wij werden opgeslokt door pikzwarte duisternis.

De eerste keer dat dit gebeurde zei mijn vader in het donker: 'O, godverdomme.'

Het lentezweet verkilde op mijn huid.

Een stroomuitval kon twee dingen betekenen. Of: door een technische pechduivel in de afstandse, eigenhandig aangelegde elektrische bedrading waren de stoppen in de stoppenkast doorgeslagen, wat betekende dat mijn vader naar het elektriciteitshuisje buiten het veiligheidshek moest om de stoppen te vervangen. Of: een bende terroristen had de stoppenkast gesaboteerd, zodat hij in een hinderlaag zou lopen. Zwijgend staken we kaarsen aan, terwijl mijn vader zijn FN-geweer greep en zijn veldskoenen aanschoot.

'Wees alsjeblieft voorzichtig, Errol,' zei mijn moeder.

Hij verdween en liet een stroom avondlucht binnen. Buiten in de tuin tsjirpten de krekels als gekken. Mijn moeder sloeg beschermend een arm om Lisa. De motten dwarrelden in het flakkerende kaarslicht, de schaduwen boksten en de geelgerande duisternis woog zwaar tijdens het wachten. Wat zouden we horen: mijn vaders snelle voetstappen en zijn rokershoest, of geweervuur. De minuten verstreken als uren. Toen gingen de lichten aan. Ze verblindden onze ogen als een stroboscoop. Het stupide geschetter van de tv dreef de spot met onze angst. We bliezen de kaarsen uit, lachten en deden alsof we niet bang waren geweest, zelfs niet even. Het hete kaarsvet koelde af en de laatste grijze sliertjes kaarsenwalm stegen spiraalsgewijs naar het plafond.

Dit hoorde bij ons nieuwe leven, maar we namen het graag op de koop toe, want de schadeloosstelling was enorm. Op Rainbow's End werd de dag gevormd door de natuur, wat we nooit hadden meegemaakt in de stad, of zelfs op Giant. De dageraad werd met veel lawaai gevierd. Om zes uur brak de zon met gouden stralen door de bomen. Er was een adembenemend blauwe lucht; de zangvogels wedijverden met de hanen en het *pieppiep-urie* van de roodborstjes en de geschreeuwde begroetingen van de Afrikanen die aankwamen op het werk. Elke dag verscheen schoon gewassen door de vorige nacht. Wanneer de zuivere ochtendlucht zich vermengde met de verlokkende geur van gebakken spek sprong ik uit bed, waste mijn gezicht en liep naar de eetkamer. Daar stonden plakken gesneden papaja en een doos Cerelac, romige vlokken melkachtig vanillegeluk, onder een vliegennet op tafel. Op dit uur van de dag lagen mijn moeder en Lisa meestal nog te slapen en mijn vader was druk bezig op het land, maar Madala stond tot mijn beschikking. Had ik zin in gebakken eieren, spek, tomaten en gebakken banaan, of roereieren, tomaten, geroosterd brood en boerenworst? Met Daybreak cichoreikoffie, ananaskersenjam op geroosterd brood dat rokerig smaakte door de houtkachel en vers geperst sinaasappelsap uit de pakken die Richard Etheredge verkocht?

Daarna ging ik rijden. Als ik terugkeerde, was ik bedekt met graszaden, paardenzweet en dauw. Ik spoelde het zweet af onder de sputterende rivierwaterdouche. Als de zon hoger steeg pakte ik mijn schetsboek of een boek, of alleen een flesje cola en een stuk biltong en liep op blote voeten, met een afgeknipte spijkerbroek aan en een t-shirt met 'Rhodesië is super' of 'Wij hebben Rhodesië groot gemaakt' erop naar het wildreservaat. Ik tekende of schilderde, en voelde me één met het leven der dieren. Bij daglicht leek het of de gruwelen van de oorlog tijdelijk waren gestaakt. In de stad

hadden mijn ouders me wellicht opgesloten en zich zorgen gemaakt over mijn veiligheid, maar hier, waar het gevaar het grootst
was, gaven ze me alle vrijheid en vertrouwden erop dat ik die ver-
standig zou gebruiken. Ik werd aan mijn lot overgelaten, ging op
ontdekkingstocht in verlaten mijnschachten, zwom met de honden
in het diepe water vol stroomversnellingen van de Umfuli-rivier,
waar ik bilharzia kon oplopen, of lag te dromen op koele, gladde
takken in afgelegen nauwe valleien, gadegeslagen door de schuwe
giraffe.

Een keer, toen ik diep verzonken in een boek met mijn rug tegen
een boom zat, stond Jenny achter me en stak haar slanke gouden
neus om de stam heen. Ik keek op en zag een paar glanzende giraffe-
ogen met lange wimpers op gelijke hoogte met de mijne. Het is
moeilijk te zeggen wie het ergst schrok. Een seconde later stormde
ze weg, maar de betovering van dat moment ben ik nooit vergeten.

Maar de middagen waren het fijnst. Midden in de zomer gleed de
ijzeren geur van de regen over het land, lang voordat de eerste wolk
langs de horizon joeg. De donder rommelde lang en zacht, als een
leeuw in de verte. Algauw werd de plantage gehuld in halfduister,
alsof er een zonsverduistering op komst was. De uitdagende zon
verleende alles een intense kleur, zodat de aarde opgloeide en de
bleke doornige bundels bladeren van de acacia's scherp afstaken tegen de donkergrijze lucht. Bij de eerste zware regendruppels renden
de piccanins naar een schuilplaats; hun bleke voetzolen flitsten als
de onderbuik van een antilope. De honden begonnen te janken terwijl de bliksem flitste en de donder kraakte. De regen viel in stromen neer met witte bellen op de bruine rivier en roffelde gedempt
op het rieten dak. Ik deed de voordeur open en ademde de mine-
raalgeur in als een verdovend middel.

Daarna stierf het onweer weg, even snel als het was gekomen, en
liet een bedwelmende geur achter van natte aarde en doorweekte
planten en een minder bedwelmende geur van natte honden. De
bomen veerden weer op tot hun normale lengte en de vorkstaart-
scharrelaars met lila borstjes balanceerden op de druipende telefoondraden, en schudden het water van hun rug. Dikwijls gleed er

een regenboog over het wildreservaat of de rivier: Gods belofte. Dan voelde ik dat ik echt leefde, ik maakte deel uit van het ritme en de cycli van Afrika en van ons nieuwe huis.

Wij hoorden bij het land en het land bij ons.

Op Rainbow's End realiseerde ik me voor het eerst dat mijn moeder anders was. Andere moeders – zelfs plantagemoeders – gingen naar ouderavonden of sportdagen van hun kinderen, begeleidden hun echtgenoot naar de tabaksmarkt, gingen in hun beige Mercedes winkelen met andere plantersvrouwen of hielden een oogje op de inmaak of de bereiding van jams, bakten taarten voor theepartijen of bereidden uitgebreide diners en braais met veel vlees. Mijn moeder zat meestal met haar hoofd in de Himalaya. Als ze zich in de keuken waagde, was het om recepten te maken die ze op reis had opgeduikeld – een heerlijke Canadese worteltaart of een Bumi kwarktaart uit Kariba (tweederde blik gecondenseerde melk, vier deciliter room, het sap van drie citroenen en een beetje geraspte citroenschil, door elkaar gemengd op een ondergrond van biscuits).

Als ze een beetje geld had (door parttime te werken) kwam ze thuis met glanzende koffietafelboeken over Matisse of Van Gogh of de oude Egyptenaren. Mijn moeder was op haar vijftiende van school gegaan. Omdat ze gefrustreerd was over haar gebrekkige opleiding en ook omdat ze onverzadigbaar nieuwsgierig was naar andere landen, kunst en cultuur, verslond ze alle informatie over de schatten der aarde die ze te pakken kon krijgen. In de grote slaapkamer lagen stapels *Fair Lady* en andere tijdschriften, waarin ze het Raffles hotel in Singapore of de favoriete schoonheidsproducten van Elizabeth Taylor had omcirkeld, en andere dingen die ze zich niet kon veroorloven, maar waar ze wel naar kon verlangen.

Maar ze was vaak ziek en als ze ziek was, doofde haar stralende licht.

Wanneer ze niet in bed lag te herstellen of bezig was haar volgende reis te plannen, gaf mijn moeder Gatsi en Medicine opdracht om de tuin vol te planten met vuurpijlen, margrieten uit Namaqualand, lathyrussen, blauwe tuberozen en Watson-lelies, en ze plantte oranje viooltjes en een knalroze bougainville bij de voordeur. Ze plantte haar lievelingsroos, een Mr Lincoln, buiten haar slaapkamerraam. Ze kreeg een naaibevlieging en arme Lisa, die net vier was, werd onderworpen aan een garderobe van flinterdunne Victoriaanse poppenkapjes en jurken met kantjes. Voor Lisa's geboorte sleurde mijn moeder me altijd mee naar de dokter om antibiotica te bemachtigen voor ingebeelde ziekten; nu moest mijn zusje bilharziatesten verduren, prikken voor een voorhoofdsholteontsteking en antihistaminicuminjecties. Geen wonder dat we allebei een hekel aan dokters kregen.

Als ze eenmaal ontsnapte aan de klauwen van mijn moeder, leefde Lisa in haar eigen wereld. Ze was erg voorlijk, met een engelengezichtje en blonde krullen die stijl werden toen ze groter werd. Ze deed vaak toneelstukjes voor de spiegel in de badkamer en voerde gesprekken met een imaginair vriendje. Nu ze ouder was, was ik dolblij met een klein zusje dat ik dingen kon leren, die ik kon beschermen en plagen. Ik zette haar op Charm en leidde haar naar de schuren of bracht haar dingen uit de natuur – een slangenhuid, een zaaddoos of een veer – of ik nam haar en de honden mee naar het stuwmeer. Ik vertelde haar dat er feeën in het vogelbadje woonden en dat haar poppen 's nachts tot leven kwamen, maar nooit als je keek. Ze sloop altijd naar het vogelbadje en bleef 's nachts wakker en gluurde door haar wimpers, in de hoop dat ze de poppen zou zien spelen.

Mijn vaders voornaamste bijdrage aan het huis: hij veranderde de ontbijthoek in een bar. Alle plantersfamilies die ik kende hadden een bar in hun huis of tuin. Iedereen had ook minstens één kalender in elke kamer en een stapel *Farmer's Weeklies* en *Giles* stripboekjes naast de wc, onder de 'Regels van de pot'. Regel 1: Ga dichterbij staan, hij is korter dan je denkt. Mijn vader hing een batikdoek van de Desiderata, een koperen spiegel en een garagekalender van Smith's in de bar en zette een rij Grey's Scouts en PATU-bierpullen op de deklat. De ijskast zat boordevol cola, frisdrank en bier, dat mijn vader en alle andere mannen die ik kende dronken wanneer ze dorst hadden, en niet alleen na elf uur 's ochtends. Het drinken en

Vistocht, 1971

Lauren

Lisa

Lauren, acht jaar oud, met Misty en Baringa

Soldaatje spelen op Giant Estate

Rainbow's End krijgt een nieuw grasdak, 1978

Rainbow's End zoals het uiteindelijk werd, 1979

May en Lisa

Lauren en Lisa
aan de oever van
de rivier

De stuwdam, die door de terroristen werd gebruikt als oversteekplaats

Lauren en Lisa steken de stuwdam over bij Rainbow's End

Morning Star, een paar dagen na zijn geboorte, één en al knieën en een ster

Morning Star als volwassen paard

Charm kijkt humeurig bij het vooruitzicht dat Lauren hem gaat berijden

Jenny de giraffe

Miss Piggy

Het ontsmettingsbad voor de koeien

Jenny voor Rainbow's End

Schoolkinderen op Wicklow Estate

het aantal echtscheidingen nam toe naarmate de oorlog grimmiger werd.

We kochten een nieuwe stereo. Toen werd ik echt verliefd op countrymuziek. Ik zat urenlang achter de bar, dronk grote hoeveelheden Mazoe-passievruchtensap en zong mee met John Denver 'Country Roads', Juice Newton ('Queen of Hearts'), Kenny Rodgers ('Ruby, Don't Take Your Love to Town'), Glen Campbell ('Wichita Lineman'), de Bellamy Brothers ('Let Your Love Flow') en alles wat ik te pakken kon krijgen van Olivia Newton-John, op wie ik verliefd was geworden nadat ik *Grease* vijf keer had gezien. Ik wilde zangeres worden, dierenarts en ruiterkampioen, en leerde alle liedjes van platen die ik goed vond uit mijn hoofd. Hele dagen verstreken terwijl ik de naald optilde, ijverig schreef, en de naald weer neerzette.

Dat deed ik ook met de cassettes in de kokendhete auto. Ik kende alle liedjes van een onwaarschijnlijke hoeveelheid platen uit het hoofd, zoals Marty Robbins' *Gunfighter Ballads* en Olivia's versie van Doc Watsons ballade 'Banks of the Ohio', die ik heerlijk melancholiek vond.

Ik was gefascineerd door de cowboycultuur. Ik las alle westernboeken met ezelsoren van mijn vader, over Sudden, de cowboy die liever niet schoot. Ik identificeerde me daar veel sterker mee dan met boeken of films over Vietnam of andere oorlogen. Die beschreven een onherkenbare oorlog, met tanks en explosies en legioenen soldaten die werden weggemaaid door de bloedige zeis van zwaar artillerievuur. De oorlog die ik meemaakte leek meer op de gevechten in het wilde westen, waar eenzame boeren zich verdedigden tegen onbekende, goedbewapende moordenaars die in bendes van drie, zes of tien op hun dak vielen.

Ik herinner me bijna niets van mijn laatste trimesters op de lagere school. Ik kan me het gezicht van de leraar niet voor de geest halen. Man of vrouw, geen idee. Het leek alsof Bruce Forresters dood een schaduw wierp over het hele jaar. Ik herinner me alleen dat Bruce Campbell zijn teen eraf schoot bij een ongeluk tijdens de jacht. Juliet, inmiddels zijn vriendin, was woedend, want hij had ook dood kunnen zijn. De woedeaanvallen van Mr Clark waren erger dan ooit. Aangezien onze klas aan zijn kantoortje grensde, hoorden we de hele dag geschreeuw en getier, en zagen roodbehuilde jongens langs onze ramen strompelen.

Ik schoot de lucht in als een bonenstaak; ik groeide zo hard dat ik kronkelde van de groeipijn. Op schoolfoto's ben ik altijd twee keer zo lang als alle andere meisjes behalve Janet, die altijd op de ballen van haar voeten liep, als een ballerina op spitzen. Ik moest wennen aan mijn lange armen en benen. Ik werd onhandig en lomp, en daardoor onzeker. Ik begon me te realiseren dat ik niet de eerste, of zelfs de laatste keus zou zijn van jongens als Bruce of Mark – of iemand anders. Ik mocht niet meezingen in het koor, moest aan de kant staan bij tennis en korfbal en werd bij hockey veroordeeld tot keepen, en niet omdat ik dat goed kon. Ik presteerde alleen redelijk bij spelling- en verhalenwedstrijden. Ik schreef hoogdravende lofliederen op de wonderen van Rhodesië, en paardenverhalen vol adjectieven.

Met Kerstmis kreeg ik een blauwroze op batterijen werkende pick-up die zó klein was dat een singeltje er aan alle kanten uitstak. In de ziekenhuisgroene gangen van de Hartley-kostschool drukte het schrille onderwatergeluid volmaakt mijn eerste liefdesgevoelens uit – Charm, Olivia Newton-John en een steelse, verlangende blik op Bruce. Lisa Trumble had 'Mandy', iemand anders had 'Sailing', en ik had 'You Needed Me' en die draaiden we grijs, tot ik een keer met Lisa Trumble bij een van de populaire kinderen op bezoek ging, waar we naar 'Breakfast in America' en 'Foreigner' luisterden.

Ook al probeerden we ons te verliezen in de muziek of ons af te sluiten voor de wereld om ons heen, we konden niet ontsnappen aan de oorlog en de onschuldige oorlogsslachtoffers. In de soldatenkantine werkten twee schoonzusters uit Gadzema die uit veiligheidsoverwegingen samen naar de wc gingen. De een legde een geladen pistool op de plank boven de wastafel. Terwijl ze praatte, gleed het pistool eraf en doodde haar.

Voor veel Rhodesiërs was de ramp met de *Hunyani* het keerpunt. In 1977 verlieten 11.000 blanken het land om een veilig heenkomen te zoeken, en nu emigreerden ze met duizend per maand. Sommigen vertrokken na de laatste verkiezingen omdat Ian Smith verklaarde dat hij niet meer geloofde dat de blanken het land nog duizend jaar zouden regeren. Ze hadden hem ervan overtuigd dat er binnen twee jaar een zwarte meerderheid in de regering moest zitten. Dat leek mij niet onredelijk. Zeker het idee dat iedereen zou mogen stemmen. Maar de mensen die we tegenkwamen in het postkantoor of de plantagecoöperatie voorspelden de ondergang en een grote ramp. 'Als je wilt weten wat er gebeurt zodra die knakkers de boel overnemen, hoef je alleen maar te kijken naar de rest van Afrika,' zeiden ze. 'Kijk naar Zambia – je hebt een koffer vol geld nodig om brood te kopen! Kijk naar Mozambique, kapotgemaakt! *Naar de verdommenis!* Kijk naar Oeganda en Idi Amin! Nee, we kunnen beter naar Engeland of Zuid-Afrika vertrekken vóór die dag komt.'

Sinds maart hadden we een interim-regering van blanken en zwarten, met een uitvoerende ministerraad met Ian Smith, Abel Muzorewa, Ndabaningi Sithole en Jeremiah Chirau, die om de beurt het leiderschap op zich namen. Het land desintegreerde niet, verre van dat. Alles liep goed, maar de guerrillaleiders en de staatshoofden in de hele wereld beschouwden deze regering als een onaanvaardbaar compromis of zelfs een schijnvertoning. Ze wilden vervroegde verkiezingen met stemrecht voor iedereen, dus de oorlog woedde met de dag heviger.

De mensen die ervoor kozen in Rhodesië te blijven werden overspoeld door vaderlandslievende hartstocht. Er werd een plaat gemaakt van de 'oorverdovende stilte'-preek. Er werden 38.000 exemplaren verkocht, waar we huilend en handenwringend naar luisterden. 'Rhodesians Never Die', met de hartstochtelijke verklaring dat we door dik en dun zouden vechten, zodat de vijand 'ten noorden van de Zambezi zou blijven, tot de rivier zou opdrogen', werd opnieuw uitgebracht. Dit erevolkslied werd direct nummer 1 op de hitparade.

Op 19 oktober deden Rhodesische gevechtsvliegtuigen een roekeloze aanval op een ZIPRA-basis in Zambia, waarbij ze 1600 terroristen doodden en het luchtruim boven Zambia volledig veroverden. Er werd een plaat gemaakt van de superkoelbloedige mededelingen van de luchtcommandant, de 'Groene Leider', naar de verkeerstoren in Lusaka. We luisterden en lachten om zijn lef zoals mensen in landen zonder oorlog juichten om de wereldkampioenschappen of de Europese kampioenschappen voetbal.

In diezelfde maand trouwde Camilla met Billy Miller, de boer uit Norton wiens vrouw en dochter waren gedood, twee dagen voor de aanslag op Rainbow's End. Ze hadden elkaar ontmoet in het ziekenhuis, waar Camilla Nigel opzocht, wiens been aan stukken was geschoten, en Billy zijn dochter Victoria opzocht. Ze waren langzaam, eerst door een band van gedeeld verdriet en later door respect en gedeelde waarden en bewondering, verliefd op elkaar geworden. Daaraan kon je de extremiteit en tegenstrijdigheid zien van de vluchtige wereld waarin we leefden.

Uit de grauwe narigheid en het verdriet was iets moois ontstaan.

4

Op heiige zaterdagmiddagen of zondagochtenden die spankelden als champagne, maakte ik twee of drie uur durende ritten te paard met mijn vader. Het rijden kalmeerde hem. Iets van de nauwelijks onderdrukte woede die altijd in hem leek te koken verdween. Hij zat, lang en ontspannen, in een Australisch veedrijverszadel dat hij van iemand had gekregen, met een hand aan de teugels, in de westernstijl. Zijn andere hand rustte op zijn dij. Ik reed achter hem, dagdroomde bij het geruststellende gekraak van het zadelleer, en keek uit naar vuurlelies in het fijne gras als gesponnen zijde. Ik snoof de geur van struikgewas en paarden op; het lekkerste parfum ter wereld. Soms kwam er plotseling een regenbui opzetten. We waren te ver van huis om rechtsomkeert te maken, dus bogen wij en de paarden ons hoofd onder de koude douche. Of er was 'kermis in de hel'; een regenbuitje uit een ongerijmd zonnige lucht, gevolgd door een misplaatste regenboog.

Eerst reed mijn vader op zijn grijsbruine merrie, Persian Lady, en ik reed op Charm of een van de veedrijverspaarden van Wicklow. Toen kocht hij Troubleshooter en ik ging snellere paarden berijden en we hielden wedstrijden over de lange zandwegen. We zaten als jockeys diep gebogen over de hals van ons paard en tuurden tussen hun oren door naar sporen van landmijnen. We reden over de hele lengte van Rainbow's End of gingen naar Stockdale, waar een oude handelsroute lag voor het goud dat de Portugezen en Arabieren hadden gezocht in de veertiende en vijftiende eeuw. Soms hielden we halt op een kopje en maakten een vuurtje. Mijn vader bakte eieren en biefstuk in een oude pan, en we dronken koffie uit een thermosfles. Op de terugweg lieten we meestal onze paarden zwemmen in het grootste stuwmeer op Rainbow's End, aan de rand van het hoogste katoenveld. We trokken de hoofden van de paarden omhoog en gaven ze flink de sporen als ze met hun achterhand naar beneden zakten en als ze probeerden te rollen. Daarna lagen we uit te rusten op de oever en lieten de paarden op adem komen. Mijn vader rookte en de jacanavogels maakten schorre *kwoor-kwoor*-geluidjes. Ze sprongen over het water op liebladen met roze sterren, als Jezussen in vogelgedaante.

Op deze ritten vertelde mijn vader me legerverhalen die hij vroeger had verzwegen. Dat begon toen ik een bowiemes vond in een van de verhuisdozen uit Giant, met een lemmet van twaalf centimeter en een ivoren heft.

Mijn vader zei nonchalant: 'O, die, die heb ik afgepakt van een dode nikker.'

In het begin van de jaren zeventig was hij op exercitie vlak bij Mount Darwin met vier andere blanke PATU-soldaten en een zwarte politieman. Ze werden in een hinderlaag gelokt door negentien terroristen. Mijn vader en de politieman wierpen zich op de grond achter een vijgenboom, en mijn vader beantwoordde het vuur, terwijl de kogels om zijn oren floten. Een granaat boorde zich met een onheilspellende metalen klap in de aarde bij zijn voeten. Een onderdeel van een seconde verwachtte hij te zullen sterven. Maar de granaat ontplofte niet. De terroristen waren vergeten de pin eruit te trekken. Onderwijl lag de politieagent klappertandend van angst naast hem, met zijn handen over zijn hoofd. Zijn geweer had hij laten vallen. Het was drie tegen negentien (Ozzie, mijn vaders vriend, was net even weg om te plassen toen de aanslag begon), en ze 'zaten echt in de knoei', zoals mijn vader het noemde. Op dat moment rende Ozzie over anderhalve kilometer open terrein naar hen toe om hen te helpen.

Ze doodden drie terroristen en vingen er twee. De politieagent vuurde niet één kogel af. Toen mijn vader melding maakte van zijn lafheid of zenuwinstorting waardoor hij anderen in levensgevaar had gebracht, werd hij gesommeerd naar het hoofdkwartier te komen voor speciale instructies. Het was de bedoeling dat de politieagent een medaille zou krijgen voor zijn moed, zeiden ze. Voor het moreel van de politiemacht was het erg belangrijk dat hij in de verslagen als een held werd geboekstaafd. Kon mijn vader zijn verhaal alsjeblieft veranderen? Mijn vader was des duivels en weigerde aanvankelijk dit idee in overweging te nemen, maar het werd hem al gauw duidelijk dat hij eigenlijk geen nee kon zeggen. Hij stemde toe het vervalste rapport te tekenen op voorwaarde dat Ozzie ook een medaille kreeg. En zo werd de aanslag geboekstaafd.

'Maar ze hadden jou ook een medaille moeten geven,' zei ik.

'Geen sprake van, vriendin. Wat had ík gedaan?'

Ik zag dat bowiemes naderhand in een ander licht. Aangezien dit het enige wapen was waar ik bij kon, zette ik de geschiedenis uit mijn hoofd en smokkelde het bowiemes naar mijn kamer. Vanaf die tijd lag het 's nachts onder mijn kussen.

Mijn vader vertelde me nog andere verhalen. Op het meest kritieke moment tijdens de aanslag op Mount Darwin, tijdens het vuurgevecht op de stuwdam en op andere momenten dat hij dacht dat hij zou sterven, daalde er een serene rust op hem neer; soms had hij zin om te lachen.

Een zangeres in de Bulawayo Holiday Inn zong op zijn verzoek zijn lievelingsliedje voor hem: 'Me and Bobby McGee'. Toen hij weken later terugkeerde hield ze midden in een liedje op en maakte hem blij door het nog eens voor hem te zingen.

Een gevangen terrorist zei tijdens een gesprek: 'Jullie probleem is dat jullie schoon willen zijn.' Hij legde uit dat de dwangmatig scherende en tandenpoetsende blanke soldaten sneeuwwitte schuimbellen achterlieten in rivieren en stroompjes. De geur van pepermunt, sandelhout en Old Spice bleef hangen waar ze hadden gelopen, zodat ze als een radar hun positie verrieden.

'We ruiken jullie op een kilometer afstand,' zei hij brutaal tegen mijn vader.

Mijn vader vatte de oorlog nooit persoonlijk op. Wat hem betrof: zij probeerden jou dood te schieten en jij probeerde hen dood te schieten: einde verhaal. Maar hij had een ouderwetse opvatting van de krijgswetten. Hij werd kwaad, zelfs op zijn meerderen, als hij

vond dat krijgsgevangenen of stervenden aan beide zijden met on-
voldoende respect werden behandeld.

Een keer, toen de Grey's Scouts op exercitie waren in het Wankie
National Park, werden ze te hulp geroepen door een politie-eenheid
die dichtbij in een hinderlaag was gelopen. Een negentienjarige politieman was in zijn hals geschoten. Hij was onmiddellijk gestorven,
zijn gezicht goudkleurig en hoopvol, zijn uniform nog nieuw en
stijf.

De soldaten vroegen per radio om een helikopter om zijn lijk op
te halen, maar die kwam niet. De zon brandde fel, de lucht bleef leeg
en mijn vader foeterde en vloekte – niet om de dood maar om de
betekenis van de reactie daarop. De jongen was gestorven voor zijn
vaderland, maar zijn vaderland gaf niets om hem. Het gaf niets om
hem of het moreel van de mannen die zij aan zij met hem hadden
gevochten. En ook niet om de anonieme mannen die waren ge-
sneuveld in het belang van ontdekkingsreizen, stammenoorlogen,
hebzucht, racisme of kolonialisme in de afgelopen eeuwen. Ze konden niets doen behalve wachten. Ze ritsten de jongen in een lijken-
zak en zaten de hele dag bij hem terwijl de onverschillige zon
brandde, de vliegen zich verzamelden, de paarden rusteloos werden
en mijn vader kookte van woede. Het bloed van de jongen sijpelde
in de aarde waarvoor hij eens had geleefd.

Niet alleen de paarden hielden van ons nieuwe huis. De honden
renden opgetogen rondjes op weg naar de zwempartijen in de rivier. Soms nam ik de oudere honden mee als ik ging rijden. Kim en
Coquette lagen de hele dag om elkaar heen gekruld op zonnige
plekjes, als Siamese kransen, en mijn moeders Pers, Ming Ming, zat
de hele dag bij de waterpoel en ving barbeel – dikke meervallen die
naar modder smaakten. Ming Ming bracht een keer een boomslang
naar binnen als cadeautje, en deponeerde hem springlevend op het
tapijt. Er was veel komische overreactie, terwijl we de slang tracht-
ten te vangen.

Door de jaren heen werd mijn dierenartskist steeds beter voorzien van spullen. Ik had een voorraad injectienaalden, gerangschikt

per soort, een ontleedmes, flessen penicilline over de houdbaar-
heidsdatum, ontsmettingsmiddelen en antibiotica, wondpoeder,
een half dozijn crêpe zwachtels en gaasjes – alles, dacht ik, wat ik
nodig had als ik te hulp werd geroepen om gebroken vleugels te
spalken, ontstoken wonden te verbinden of abcessen te behandelen,
wat dikwijls gebeurde. Rainbow's End was een bedevaartsoord voor
gewonden. Elke week werden er allerlei soorten wezen bij ons aan
de deur gebracht. Het was niets bijzonders dat er een babypython in
een tupperwaredoosje op de schoorsteenmantel stond, een duiker
in de tuigkamer, en een secretarisvogel – een slangendoder met het
hoofd van een adelaar op lange dunne poten, als stelten – in de kippenren. We lapten de dieren op en hielpen ze op weg, met alle opge-
dane ervaring en veel liefderijke zorg.

Het enige wat aan mijn kist ontbrak was een serum tegen slan-
genbeten. Dat was duur en mijn ouders weigerden het te kopen, ondanks mijn obsessie voor slangen. Bij gebrek daaraan las ik urenlang in *Don't Die in the Bundu* (de rimboe). In het boek stond dat
urine een goed ontsmettingsmiddel en tegengif tegen cobrabeten
was. Er werd ook uitgelegd waarom je een drukverband moest aan-
leggen bij de beet van een boomslang. Bij een adderbeet had het
gangreen tot gevolg.

Al die tijd werd de buik van Cassandra dikker, en de spanning
werd steeds ondraaglijker. Ik keek uit naar de dag dat Troubleshooters veulen geboren zou worden. Die stormachtige dag brak aan op
13 december. Mijn moeder en ik waren alleen thuis. Maud en de
tuinjongens waren vertrokken voor hun middagpauze. Mijn moeder stond bij de voordeur terwijl ik wegrende in de hagel. Haar stem
stierf weg terwijl ze waarschuwde voor blikseminslag en longontsteking. Maar er klonk ook iets anders in door. Een erkenning dat
dit míjn Himalaya was. De grijsbruine merrie lag in de paddock bij
de stallen. Haar ogen waren half dichtgeknepen voor de prikkende
witte hagelstenen; voor de weeën. Ik hurkte naast haar in de modder en streelde haar gespannen buik terwijl de donderslagen ratelden, de bliksem met een gevorkte blauwe tong dreigde en de tof-
feekleurige modder om ons heen stroomde.

Toen het veulen in de onherbergzame stortbui naar buiten gleed, scheurde ik het maankleurige vlies open waar hij in zat. Het was een beige veulen. Hij had een grote ster op zijn voorhoofd. Zijn neusvleugeltjes onderzochten voor het eerst de natte lucht en zijn oren flapten omlaag onder het gewicht van het water. Mijn moeder kwam naar buiten rennen met een regenjas voor mij en prees het veulen voordat ze de onweersbui ontvluchtte, maar ik wilde daar blijven. Ik knielde in de modder en keek als een trotse ouder naar zijn eerste, zwakke pogingen om te gaan staan, als een jong poesje. Voor hij een uur oud was hield ik volkomen en onvoorwaardelijk van hem, meer dan ik ooit van iemand had gehouden, behalve mijn familie.

Twee dagen later was hij bijna dood.

Hij viel zonder waarschuwing op de grond en raakte in coma. Eric Staples, de dierenarts werd met spoed ontboden. Hij trok zijn oogleden op om zijn reacties te testen en verklaarde dat hij 'klinisch dood' was. Zijn moeder had hem besmet met hepatitis. Zijn enige overlevingskans was een onmiddellijke bloedtransfusie, maar de kans dat die zou werken was zeer klein, aangezien de dierenarts geen tijd had om bloedgroepen te testen. Er waren maar twee andere paarden beschikbaar als donor, en het was hoogst onwaarschijnlijk dat de bloedgroep overeen kwam. Ik was die dag weg. Mijn vader, die wist hoeveel het veulen voor me betekende, was in paniek. Hij zei tegen de dierenarts dat hij moest doen wat hij kon om hem te redden. Charm werd voorgeleid als proefkonijn en de bloedtransfusie begon. Eric Staples hield de oogleden van het beige veulentje open. Mijn vader zei achteraf dat hij nooit het beeld zou vergeten dat zijn capillaire buisjes zich vulden met bloed, 'als lampjes op een dashboard'. Binnen een halfuur stond het veulen weer overeind alsof er niets was gebeurd.

In de eerste weken van zijn leven was hij één en al knobbelige knieën, ribben en een ster. Hij en Cass waren altijd in de tuin of bij het huis. In de kerstvakantie was ik elk vrij moment bij hem; ik speelde met hem, praatte met hem en blies in zijn neusgaten. Ik vond het naar om hem te verlaten toen de school weer begon. Toen ik het weekend thuis kwam ontdekte ik dat hij, in de loop van vijf dagen, dikker en donkergrijs was geworden en een dunne laag volbloedspieren had gekregen. Geleidelijk werd die dunne laag een staalharde massa; hij barstte van de energie met hoog octaangehalte. Hij galoppeerde over het erf, steigerde, bokte en schopte zo heftig en met zo'n vaart, dat de mensen in bomen klommen om weg te komen. Maar het stelde niets voor. Hij had Troubleshooters vriendelijke aard en zijn lieve ogen.

Toen zijn babydons afviel kwam er een zuivere diepzwarte vacht tevoorschijn. Tegen alle natuurwetten in had ik mijn zwarte hengst. Nadat ik maanden had gemijmerd over exotische, driedubbele namen, waarmee ik zijn renpaardafkomst en zijn toekomstige leven als kampioen wilde eren, noemde ik hem eenvoudig Morning Star. Dat paste bij hem.

5

Richard Etheredge leerde ons meer over Rainbow's End dan wie
ook. Hij kende bijna de hele geschiedenis van de plantage uit de eerste hand of dankzij zijn vader, Eric, die hij was opgevolgd op Stockdale. Hij had een zeldzame combinatie van gaven: het oog voor detail van de verhalenverteller en een uitstekend geheugen voor data.
Zonder notities of dagboeken te raadplegen kon hij met zekerheid
zeggen dat de stuwdam op Rainbow's End in 1913 was gebouwd
door Charlie Knight, de eigenaar van Umvovo, de plantage aan de
overkant van de rivier. In 1963 had hij de stuwdam een meter opge-
hoogd. Tom Beattie zou de stuwdam nog verder ophogen, toen hij
Umvovo kocht in 1988.

De plantage zag eruit als een kroon met twee punten, zoals een
kind zou tekenen, met het huis helemaal onderaan. Tussen de twee
punten in lag de zuidelijkste punt van Giant Estate. Behalve de
Etheredges en de Beatties hadden we buren op Aitape, de Brinks.
Aan de overkant van de stripweg woonde de excentrieke Wendy
Austin, die katten fokte. Ze had tientallen katten; als er een stierf liet
ze hem opzetten. Hun schitterende glazen ogen staarden de bezoekers spookachtig aan.

Aan de overkant van de stuwdam lag Umvovo, nu bewoond door
Goldie Knight. Ze fokte chinchilla's voor hun pels en noemde ze
naar alle mensen uit de streek, om zichzelf te vermaken.

'Laten we Kobus vanavond om zeep brengen,' zei ze dan als ze
ging slachten.

De Etheredges woonden het dichtst bij ons en we zagen hen het
meest. Richard was gezet, kalend en vrijpostig, met een stem die het
luidruchtigste etentje ter wereld kon overstemmen. Toen ze elkaar

voor het eerst ontmoetten, twintig jaar geleden, kon mijn vader hem niet uitstaan. Mijn vader hield van bescheidenheid en Richard had de bescheidenheid lang geleden overboord gekieperd. 'Als iemand zei dat hij een handgemaakt geweer had, zei Richard: "Ik heb er twee, maar die komen uit Duitsland. Ik heb een speciale laadstok laten maken..."' herinnerde mijn vader zich lachend. 'We dachten altijd dat hij zwetste, maar toen ontdekten we dat het wáár was. Hij had écht het beste. De mooiste meubels, de mooiste schilderijen, de beste hengels. Toen vertelde hij ons dat hij ging trouwen met een fantastisch meisje uit Engeland. En we zeiden allemaal: "Ja, ja." Toen kwam ze naar Afrika en ze wás geweldig. Ze was ongelooflijk mooi. En aardig. Ze was het aardigste meisje dat er bestond. Nou, we waren platgeslagen.'

Nu waren ze goede vrienden. Mijn vader vond Richard niet langer arrogant of opschepperig, hij was gewoon eerlijk. En hij had respect voor eerlijke mensen.

We gingen vaak op bezoek bij de Etheredges. We zaten in hun koele, sjieke zitkamer onder de opgezette buffelhoofden en olieverfschilderijen van David Shepherd, met olifanten, luipaarden en leeuwen. Onze voeten rustten op een kleed van zebrahuiden. Ze hadden tennisbanen en een zwembad en een grasveld dat even groen was als de vlag van Rhodesië, en zich uitstrekte tot de oever van de Umfuli. We zwolgen in de ongewone luxe. Alles ging moeiteloos in het huis van de Etheredges. Alles wás het beste.

De Etheredges hadden een jongenstweeling. Ze waren gek op vissen, hadden buitengewoon goede manieren, en zaten qua leeftijd tussen Lisa en mij in. We hingen rond onder de Keniaanse koffieboom terwijl de oranje zonsondergang de oerwoudachtige riviereilanden paarszwart kleurde. Mijn vader keerde de brasem om op de braai, terwijl Richard luidkeels vertelde dat zijn moeder met Ian Smith was opgegroeid in Selukwe. Smith had hem persoonlijk gebeld om te vragen of hij P.K. Van der Byl mee op jacht wilde nemen; zijn grootvader was een Klondikepionier en lid van de Pionier Colonne van Cecil Rhodes; zijn betovergrootvader had vroeger de meeste ondergeschikten ter wereld. Hij had in India tienduizend ruiters in dienst om zijn paarden te verzorgen en indigo te oogsten.

Aangezien niemand hem kon overtroeven, en Richard in de eerste plaats erg geestig was, maakten mijn ouders en de andere gasten het zich gemakkelijk. Ze gaven zich over aan onbedaarlijke lachbuien, terwijl hij oneerbiedige verhalen vertelde over mensen uit Gadzema, zoals drie vrouwen die samen vijftien echtgenoten versleten 'van wie er vier op mysterieuze wijze aan hun eind kwamen'. Ten slotte ging één van hen te ver. Nadat ze was afgewezen door een huwelijkskandidaat, schoot ze hem tussen zijn ogen – en kreeg tien jaar gevangenisstraf.

Door de ogen van Richard veranderde Gadzema van een als-je-knipoogt-ben-je-al-voorbij stipje op de kaart in een boeiend stadje dat wemelde van ontrouwe echtgenoten, geniën en duistere intriganten. Hij telde ze af op zijn dikke vingers vol zonnevlekken: 'Gadzema heeft voortgebracht: een priester die beroepsbokser werd, een beroepsworstelaar, een ridder, een Wimbledonkampioen (Donald Black), dieven, miljonairs, de belangrijkste postzegelverzamelaar in Zuidelijk Afrika en de eigenaar van de grootste schilderijenverzameling van Trechikoff ter wereld!'

Terwijl hij dit allemaal vertelde keek Katherine, een serene schoonheid die van binnenuit leek te stralen, naar haar man met een tevreden, toegeeflijke glimlach. Ze hadden elkaar in Engeland ontmoet toen Katherine negentien was en elke penny spaarde om naar Afrika te ontsnappen. Richard was in Engeland met een beurs voor de landbouwschool. Hij was de enige begerenswaardige vrijgezel die ze kende.

Richard zei altijd voor de grap: 'Ze trouwde met me om mijn geld. Ik trouwde met haar om haar kookkunst. Het eerste maal dat ze voor me kookte brandde aan en stonden we rood op onze eerste bankafschrijving.'

Op zijn manier was Richard even opvliegend als mijn vader en Tom Beattie. Hij was altijd aan het vloeken, schelden en tieren op onbenullen, maar Katherine trok hem in haar vredige invloedssfeer. Het huis had een kalme sfeer, tot ze van wal staken over de jacht. Richard en Katherine waren allebei goede jagers op groot wild. Ze hadden tientallen trofeeën van olifanten en andere dieren. Alle bezwaren tegen de jacht werden door Richard van tafel geveegd. Hij wist alles over wilde dieren en bewees de voordelen van de jacht met statistieken. Maar ik verafschuwde het doden van dieren. Op een avond lieten ze ons een film zien over hun laatste olifantenjacht. Eerst zag je een lang stuk film over majestueuze mannetjesolifanten met lange gebogen slagtanden die traag door de rimboe liepen. Dit werd gevolgd door onvoorstelbaar groteske bloederige scènes, met lappen vuurrood vlees en stromen bloed. De Etheredges straalden trots te midden van het bloedbad. Ik barstte in tranen uit en liep in protest naar buiten, ondanks mijn vaders woedende blik en mijn moeders smekende: 'Liefje!' Dit was een mijlpaal: de eerste keer dat ik in opstand kwam tegen volwassenen.

De eerste keer dat ik in opstand kwam voor iets waarin ik geloofde.

Richard wist niet dat Rainbow's End, door een vreemd toeval, in de jaren dertig aan mijn grootvader te koop was aangeboden door zijn vriend William Sidney Senior, de toenmalige minister van Mijnbouw en Publieke Werken. In een brief, gedateerd op 27 oktober 1935, op 'zondagmorgen', schreef hun gemeenschappelijke vriend Billy Mowbray aan mijn grootvader: 'A propos de plantage van de familie Senior in Gadzema: die zou je alleen al moeten nemen om de naam, Rainbow's End!!!' Vervolgens waarschuwt hij hem: 'Een plantage kopen met weinig of geen kapitaal is tegenwoordig een groot risico. Ik kan je niet adviseren over Seniors aanbod zonder een grondige kennis van alle feiten over de plantage en de mogelijke afzetmarkten. Misschien zit er iets in, maar het landschap zelf is hier niet zo mooi.'

Als hij genoeg geld had gehad en niet verliefd was geworden op Gabrielle Margaret Joan, het meisje dat de trein van de prins van Wales had doen stilstaan, hadden wij misschien Rainbow's End geërfd. In plaats daarvan werkte mijn grootvader als veekoper bij de Cold Storage Commission, het grootste slachthuis van Rhodesië. Voordat hij door een ziekte zijn gehoor kwijtraakte, droomde hij ervan Engels te studeren in Cambridge. Nu reed hij langs een afgelegen, 750 kilometer lange route door de Afrikaanse dorpen en de zongeblakerde savannen rond Fort Victoria, alleen met zijn hond en zijn paard. In zijn gehavende dagboek, zwart met een gouden versiering, beschrijft hij gedetailleerd zijn proviand in een microscopisch handschrift: thee, suiker, melk, koffie, beschuit, kaas, aardappelen, uien, *polony*, tabak, sigaretten, een stormlamp, een fles paraffine, zeep, ssg-kogels, en kogels maat 5. Zijn motto, een citaat van Neville Chamberlain, staat voorin: 'De mislukking begint pas wanneer je ophoudt te proberen.'

Bill Senior was de eerste eigenaar van Rainbow's End. Op 27 september 1923 betaalde hij 371 pond en 4 shilling voor 464 morgen land en waterrechten, niet omdat hij zich interesseerde voor het boerenbedrijf, maar omdat hij dan onbelemmerd kon beschikken over het water dat hij nodig had voor zijn mijnen in Gadzema. Senior had een vooruitziende blik. Hij was een Engelsman die rond de eeuwwisseling zijn ouders was gevolgd naar Rhodesië. Hij had uitstekende zakelijke en contactuele eigenschappen, die zeer op prijs werden gesteld door ondernemingen als Lonhro en De Beers. Toen hij op eigen houtje naar bodemschatten begon te zoeken, leverden die vaardigheden hem succes op bij mijnen als de Seigneury – waar een spectaculaire terugwinning van een verloren goudhoudende kwartsader plaatsvond – Giant en andere mijnen in Gadzema.

Tijdens zijn ambtsperiode in de jaren dertig voorzag hij het land van stroom en richtte een commissie op voor elektrische voorzieningen. Hij bouwde een brug over de Umfuli en ontwierp en loodste zoveel doorslaggevende wetten door de regering over wegen, spoorwegen en mijnen, dat hij door de koning werd onderscheiden met een cmg (Companion of the Order of Saint Michael and Saint George). Hij had al een Military Cross, verdiend op de slagvelden van Egypte, Palestina en Frankrijk in de Eerste Wereldoorlog.

Zijn grote liefde was vliegen en dat werd zijn dood. Op een mooie heldere dag in december 1938 haperde de machine van zijn Hornet Moth. Hij stortte neer op de spoorlijn bij Makwiro, honderd kilometer van Salisbury, en werd dood aangetroffen in de cockpit. Hij liet een vrouw en vier kinderen achter. In zijn *in memoriam* in de *Herald* stond: 'Hij leidde een sober leven, en wijdde een groot deel van zijn tijd aan de studie. In zijn persoonlijke en openbare leven was hij consciëntieus en efficiënt.'

Na de dood van Senior werd Rainbow's End door de Seigneury Trust verhuurd aan een legendarische reeks excentriekelingen. Ze huurden het voor de akkerbouw, of ze zochten naar goud in de ertsader waar de plantage naar was genoemd – een ertsader die zó rijk was dat hij zevenentwintig kilo goud opleverde uit één ton erts. De Waterlily Mine werd in de jaren veertig geëxploiteerd door de familie Down. Ze hadden vier kinderen, met de onwaarschijnlijke namen Ida Down, Ben Down, Neil Down en Sid Down. Volgens een bizarre bewering van Richard waren ze de eerste familie in Rhodesië met een Perzisch tapijt. 'Ze woonden in een verdomde hut maar er lag een Perzisch tapijt op de vloer!'

Na de Tweede Wereldoorlog werd de Waterlily Mine overgenomen door sir Hugh Grenville Williams, Sixth Baronet, en zijn tweede vrouw, Maud Beatrice Fraser Marie, de dochter van comte De Marillac St Julien. Ze kampeerden jaar in jaar uit op Rainbow's End in een caravan die op maat was gemaakt, zodat de vleugel van Lady Williams erin paste. Ze hadden een baviaan aan een touw als huisdier. Ik stelde me voor hoe hij bij maanlichte nacht verrukt luisterde naar de symfonieën van Bach en Mozart die over de savanne zweefden. Sir William was een lange magere man die volgens alle verhalen het motto van zijn familie ter harte had genomen: 'Sterk en Geslepen'. Zijn titel van baronet kwam oorspronkelijk uit Bodelwyddan, Flintshire, en hij had gediend in de Eerste Wereldoorlog, waar hij eervol werd vermeld. Hij was een bekende gokker, zei Richard.

'Hij had altijd, áltijd het snelste paard, de snelste vrouwen, de snelste hond, de beste whisky... Als je hem geld leende werd het nog datzelfde weekend op het snelste paard gezet.'

In de late jaren veertig kampeerde de familie Williams nog steeds op Rainbow's End. Thomas Agorastos Plagis, een Griek, pachtte de plantage van de Seigneury Trust. Tommy nam Mike Swan in dienst, een negentienjarige Ierse opzichter. Swan kreeg vijf pond per maand om 2400 hectare tabak te verbouwen. Swan bouwde vier schuren met klei uit de mierenheuvels en Kimberley-bakstenen. Ondanks zijn jeugd en gebrek aan ervaring haalde Swan drie goede oogsten binnen. Hij werd verliefd op de streek, niet om de tabak maar om de vrouwen. 'In de jaren vijftig waren er in Gadzema meer meisjes te krijgen dan in alle andere steden in Afrika,' verzuchtte hij nostalgisch.

Tommy had vijf broers en zusters die af en toe op Rainbow's End woonden. Een van hen was de RAF vleugelcommandant Ioannis Agorastos 'John' Plagis, een oorlogsheld die 'Malta had bevrijd' in felle luchtgevechten, waarvoor hij het Distinguished Flying Cross had gekregen. In 1944 was hij neergeschoten boven Arnhem, maar hij was met lichte verwondingen ontkomen. Hij keerde vier jaar later terug naar Rainbow's End en bouwde een huis in Salisbury, waar een straat naar hem werd genoemd: John Plagis Avenue. Hij kon zich echter niet goed aanpassen aan het burgerbestaan en pleegde later zelfmoord.

Niet alle familieleden Plagis hadden zo'n sterrenreputatie als John. De oude Mrs Plagis choqueerde de hele streek door weg te lopen met Mr Passaportis, de eigenaar van het Gadzema-hotel, met wie ze nog vijf kinderen kreeg.

In 1957 stierf John, de enige zoon van Bill Senior, voor wie de plantage was bestemd. Hij stierf op dezelfde manier als zijn vader; hij stortte neer met zijn lichte vliegtuig. Drie jaar lang woonden er alleen een Canadese geoloog en een paar opzichters. Daarna kocht Dr Claude 'Champagne Charlie' Chiltern de plantage van de Seigneury Trust. Chiltern was getrouwd met Elizabeth, een dochter van Bill Senior. Ze was een goede anesthesist die medisch pionierswerk deed in het legendarische Groote Schuur-ziekenhuis in Zuid-Afrika. Ze was een van de weinige mensen ter wereld die foetussen in de baarmoeder konden verdoven voor een operatie. Maar Champagne Charlie was een playboy. Hij verbeeldde zich dat hij miljonair was en zat altijd in de Gadzema Club, waar hij de ene grote fles champagne na de andere bestelde. Hij speelde zelfs met het idee een nachtclub te beginnen op het eiland op Rainbow's End. Hij benoemde zichzelf tot directeur bij de Giant-mijn, waarin hij een meerderheidsaandeel had, maar de toegang werd hem ontzegd nadat hij een fles champagne onder de grond had meegenomen. In zijn tijd waren de werkomstandigheden slecht en er gebeurde een ernstig ongeluk in de Giant-mijn. De mijn raakte failliet als gevolg van slecht beheer en verwaarlozing; daarna was het eigenlijk afgelopen.

Op zijn vijfenvijftigste werd Charlie tandarts, want dan hoefde je niet hard te werken, zei hij schaamteloos tegen Richard die vol minachting luisterde. 'Daar schepte hij over op.'

In totaal woonden de Chilterns vijf jaar op Rainbow's End, waarna de plantage leegstond of werd beheerd door opzichters tot aan 1976, toen Rainbow's End onder toezicht van Richard voor 25.000 dollar werd verkocht aan Ben Forrester. De teerling was geworpen.

6

Wat niemand ooit vertelt over de oorlog: het gaat al heel snel bij het dagelijks leven horen. Het leek alsof we altijd al de wegen op de plantage hadden afgespeurd naar landmijnen, of ons schrap hadden gezet voor kogels door de voorruit als we de stad inreden. Alsof mijn vader na tafel altijd al zijn geweren uit elkaar haalde en schoonmaakte, en zijn kogels telde.

Dat er altijd al mensen in het donker op de loer hadden gelegen om ons te vermoorden.

Voor het eerst werd mij gedeeltelijk een revolver toevertrouwd. Als ik bij mijn moeder in de auto zat lag hij als een dood gewicht op mijn schoot, een zwarte .38-revolver in een bruinleren holster. Theoretisch moest ik proberen de revolver aan haar te geven als we in een hinderlaag liepen, maar ze was nog net zo bang voor wapens als vroeger, ondanks herhaalde bezoeken aan de schietbaan met een Uzi-machinepistool. Ik was er heimelijk van overtuigd dat ik ons zou redden, zelfs zonder te oefenen (ik kon al onze geweren laden en spannen maar ik had maar een paar keer geschoten met mijn vaders geweer).

Het gewone dagelijkse leven was gebaseerd op de moedwillige bereidheid iets te geloven. Op de dag van de moorden op Rainbow's End had Richard een stel vrienden rondgeleid door het wildreservaat. Op die wandeling had hij een groep 'van vier of vijf munten' gezien die kleren wasten in de rivier bij de oude kooi voor de visarenden. Pas later realiseerde hij zich dat hij waarschijnlijk de terroristen had gezien. Hoewel ik besefte dat de oorlogsgruwelen bij daglicht niet verdwenen, verkoos ik te geloven dat de terroristen er niet meer waren. Als ik alleen door de honderden hectaren van het wildreservaat reed, dat verlaten was omdat er niemand mocht komen behalve de wildjongen en de wilde dieren, konden de terroristen me bespieden en een plan beramen om mijn lippen en oren af te snijden en die aan mij te voeren, maar ik wilde geloven dat ze er niet waren. Wanneer ik op Charm de zonsondergang tegemoet reed, met mijn rammelende rugzak (met een pan, een bord en kookspullen die ik nodig had om een braai voor mezelf te maken met een broodje biefstuk, gebakken banaan en een thermosfles koffie), voelde ik me optimistisch en avontuurlijk.

Alles ging goed. We bereikten onze bestemming, de oude mijn in een mooi heuvelachtig kreupelbosje in de verste uithoek van het wildreservaat. Ik bond Charm aan een boom en legde een vuur aan. Toen de avond viel verloor het kreupelbosje zijn charme en werd uitgesproken griezelig. Charm dacht er net zo over. We hoorden de onzichtbare impala's zenuwachtig blaffen. Charm wierp haar hoofd omhoog en draafde rondjes om de boom. Ik moest steeds opstaan om haar touw uit de knoop te halen. Charms angst sloeg op mij over. Ik voelde me niet veilig in de buurt van de slordig dichtgegooide mijnschachten en ik werd zenuwachtig van de onrustige impala's. Ik tuurde met half dichtgeknepen ogen door de bomen en probeerde te ontdekken wat zij zagen. Ten slotte trok Charm haar teugels kapot en galoppeerde naar huis. Ik moest drie kilometer in mijn eentje door het schemerdonker naar huis lopen, met een droge boterham en een platgedrukte banaan – het makkelijkste doelwit dat er ooit was.

Dit laatste fiasco met Charm overtuigde mij ervan dat ik een ander paard nodig had tot Morning Star oud genoeg was. Het meest aangewezen paard was Cassandra, maar er was een probleem. Cassandra had een hekel aan mij en ik was niet dol op haar. Ze was getraumatiseerd door haar ervaringen bij de Grey's Scouts. Ze stond bang en wantrouwig tegenover de meeste mensen, maar ze had een uitgesproken hekel aan mij. Eerst dacht ik dat ze jaloers was, omdat ik elke dag urenlang met haar veulen knuffelde en speelde. Maar toen begon het me te irriteren. Ik voelde een geestelijke verbondenheid met de meeste paarden. Ik was trots op mijn affiniteit met hen, maar als ik langs de stal van Cass liep, gingen haar oren naar achteren en probeerde ze me te bijten. Als ik haar een standje gaf, werd het nog erger. Het werd een soort vete.

Toen vroeg mijn vader of ik haar beweging wilde geven. Ik wilde niet toegeven dat ik bang voor haar was, dus ik zadelde haar de volgende morgen kordaat op en reed zenuwachtig naar de landerijen. Ik ontdekte direct dat Cass, anders dan Charm die zich doof hield voor de luidste verzoeken om sneller te gaan en die door haar vet beschermd werd tegen aansporingen, aan een woord, een wenk of een kleine teugelhulp genoeg had om van stilstand over te gaan in volle galop.

Vlak voorbij de kraal sloeg ze op hol. Ik probeerde haar tegen te houden maar het lukte niet. Ik herinnerde me Butcher Boy en dacht: ik ga niet tegen haar in. Laat haar maar uitrazen. Ik boog voorover, haar zwarte manen zwiepten naar achteren en sloegen in mijn gezicht. De zandweg verdween onder haar vliegende donkere benen en de wind klonk als een zeestorm in mijn oren. Haar gang was gelijkmatig, licht en moeiteloos. Het was alsof ik op de rug van een dolfijn zat. Toen we de landerijen naderden zei ik zachtjes: 'Rustig meisje, ho braaf', en ze ging uit zichzelf langzamer galopperen. Ze stak haar oren omhoog. Ik kon uit haar ritme opmaken dat ze genoot. Ze danste zowat langs het glanzende paarse gras. Op dat moment werd ik verliefd op haar.

Mijn vader stond tot aan zijn schouders in de groene tabak, scherp afgetekend tegen de blauwe lucht, geworteld in de aarde – bijna ingegraven – alsof hij daar groeide. Hij maakte zich los uit de groep. Ze stonden verspreid om hem heen, met versleten kleren, een ploeg bruine kandijkleurige mannen. Sommigen onderbraken hun werk en zeiden: '*Mangwanani, mamuka sei!*' (Goede morgen, hebt u lekker geslapen?) of '*Kunjani?*' (Hoe gaat het met u?) met een witte, onregelmatige glimlach. Mijn vader droeg zijn werkpak: een kaki broek, een dun, vaak versteld kaki overhemd met een Parkerpen en een pakje Madison (zijn nieuwe merk) in zijn borstzak, een slappe kaki hoed en veldskoenen.

Hij zei: 'Hallo, vriendin. Rijdt ze goed?'

'Vader, ze is ongelooflijk. Ze is zo snel en gewillig.'

Hij lachte. 'Kom en zeg Kenneth even goeiendag.'

Kenneth was de baas van de jongens. Hij was een nette, voorkomende man met een ernstige uitstraling. Hij droeg altijd een geblokt overhemd met keurig opgerolde mouwen, een blauwe broek en rubberlaarzen. Hij kwam altijd naar me toe, gaf me een hand en vroeg in het Engels hoe het met me ging, en ik vroeg in het Engels hoe het met zijn gezin en zijn kinderen ging, en wenste hem geluk met de staat van het gewas. Daarna dankten we God voor de regen óf we klaagden over de droogte.

Kenneth had dezelfde filosofie over het werk op een plantage als mijn vader. Je moest minstens even hard werken als je ondergeschikten en nooit iets van iemand vragen wat je zelf niet zou willen doen. Maar mijn vader ging veel verder. Hij schiep er een onnatuurlijk, bijna masochistisch plezier in dingen te doen die hij nooit van een ander zou vergen.

Op dagen dat de gewassen met bestrijdingsmiddelen werden besproeid, waren de felgroene tabaksvelden bezaaid met plantagearbeiders met helgele regenjassen en plastic hoeden, die eruitzagen als zonnebloemen. Mijn vader leunde nonchalant tegen zijn vrachtauto in zijn katoenen kakibroek. Hij rookte een Madison terwijl het vergif op zijn hoofd regende. Als er dodelijke vergiften moesten worden gemengd, roerde mijn vader met zijn blote handen en armen door de giftige oplossingen in ijzeren vaten. Op die vaten stond een ruitpatroon met doodshoofden en gekruiste beenderen en rode x'en. Hij wuifde de hulp weg van arbeiders die passend gekleed waren in veiligheidspakken, handschoenen en rubberlaarzen.

Het kon niet uitblijven: hij goot een keer methylbromide, een zeer giftig bestrijdingsmiddel, in zijn veldskoenen. Hij was bezig het gif op zijn zaaibedden met tabaksplanten te sproeien en merkte niet dat er een lek in de slang zat. Toen hij het in de gaten kreeg was hij zo druk bezig dat hij alleen even zijn sok en schoen onder de koude kraan hield. Tegen het middageten had de methylbromide een flink stuk huid weggebrand. 'Jezus Mina,' riep hij uit toen hij in de vroege uurtjes wakker werd en een monsterlijke grote gele blaar zag, die de hele bovenkant van zijn voet bedekte als een buitenaardse paddenstoel.

Toen barstte hij in lachen uit.

Alle artikelen die ooit zijn geschreven over methylbromide waarschuwen dat onverhoopte inademing of opneming door de huid desastreuze gevolgen kan hebben voor het centrale zenuwstelsel. Dat resulteert in longontsteking, ernstige schade aan de nieren, geestelijke verwardheid, dubbelzien, bevingen en de dood, maar mijn vader wuifde mijn moeders smeekbeden weg en ging niet naar een dokter. Ze oefende geen druk op hem uit; ze wist allang dat hij wat medische kwesties betreft een martelaar was. Mijn vader slikte handenvol aspirines en gooide ontsmettingsmiddelen voor dieren op zijn voet tot die eruitzag alsof hij gangreen had. Zelfs toen vertrok zijn gezicht alleen van pijn wanneer hij de sijpelende puinhoop in een slipper wrong en naar zijn vrachtauto hinkte om door te werken.

Op weg naar de Zuid-Afrikaanse kust werd de pijn zelfs voor hem te erg. In Louis Trichardt gingen we op zoek naar een dokter. De dokter wierp één blik op mijn vader, zag wat voor vlees hij in de kuip had, en zei dat zeewater het beste medicijn was. Mijn vader verliet de behandelkamer met een glimlach van oor tot oor en een zelfvoldaan air. Hij voelde zich volkomen in het gelijk gesteld. Voor hem was dit het definitieve bewijs dat hij al die tijd gelijk had gehad. Het was niet nodig een dokter te raadplegen, omdat er een natuurlijke remedie bestond.

Tussen haar reizen en ziekenhuisbezoeken door lanterfantte mijn moeder in de tuin als een Hollywoodster uit het gouden tijdperk. Ze lag in de zon bij het tuinhuis, een zomerhuisje met een rieten dak dat ze door de plantagebouwvakkers had laten bouwen op een mierenheuvel met uitzicht op de rivier. Ze droeg een zonnebril en een sarong en las *Fair Lady* of *A Passage to India*, terwijl Maud haar op een dienblad koppen Tanganda-thee en dikbeboterde sneden dadelbrood bracht. De tuinjongens wisten dat ze op die uren aan de andere kant van het erf moesten werken. 's Middags, wanneer de tuinjongens aten en een siësta hielden, trok mijn moeder haar bikini aan en ging zonnebaden.

Geparfumeerde plantersvrouwen als Anne Ford en Katherine Etheredge kwamen bij haar op de thee. Ik deed bijna nooit mee, maar ik vond het leuk even bij ze langs te gaan op de rug van Cassandra en ze beleefd goeiendag te zeggen, waarna ik, zonder zichtbare aansporing of veranderde gezichtsuitdrukking, het toneel in volle galop verliet, als een cowboy in een slechte western.

Jaren later gaven de Etheredges een samenvatting van hun herinneringen aan ons: ik was stil, verlegen en 'gek op paarden en Olivia Newton-John', mijn zusje 'huilde altijd', mijn moeder was 'beeldschoon en altijd op reis', en mijn vader 'werkte altijd als een maniak, had altijd haast. Hij was nooit thuis, altijd op het land.'

Wat klopt met mijn herinnering, voor iedereen behalve Lisa, die was uitgegroeid tot een relatief zonnig, hoewel overmatig beschermd kind.

'Jouw vader,' zei Katherine, 'roosterde altijd, áltijd het vlees bij de braais. Hij was altijd hulpvaardig. Als er een boot te water moest worden gelaten, was hij erbij.'

Zonder het te beseffen gingen we geleidelijk aan gescheiden levens leiden. Misschien hadden we dat altijd al gedaan. Wanneer mijn vriendinnen kwamen logeren, raakten ze nooit uitgepraat over het gebrek aan ouderlijk toezicht bij ons thuis. Op het hoogtepunt van de oorlog zwierf ik urenlang door de wildernis, te voet of te paard, zonder dat iemand ooit vroeg waar ik heen ging en wat ik deed. Wanneer ik vertrok naar het wildreservaat of de stuwdam zwaaide ik altijd naar mijn moeder. Hoewel ze opkeek uit haar tijdschrift en een afgezaagde vermaning riep – 'Zet een hoed op, anders krijg je een zonnesteek' of 'Niet te dicht bij het water, anders krijg je bilharzia' of 'Alsjeblieft, geen capriolen als je gaat rijden' of 'Trek schoenen aan, anders word je gebeten door een slang' – kon ik volstaan met een grijns en 'Oké, mam.' Zij was gerustgesteld en ik kon gewoon doorlopen.

Op Giant zat ik altijd te lezen in mijn boomhut of huiswerk te maken op de Hartley-kostschool, zodat mensen me vroegen of ik bloedarmoede had, maar nu was ik bruin, sterk en fit, een jongens-achtige meid in volle bloei. Toen de tweeling van de familie Crans-wick – bruinverbrande planterszoons met een behaard bloot bo-venlijf en een oogverblindende lach – bij ons op een braai kwamen, vroegen ze aan mijn vader: 'Zou jij een zoon willen hebben, Errol?'

Mijn vader lachte en zei: 'Nooit van mijn leven. Wat zou ik met een zoon moeten? Mijn oudste dochter is even zo goed als een jon-gen.'

Dat beviel mijn moeder helemaal niet. Ze zei dat ik liep als een bokser. Om dat te compenseren behandelde ze Lisa als een porselei-nen pop. Ze betuttelde haar, frunnikte aan haar haren en gaf haar op haar donder als ze modder knoeide op een van haar jurken met roesjes. Ze nam Lisa overal mee naartoe, pronkte met haar schoon-heid tegenover de andere plantersvrouwen of reed met haar naar Salisbury voor een bezoek aan mijn grootmoeder, haar vriendin-nen, de winkels in First Street en haar eeuwige huisarts, dokter Kan-tor. Hij stak houten spatels in Lisa's keel en koude ijzeren spiegeltjes in haar oren.

Zelfs op vakantie hield die scheiding stand. Vorig jaar, toen we in Spanje waren op een 'familievakantie', kondigde mijn moeder aan dat mijn vader en ik alleen naar Zwitserland zouden gaan, terwijl zij en Lisa naar Engeland gingen. Dat niet alleen; Lisa en zij zouden in Engeland blijven, lang nadat wij weer waren teruggekeerd naar de plantage. Daar zat iets achter. Door de sancties tegen Rhodesië kon ik Engeland niet binnenkomen met mijn Rhodesische paspoort. Ze zag niet in waarom zij en mijn vier jaar oude zusje, met een Engels en een Zuid-Afrikaans paspoort, een uitje naar Londen moesten missen. Mijn vader sprong uit zijn vel maar mijn moeder hield voet bij stuk. Reizen was haar verdovende middel. Het kon haar niet schelen hoe, áls het maar gebeurde.

'Wat maakt het in godsnaam uit of wij in Engeland zijn of op de plantage?' argumenteerde ze, toen mijn vader was uitgeraasd. 'Jij bent bezig op de plantage of in het leger, en Kari-bai' – ze noemde me tegenwoordig Kari-bai, een Indiaas koosnaampje – 'zit op school. Bovendien dacht ik dat jullie het leuk zouden vinden om sa-men iets te doen.'

Dus ik en een woedende vader gingen alleen naar de Alpen. We beklommen een berg in katoenen kleren, veldskoenen en takkies, en kwamen op de terugweg in een ijzige hagelbui terecht. Onze schoenen boden geen houvast en we vreesden – waren ervan overtuigd – dat we te pletter zouden vallen in de ijzige rivier die enkele honderden meters onder ons stroomde. Dit alles duurde langer dan ik me wil herinneren.

Mijn moeder ging altijd een maand of langer op reis, en ze keerde terug met bloedstollende verhalen. Ze was verdoofd met chloroform in een Oostenrijks hotel, had dysenterie opgelopen in Delhi, had haar hele leven voorbij zien flitsen in een nachtmerrieachtige taxirit met een gestoorde chauffeur in Bangkok, en had per ongeluk marihuanakoekjes gegeten in Kathmandu.

Roddeltantes uit de buurt dreven me in een hoek met de vraag: 'Vind je het niet verschríkkelijk dat je moeder jou, je zusje en je vader helemaal alleen achterlaat?'

Maar ik vond het prima. Mijn moeder ging op reis, mijn vader ging naar de oorlog en ik ging naar kostschool. Het was de natuurlijke gang van zaken.

Alleen de dieren bonden ons nog, wanneer we bij elkaar waren. De vrouw van de plaatselijke dierenbescherming was altijd blij als we het bijbehorende dierenziekenhuis bezochten. Ze wist heel goed dat ze ons zou kunnen overhalen een zielige ongewenste Rhodesische draadhaar of een paar parkieten mee te nemen. Op die manier kwamen we ook aan Geit, een volwassen witte geit met een halsband en een lijn, die dacht dat hij een hond was. Hij was aaibaar, slim en hield van wandelen. Hij woonde in de tuin, tot hij aan het wasgoed begon te knabbelen. Toen werd hij verbannen naar het wildreservaat, of naar de schapen. Hij benoemde zichzelf tot leider van de kudde en loodste zijn gewillige metgezellen op regenachtige dagen naar de schuur.

We gingen soms op bezoek bij Chris van Rooyen, een vriend van mijn vader die vijftig babyolifantjes had, die hij tijdens de jacht had gered. Hij was van plan ze over de hele wereld te verschepen naar dierentuinen. Ik was tegen de jacht en tegen dierentuinen, maar de olifantjes waren betoverend. Ik zat op het hek van de kraal en probeerde hun ruwe, prikkende grijze huid te aaien. Ik lachte om hun pogingen controle te krijgen over hun zwiepende slurven en karikaturale poten, die op de meest onverwachte momenten dubbel klapten en onderuit gleden, als ondeugdelijke schragentafels. Ze hadden beeldschone lange filmsterrenwimpers maar hun ogen stonden bedroefd, alsof ze veel te jong te veel verdriet hadden gekend.

Een jaar nadat we op Rainbow's End waren komen wonen, kreeg Chris een zwoele vriendin met een schorre stem, rode zoenlippen en twee leeuwenwelpjes die nog liever waren dan de olifantjes. Ze waren nauwelijks twee maanden oud. Hun topaaskleurige ogen stonden waakzaam en hongerig en hun lichaamstaal was enigszins ingehouden, zelfs tijdens het spel, alsof ze het moment afwachtten waarop ze je konden verscheuren. Als leeuwen niet onverenigbaar waren geweest met paarden, had ik er zielsgraag een gewild. Ze hadden een ruwe gevlekte vacht, hun dikke klauwen hadden roze kussentjes en waren buitenproportioneel groot.

Het wildreservaat was erg aantrekkelijk voor bezoekers. De giraffe, de speelse impala's en de humeurige struisvogels voegden een schilderachtig element toe aan onze braais. Ik hielp mijn vader in de schaduw van de msasas en de *acrikapas*, met ogen die pijn deden van de rook, terwijl het water in mijn mond liep van de vleesgeur. We draaiden het vlees op de ploegschijven, die aan een ijzeren staaf boven het vuur hingen. De boerenworst, biefstuk, kip of vis werd op de bovenste twee schijven gelegd, die allebei een gat hadden zodat de sappen omlaagsijpelden in de dichte onderste schijf en smaak gaven aan de saus van uien, vleestomaten en bier.

Feestjes in Rhodesië werden gekenmerkt door een ontspannen, losse genereuze sfeer: iedereen arriveerde glimlachend met armenvol verse groenten of ingemaakte vruchten of verse vis die ze in het Kariba-meer hadden gevangen. De mensen waren buitengewoon vriendelijk. Wij brachten altijd cactusvijgen of eieren of enorme zware grijze 'worsten' van de worstenbomen in het wildreservaat mee. De planters met rode korsten van de huidkanker zwoeren bij die worsten. Ze pureerden het draderige, meloenachtige vruchtvlees en smeerden dat elke ochtend op hun armen. Een negatief aspect van deze bijeenkomsten was de tweedeling tussen de seksen. De vrouwen – keurig gestreken, geparfumeerd en tot in de puntjes opgemaakt – liepen te redderen om de puddingen en slaatjes of zaten rond de tuintafel te praten over mannen, winkels in Salisbury en wie het met wie hield. De mannen stonden in een cowboyhouding bij het vuur te praten over de oorlog, het weer, de oogst en het vee, terwijl de bruine bierflesjes zich opstapelden aan hun voeten.

De kinderen bleven buiten het zicht, waren beleefd en vermaakten zichzelf.

De bedienden, die niets te doen hadden, stonden geïrriteerd aan de kant.

Soms voeren we in het weekend stroomopwaarts op de olijfkleurige rivier om brasem te vangen, of we dreven stroomafwaarts langs het mysterieuze eiland, terwijl de ijsvogels duikvluchten maakten en de slangen in s-vormige rimpelingen tussen de biezen door schoten. Meestal namen we Geit mee. Hij was een geboren zeiler, die zich op het water veel beter gedroeg dan de honden, en geen modder vol steentjes over ons uitschudde. Geit was dol op de boot. Hij plantte zijn hoeven op de voorsteven als een figuur uit de 'Owl and the Pussycat', en zijn witte gevorkte baard wapperde in de wind, terwijl we door het water kliefden en een schuimend spoor achterlieten. Als we lazen of uitrustten staarde hij onafgebroken naar de blauwe hemel boven ons hoofd, terwijl we gewiegd werden door het water dat ritmisch tegen de zijden van het bootje aanklotste.

Oom James uit Fort Victoria logeerde een keer bij ons. Lisa en ik boden aan hem mee te nemen op een boottocht, op zoek naar kunstzinnige stukken drijfhout en brandstof voor een nieuwe braai. Deze missie had weinig praktisch nut. Hij was eerder ingegeven door de behoefte indruk te maken. James was jong en vaag; het was gemakkelijk hem te overreden om mee te doen met onze idiote plannen. Op het water vermaakten we hem door Geit sigaretten te voeren. Geit at ze met smaak op, de tabakssliertjes vielen uit zijn bek en bleven als bladgoud in zijn baard hangen. We zagen weinig stukken drijfhout of sprokkelhout op het groene wateroppervlak, maar ten slotte ontdekten we een volmaakte boom: een zilver geraamte, slechts een paar meter van de voortuin van de Etheredges (midden in de rivier, op neutraal terrein). James stond wijdbeens om zijn evenwicht te bewaren in de schommelende boot en hakte erop los, toen Richard naar buiten kwam stormen.

Hij verstijfde bij de aanblik van dit excentrieke gezelschap – een gezellige oom met een bijl, twee slordige kinderen en een witte geit met een sigaret in zijn bek, in een boot. 'Waar zijn jullie godverdomme mee bezig?' bulderde hij. Hij kookte van verontwaardiging.

'Ik, wij...' Plotseling had ik geen idee waar ik godverdomme mee bezig was. 'We houden een braai,' zei ik schaapachtig.

'Nou, waarom hakken jullie dan geen boom om in jullie eigen verduivelde tuin?'

7

Wanneer mijn ouders weg waren, zwoer ik samen met Maud en de tuinjongens om uit de voorraadkast ingrediënten te stelen voor *muputahahi*, een ongedesemd Afrikaans brood van maïsmeel, bloem, suiker en zout. Gatsi mengde de ingrediënten in een emmer en maakte er een platte rechthoek van, die hij in bananenbladeren wikkelde, tussen twee ijzeren platen legde en in de kolen van de boiler begroef. Later kwam hij me het brood brengen, loeiheet en zwart aan de randen. Het smaakte naar aangebrande, bitterzoete sadza. Lisa en ik braken knapperige brokken af en zaten met Maud, Madala en de tuinjongens op het hek van de paddock of op de door de oven verhitte trap voor de boiler en bereikten iets wat we op een andere manier niet konden bereiken: kameraadschap.

Om redenen die ik niet echt analyseerde, deed ik erg mijn best om aardig gevonden te worden. Ik gaf Maud cadeautjes en draaide onze Chilapalapa-plaatjes van Wrex Tarr voor haar als een uiting van solidariteit (ik wist niet precies waarmee). Ik leunde tegen de witgekalkte muur van het washuis wanneer ze 's middags stond te strijken en vertelde haar verhalen over school of dingen die ik op tv had gezien, terwijl haar ruwe puurchocolade handen water over het strijkgoed sprenkelden, om de kreukels weg te strijken. De geur van heet katoen vulde de lucht.

Ik hing rond in de tuin en praatte met Gatsi, die ik aardig vond. Hij was warm, hij lachte altijd en was vol onverwachte vriendelijkheid. Hij maakte een keer een piepklein houten gitaartje voor me met snaren van visdraad, of hij bracht me een nest babymuisjes. Hij sloeg de harde buitenkant van stukken suikerriet met een bemba kapot en gaf me de sappige, zoete kern. Ik mocht hem ook graag omdat hij echt van dieren hield en oog had voor hun individuele eigenschappen, wat ongewoon was in de Afrikaanse cultuur. Luka keek naar ons en zei niet veel; het was onmogelijk te zeggen wat hij dacht.

Wanneer ik op mijn paard langs de kraal reed, renden de piccanins altijd naar buiten van achter de keurige rijen leemhutten, kippenhokken en netjes aangeveegde paden – een aquarel in donkergrijs en bruin. Ze wuifden, maakten koprollen of riepen een muzikale benadering van mijn naam, zodat ik me goedgunstig, populair en enigszins koninklijk voelde. Toch was het ook verwarrend; zodra ik terugwuifde renden ze giechelend weg; ze lachten om een binnenpretje.

Ik verbeeldde me dat we vooruitstrevend waren, want mijn moeder zei altijd dat we dat waren. Ik had *Roots* gelezen en erom gehuild. We beschouwden Maud als een familielid en vonden de negers over het algemeen aardig. Mijn vader dacht daar anders over, maar hij was een soldaat die tegen zwarte terroristen vocht, en een planter die tegen luiheid en de elementen vocht, en wij stonden niet in zijn soldaten- of plantersschoenen. Afgezien daarvan stonden er zoveel Afrikanen aan onze kant. Dat was duidelijk, zei mijn moeder, want alleen de blanken, kleurlingen en Aziaten zaten in dienst, en toch was tweederde van het leger zwart.

Bovendien waren er de afgelopen jaren bijna 3500 zwarte burgers gedood in de oorlog. Waarom zouden de terroristen hun eigen mensen doden als de oorlog over zwart versus blank ging?

'Zwart en blank vechten zij aan zij tegen het communisme,' legde ik uit aan mijn Zuid-Afrikaanse neven en nichten, en anderen die niet begrepen waarom de oorlog voortduurde, zeker nu we een blanke en zwarte regering hadden. De echte slechteriken, zei ik tegen hen, waren de Russen, Chinezen en Cubanen die in naam van het marxisme terroristen trainden, bewapenden en sponsorden. Diezelfde terroristen hadden drieëntwintig Afrikaanse dorpelingen levend verbrand, de lippen van tientallen verklikkers afgesneden en baby's, zwangere vrouwen, nonnen, dokters, missionarissen en priesters gemarteld, doodgeschoten en met bajonetten doodgestoken.

Dit standpunt werd dagelijks verdedigd op het nieuws en in de *Herald*. In *Contact*, een boek uit 1973 met gedetailleerde beschrijvingen van militaire documenten en veldslagen, schreef onze toenmalige president J.J. Wrathall: 'De buitenlanders begrijpen niet dat onze oorlog niet gaat over blank tegen zwart – Afrikanen en Europeanen vechten zij aan zij tegen een gemeenschappelijke vijand – maar oost tegen west.'

De onuitgesproken barrière tussen mij en de Afrikanen werd alleen zichtbaar als ik ze stoorde tijdens hun pauze. Ze dronken thee en aten grote hompen Lobels brood met jam uit de plantagewinkel en praatten zacht. Als ik langsliep of stilstond om ze een vraag te stellen, veranderden ze haastig hun gezichtsuitdrukking, die peinzend en ernstig of ontspannen en lachend was. Hoewel ze vriendelijk genoeg opkeken en antwoord gaven, bespeurde ik een onderhuidse wrevel of iets uitdagends in hun toon – zeker bij Maud –, maar ik beschouwde dat als een soort opschepperij. Ze wilden niet kruiperig lijken tegenover hun gelijken, dacht ik. Toch maakten zulke momenten duidelijk dat er een nauwelijks merkbare kloof tussen ons bestond. Hoewel niet alle zwarte mensen terroristen waren, waren alle terroristen wel zwart, besefte ik.

Op een ochtend, toen mijn vader met grote slokken zijn zwarte koffie opdronk, hoorden we een kreet: '*Nyoka! Nyoka!*' en de honden blaften hun slangenblaf. We renden door de keuken naar buiten. Twee plantagearbeiders waren aan het graven in de goot naast de boiler en Eutom, een grote Mashona, had een nest babyadders blootgelegd. Hij en zijn maat verbrijzelden de slangenkoppen met hun schop en gooiden ze, nog kronkelend, in de verwarmingsketel. Ik kreeg de rillingen van het geluid van hun natte lichamen op de kolen – een soort *tsss*.

Mijn vader die niet kon uitstaan dat slangen werden gedood, behalve wanneer ze een duidelijk, direct gevaar opleverden – wat ze, moest hij met tegenzin toegeven, in dit geval deden – werd elke seconde kwader. Door zijn unieke behandeling van slangen koesterde hij onrealistische verwachtingen over andere mensen in dezelfde situatie. Ten slotte beval hij Eutom terug te stappen in de sijpelende goot. Eutom gehoorzaamde zwijgend, en onderbrak zijn beweging alleen om de overgebleven nachtadder onder een platte steen uit te scheppen. Zijn gezicht was uitdrukkingsloos.

Op dat moment besefte ik eens en voor altijd dat ze sterker waren dan wij. Veerkrachtiger, moediger, beter bestand tegen pijn. Madala tilde regelmatig braadpannen of sissende schalen 'bloemkool met kaasie' zonder handschoenen in en uit de oven (ik plaagde hem altijd dat hij asbest handen had) maar als ik het waagde zonder servet een verwarmd bord aan te raken gilde hij: '*Basopa, piccanin missis, yena tshisa stelek!*' Hij wilde me beschermen, maar verried dat hij me als een zwakkeling beschouwde. Op het land en in de kraal werden de mensen vaak door adders gebeten. Ze ondervonden dikwijls complicaties bij de bevalling. Hoewel ze vliegensvlug naar het ziekenhuis werden gebracht (meestal door mijn vader, die de hele weg met zijn ogen rolde) waren ze een paar dagen later weer aan het werk.

Maar in emotioneel opzicht waren ze echt sterker dan wij. Het kwam regelmatig voor dat ouders maandenlang van hun kinderen werden gescheiden, en mannen van hun vrouw. Dat had allerlei redenen: gebrek aan woonruimte of geld, problemen binnen het huwelijk of instructies van een medicijnman. Kinderen of echtgenoten werden weggestuurd om maandenlang in één leemhut te wonen met hun grootouders of andere familieleden in de Tribal Trust Lands, honderden kilometers verwijderd van hun dierbaren. Toch bleven de Afrikanen hier stoïcijns onder. Als ik probeerde Madala mijn medeleven te betuigen over zijn vrouw die ver weg woonde, wuifde hij dat met een lachje weg, en zei: 'Ik ben eraan gewend. Ik ben eraan gewend. Maak je geen zorgen.'

Minder stoïcijnse zwarten werden door de planters meestal gebrandmerkt als lijntrekkers. Ze werden ervan beschuldigd redenen te verzinnen om familieleden te bezoeken die dagenlange busritten ver in de Tribal Trust Lands woonden, of familieleden te verzinnen.

Dat gebeurde ook, zoals bij alle werknemers.

Maud uitte haar gevoelens vaker dan de anderen. Op Giant, toen ik nog te jong was om te beseffen hoe ernstig grote mensen elkaar pijn kunnen doen, trof ik haar een keer alleen aan in de tuin. Ze zag er zo grauw en bedroefd uit, dat ik eerst dacht dat ze malaria had. Met een openheid die geen enkele blanke die ik kende kon opbrengen, vertelde ze wat er was. Een vriendin van Maud was door haar man betrapt op overspel. Hij had benzine over een plastic zak gegoten, de zak in haar vagina geschoven en in brand gestoken.

Ik huilde van afschuw, Maud niet. Pas nu, terugdenkend aan haar reactie, realiseerde ik me dat ze niet hetzelfde voelde als ik; ze voelde veel meer. Zij, Eutom en Madala konden hun gevoelens beter beheersen.

Ze begroeven hun verdriet, zoals mijn moeder haar verdriet had begraven over de gestorven baby's.

De oorlog wervelde om ons heen en het land wankelde omdat er in februari een tweede Air Rhodesia Viscount passagiersvliegtuig was neergeschoten, waarbij alle negenenvijftig passagiers waren omgekomen. Als gevolg hiervan werd de Rhodesische regering ontbonden, zodat er officieel een eind kwam aan achtentachtig jaar blanke heerschappij. In die periode verzocht Maud mijn moeder om een lang verlof. Haar ex-man, die ze aanduidde als een *skelem*, een schoft, woonde in de Tribal Trust Lands. Het opperhoofd van haar dorp had haar opgedragen een halfjaar met hem samen te leven, voordat hij haar verzoek om een scheiding in overweging wilde nemen.

Om haar te vervangen, beval ze Agnes aan. Agnes was een lange Ndebelevrouw van begin twintig. Ze had een mooi, open gezicht, waarop de zon doorbrak met verlegen glimlachjes en gegiechel. Ze was enthousiast, werkte hard en was prettig gezelschap. Maud had een droge humor en lachte veel, maar ze had een cynisch trekje en neigde tot somberheid. Agnes was gemakkelijk in de omgang, warm en moederlijk. Je wilde wegkruipen in de plooien van haar schort. Binnen een paar dagen was mijn moeder zo verliefd op Agnes, dat ze vurig hoopte dat Maud zich weer zou verzoenen met haar man. Na een maand was ze de hele Maud vergeten.

Op een dag kwam de politie ons melden dat Agnes dood was, vermoord door terroristen in een aanslag op de tweede kraal op Rainbow's End, aan de overkant van de stripweg bij de Blue Rock-mijn. Mijn moeder was er kapot van. De moord op Agnes was en bleef uiteindelijk voor haar de afschuwelijkste van alle zinloze gruwelen in de oorlog.

'Dat mooie, glimlachende meisje,' zei ze steeds. 'Ze was een engel. Hoe kon iemand haar kwaad doen?'

Maar ze hadden haar kwaad gedaan. Andere bewoners waren in elkaar geslagen, maar Agnes was eruit gepikt en vermoord als een waarschuwing. Ze hadden haar gemarteld en doodgeschoten in een kraal, een paar honderd meter van het hek naar Rainbow's End. Ze hadden net zo goed onze oprijlaan kunnen aflopen en ons kunnen vermoorden. Opnieuw bleven we gespaard.

'Ik weet niet wat jij denkt,' zei mijn moeder dreigend, 'maar ik zie het als een waarschuwing.'

8

Wanneer je opgroeit in een oorlog, word je door die oorlog gedefinieerd. Wanneer je elk moment een granaataanval verwacht, wanneer elk afscheid het laatste zou kunnen zijn, wanneer je de stad inrijdt achter het pantservoertuig dat je dienstmeisje, dat zojuist is vermoord, naar het lijkenhuis brengt, en haar voeten met witte takkies ziet hobbelen in de achterbak, wordt elke gedachte, elk besluit en elke emotie door die dingen gekleurd. Dood, angst, heldenmoed en verlies beheersen je leven en je reacties.

Op een avond nam mijn moeder de telefoon op en hoorde iemand vragen: '*Weet je wat er is gebeurd met de mensen die vroeger in jullie huis woonden?*'

'Wie is daar?' vroeg ze met geveinsde dapperheid. Terwijl het bloed in haar aderen stolde en haar handen zo hevig trilden dat ze bijna de hoorn liet vallen, hoopte ze dat iemand het verkeerde nummer had gedraaid. Ze had de telefoon opgenomen in de veronderstelling dat een vriendin haar zou uitnodigen voor een dineetje, maar ze had een van de mannen aan de lijn die verantwoordelijk waren voor de moord op vier mensen.

'*Weet je wat er is gebeurd met de mensen die vroeger in jullie huis woonden?*'

'Ja,' fluisterde ze.

'Dit is een waarschuwing. Jullie moeten vertrekken van de plantage, of het gebeurt ook met jullie. We geven jullie alleen een waarschuwing omdat je man goed is voor zijn arbeiders, maar we zeggen het niet nog eens. Ga nu weg, anders worden jullie allemaal vermoord.'

Maar we bleven. We bleven, wetend dat er maar vier dingen waren tussen ons en de mannen die in één hartenklop hetzelfde konden doen als bij de vorige familie: de honden, de geweren, het veiligheidshek en de Agricalert.

De Forresters hadden er drie.

Ik zat altijd meteen rechtop in mijn bed als de honden 's nachts tekeer gingen: het-is-zover-nu-gaan-we-eraan wakker. Ik legde me erop toe binnen een paar seconden wakker te zijn. Soms was ik zo doodsbang als ik één keer dreigend hoorde grommen, dat ik een fysieke klap in mijn solar plexus kreeg, zodat ik hijgde en misselijk werd.

Ik werd geobsedeerd door rampenplannen. Als er een aanslag werd gepleegd en ons hele gezin werd vermoord, kon ik dan ontsnappen door mezelf op te trekken door het valluik in het plafond van de gang? Waar moest ik de stoel verstoppen die ik nodig had om daarbij te kunnen? Hoelang kon ik onopgemerkt onder het dak blijven zitten, en wat moest ik doen als ze het huis in brand staken om me uit te roken? Wat moest ik doen wanneer ze op me schoten, als ik niet dood was maar deed alsof: hoelang kon ik mijn adem inhouden terwijl iemand zich over me heen boog? Wat moest ik doen als mijn familie dodelijk gewond was en de telefoonlijnen waren doorgesneden? Als ik hulp moest halen – zou ik door de wildernis naar Hartley of Salisbury kunnen lopen zonder dat de terroristen me zagen?

Ik verzamelde overlevingstips, zoals andere kinderen postzegels verzamelen. Het eerste hoofdstuk van *Don't Die in the Bundu* was een fictief verslag van een vliegtuigramp, gevolgd door gedetailleerde informatie over eetbare planten, het bouwen van een afdak, het vinden van de juiste richting met behulp van de sterren of de zon, en het verzamelen van regenwater. Omdat ik in een Viscount neergeschoten zou kunnen worden, leerde ik zoveel mogelijk instructies uit mijn hoofd.

Ik was het bangst op de nachten dat we moesten verduisteren, of wanneer mijn vader weg was in de oorlog, of tijdens de oogst wanneer mijn vader de tabaksschuren om de paar uur moest controleren, en ons onbeschermd achterliet. Soms ging ik met hem mee; alleen bij hem voelde ik me veilig. Ik hield me vast aan de slippen van zijn kaki overhemd terwijl we op zijn motorfiets door het donker knetterden. De jongens in de schuur, rokerig van de vuren, liepen naar voren met een avondgroet en duwden de rammelende ijzeren deuren open, zodat we werden overweldigd door de slechte adem van de schuren. Ik liep naar binnen en zoog mijn longen vol met dampende lucht. Er was iets oneindig troostrijks aan de geur van gedroogde tabaksbladeren, de deinende hitte boven de gloeiende vlampijpen en het kalmerende, geruststellende gemompel van de Afrikanen, die met mijn vader praatten over de temperatuur in de schuur.

Soms hoorde ik het zachte gepiep van het hek. Ik wist dat mijn vader naar de kraal liep met zijn FN-geweer. Hij sloop zo dicht mogelijk naar de puntige silhouetten van de leemhutten en de uitdovende vuurtjes op zoek naar tekenen dat de terroristen daar onderdak kregen.

Ik lag in het donker, niet-wetend wat ik daarna zou horen, de voetstappen van mijn vader of het vuur uit een AK-47. Ik troostte mezelf met verhalen van engelen die over Rhodesië waakten. Sommige krijgsgevangen terroristen vertelden dat ze bepaalde plantages niet konden aanvallen omdat ze waren omringd door in het wit geklede reuzensoldaten; er waren missionarissen die de bijbel voorlazen aan mannen die waren gekomen om hen te vermoorden; er waren bijenzwermen die uit het niets neerstreken om de aanvallers weg te jagen. Maar als ik zelf met God praatte, was het een gesprek op lange afstand met een slechte verbinding. Ik luisterde maar kreeg geen antwoord. Ik geloofde dat God er was en rekende op hem; ik zag alleen niet waarom ik gespaard zou blijven. Agnes was niet gespaard.

Een keer, laat in de middag, bracht mijn vader me een kalfje zonder moeder, een kruising tussen Mashona en Sussex. Ik noemde haar Mindy. Ze was twee dagen oud, zwak en koortsig; ze was stervende aan een gebroken hart. Haar wimpers plakten nat tegen haar kastanjekleurige wangen en er parelde vocht op haar Milo-kleurige neus. Ze huilde op de kalfjesmanier, en ik huilde met haar mee. Ik maakte een bedje van jutezakken op de gang bij Lisa's slaapkamer en gaf haar de hele avond melk. Ver na middernacht lag ik daar nog steeds met mijn armen om haar katoenzachte huidplooien. Ik probeerde haar door wilskracht in leven te houden met mijn eigen lichaamswarmte. Toen ze ophield met bibberen ging ik naar bed.

Ik was in mijn eerste droomslaap toen de honden hysterisch jankend begonnen te blaffen. Ik schoot rechtop in bed, klaar om weg te rennen, me te verstoppen, te bidden – of alle drie. Het duister was als een kap, blindmakend en claustrofobisch. Mijn vader, een springende schaduw, vloog mijn kamer binnen.

'Kom kinderen, pak je matras en ga in de gang liggen. Geen lichten aan. Niet bewegen tot we het zeggen.'

Ik greep mijn dekens, kussens en matras en sjouwde ze naar de gang bij het klaarwakkere kalfje, ging toen naar mijn zusje en tilde haar uit bed.

'Ik slááp,' siste ze humeurig. Ik negeerde haar en bouwde een cocon om ons heen van dekens en kussens. Als er een aanslag was met granaat- of mortiervuur zou dit ons redden. Stenen, veren en eigen initiatief. Als de terroristen het huis bereikten, waren we reddeloos. We zouden worden afgeslacht in een bloedbad, net als de Forresters.

'Lisa?'

Haar ogen gingen half open en ze keek me woedend aan. 'Wát?'

'Dit is een aanslag. Er zijn terroristen buiten. We worden misschien allemaal vermoord.'

Ze keek me niet-begrijpend aan. Haar oogleden zakten omlaag en haar ademhaling werd langzamer. Het kalf was weer in slaap gevallen. Zijn melkachtige babydierengeur vulde de gang. Buiten in de tuin gromden en vochten de honden alsof ze helhonden verscheurden, maar in huis was het stil. Ik was alleen met mijn angst.

Ik besefte dat we ons in een immens kwetsbare positie bevonden in deze maanloze nacht – een afgelegen plantagehuis aan de oever van een inktzwarte rivier; het enige obstakel tussen de terroristen en hun oversteekplaats, de stuwdam. Het was niet de vraag óf we werden gedood, maar wanneer. Ik dacht na over de dood. Zag je het aankomen? Zou God je de laatste, onverdraaglijke seconden besparen? Zou hij de pijn wegnemen als die te erg werd? Gleed je zonder te lijden naar het witte licht, getroost door engelen, of leefde je elke minuut in een paroxie van kwelling tot de eenzame duisternis neerstortte en de maden op je af kwamen kruipen?

'Lisa?'

'Mm-mm.'

'Ben jij niet bang om dood te gaan?'

'Tss! Hou je mond en ga slapen.'

Het licht in de zitkamer ging aan en mijn vader verscheen aan het andere eind van de gang. Hij lachte, zoals hij altijd deed wanneer de adrenaline door zijn lijf gierde. Hij was kalm en opgewekt, zoals altijd in een crisis.

'Sorry jongens, loos alarm.'

'Maar de honden?'

'Vriendin, als er buiten iemand was, is hij nu weg. Kom kinderen, we gaan slapen.'

Maar ik wist en hij wist dat er daar buiten iemand was geweest. We wisten dat ze het goede moment afwachtten.

De dood was het enige nadeel van de oorlog. De oorlog bracht ook hevig geluk, dagelijkse opwinding en onverwachte helden met zich mee. Er waren soldatenkantines, vol gelach en kameraadschap, en er zaten rotten soldaten in onze zitkamer Lion-biertjes te drinken, glanzend van zweet, wildernis en avontuur. Ons hart werd op de proef gesteld, onze moed en loyaliteit. We hadden onze trots, vaderlandslievende liederen, onbreekbare banden en een warme, omhullende gemeenschapsgeest. We hadden een identiteit en het gevoel dat we erbij hoorden.

Natuurlijk kon je geen van die dingen uitleggen aan de reporters van de BBC die mijn moeder en mij in een hinderlaag lokten op de terugweg naar Rainbow's End. Ze stonden in de kantachtige schaduwrand van de acaciabomen. Ze wuifden om ons te laten stoppen.

Nadat we tot stilstand waren gekomen stapten ze met tegenzin de felle zon in. Ze waren met z'n tweeën – een cameraman en een verslaggever. De verslaggever stelde zich voor als Ian Smith, 'zoals uw premier.'

'O,' zei mijn moeder. 'Dat is leuk!' Ze schonk hem haar mooiste glimlach.

Hij wilde weten of ze een plantersvrouw was. Zo ja, wat vond ze van de mensen die aanslagen pleegden op de plantages. Had ze enige sympathie voor hun zaak?

Een beeld van Agnes, het kleverige zwarte bloed dat in krasserige patronen over de achterkant van het politievoertuig liep, flitste als een film door mijn moeders hoofd, en ze zei ruw: 'Ik geloof dat ze geen grammetje idealisme bezitten. Het zijn gewoon een stel moordende schoften.'

De BBC-man knikte alsof hij het volkomen met haar eens was, maar ik wist, omdat mijn moeder dat altijd zei, dat de Britten 'verraderlijk' waren qua politiek. Iets zei me dat hij niet noodzakelijkerwijs een vriend was. Ik repeteerde vast wat ik zou zeggen als hij het woord tot mij richtte. Ik wilde zeggen hoeveel ik van de oorlog hield, van die voortdurende, hartverlammende adrenaline. Dat ik bereid was voor mijn land te sterven, ook al zou ik misschien sterven van angst.

De pluizige microfoon werd door mijn raampje gestoken. 'En wat vind jij van de oorlog?' vroeg Ian Smith ernstig.

Ik wriemelde op mijn stoel, warm van verlegenheid. 'Het is prima,' zei ik. 'Ik vind het niet zo erg.'

Zijn gezicht betrok. 'Maar...'

Mijn moeder interrumpeerde: 'Willen jullie bij ons op de plantage komen om thee of een koud biertje te drinken, of iets te eten? We wonen maar een paar kilometer verderop.' Ik zag aan haar gezicht dat ze op de zaken vooruitliep – het avondnieuws op de BBC. Ze zag ons als de sterren van een tragische documentaire, dapper glimlachend door onze tranen heen, terwijl Maud Tanganda-thee en Highlanders shortbread serveerde op het grasveld in de voortuin.

'Ik hoopte dat ze met ons mee naar huis zouden komen,' zuchtte ze teleurgesteld toen we wegreden, zonder filmploeg. 'Ik hoopte dat ze jou zouden filmen terwijl je paard reed.'

Ik vond het ook jammer dat ik uiteindelijk niet beroemd zou worden op het Engelse nieuws, en ik zei gefrustreerd: 'Ik wou zeggen dat ik van de oorlog hield.'

Mijn moeder trok een gezicht. 'Nou, ik weet niet of ik ervan houd, maar ik zeg altijd: "We zullen de oorlog missen wanneer hij voorbij is." Het is verslavend om in spanning te leven.'

9

In sommige opzichten leefde ik in twee verschillende werelden. Als mijn vader dienst had waakte ik in het weekend en in de schoolvakanties in gedachten over mijn moeder en zusje. Ik was ervan overtuigd dat ik ze zou redden met een rampenplan, wanneer er een aanslag op het huis werd gepleegd. Ik betrad de tweede wereld tijdens het schooljaar. Mijn ouders stuurden me naar een kostschool in Salisbury, honderdtwintig kilometer van huis. Elke vrijdag om één uur haalde mijn moeder of een van de andere ouders me van school en bracht me naar Rainbow's End. Maandag voor dag en dauw of zondag in de namiddag brachten ze me weer naar kostschool. Ze vlogen over de Bulawayo Road, waar roze en witte cosmeabloesems langs de weg stonden te knikken tegen de blauwe zomerhemel. Die rit van een uur duurde eindeloos, dus ik doezelde op de achterbank en telde de mijlpalen.

Na Hartley kwam Selous, een lappendeken van plantages met één winkel, een postkantoortje zo groot als een wc en een smerig hotel waar je een kamer kon krijgen, waar je waarschijnlijk nooit meer uitkwam. Dienstdoende lange-afstandsbussen die uitlaatgassen uitbraakten kwamen sissend tot stilstand aan de overkant. Op het dak lagen hoge stapels met grijs stof bedekte *kutundu* – kartonnen koffers, zakken maïsmeel, protesterende kippen en goedkope meubels. Hordes Afrikanen stroomden naar buiten, stijf van hun opgepropte, stinkende busreis. Ze speelden handjeklap aan de kant van de weg voor rode piramides van tomaten en geelzwarte kammen bananen en groene bergen raapzaad dat ze aten met sneeuwwitte sadza-ballen. De nootachtige geur van zwartgeblakerde maïskoeken zweefde achter ons aan.

Vervolgens reden we door de kilometerslange wildernis, bezaaid met mopani-bomen, onderbroken door weilanden met vee. Op de telefoondraden zaten fluweeldrongo's met gevorkte staarten; we reden langs felgekleurde velden tabak, katoen en geïrrigeerd koren; dan Norton, nog een vlek op de kaart met een garage en een theehuis met milkshakes, dan het Lion & Cheetah Park, waar je leeuwenwelpjes kon aaien, het Snake Park, de heuvels rond Lake McIllwaine en een modelboerderij met zwart-witte Friese koeien in grazige smaragdgroene weilanden.

Wanneer je de ontboste vleis aan de rand van Salisbury naderde zag je een glimp van de overbevolkte buitenwijken met haastig opgetrokken leemhutten en afdakjes. Ze waren niet mooi zoals de leemhutten op het platteland. Die buurten werden gevolgd door buitenwijken met kleine, beige huizen waar de kleurlingen en Indiërs woonden, en voorname huizen in de grotendeels blanke wijken, waar tuinjongens de laatste hand legden aan bloembedden en kinderen rondspetterden in glinsterende aquamarijnkleurige zwembaden.

De straten in het stadscentrum waren breed en schoon. Er hing een ouderwetse sfeer. Er waren parken met fonteinen vol glinsterende koperen muntjes en bloemenstalletjes met rode vuurpijlen, rozen en lathyrussen in schitterende kleuren, die heerlijk roken. In de lente hulden de palissanderbomen de lanen in lila bloesems. First Street, de belangrijkste winkelstraat, was gedeeltelijk alleen toegankelijk voor voetgangers. Als je bij Jameson Avenue begon, liep je langs Truworth's en Edgar's, winkels met de laatste mode, het imperium van de OK-bazaar (hoge stapels, spotgoedkoop), een Wimpy, verscheidene banken, grillrestaurants, klerenwinkels voor mannen, en het luxe warenhuis Sanders waar het bekakte, blauwgespoelde personeel deed denken aan de personages uit *Are You Being Served?* En daarna het Barbours warenhuis, op de hoek van Stanley Avenue.

Mijn moeder ging naar Barbours om zich te besproeien met Anaïs Anaïs; mensen op cadeautjesjacht kochten hier voetenbankjes van olifantenhuid en enorme driedimensionale koperen platen met op hol geslagen buffels. Ik kocht er schooluniformen en luisterde naar Dionne Warwick op de platenafdeling en keek vol verlangen naar de airbrushposters van Sara Moon op de papierafdeling. We namen de zoevende lift met liftboy naar de bovenste verdieping en aten broodjes, taartjes of crème caramel in het restaurant, of milkshakes en Brown Cows (cola met roomijs) tussen de palmen in het openluchtcafé. In Barbours wemelde het van ons soort mensen, die naar Lux-zeep roken. Wanneer je door de grote deuren naar binnen liep, waande je je veilig voor de oorlog en voor de grote zwoegende massa's die met hun kutundu werden uitgebraakt door de koolmonoxide uitstotende bussen in het busstation bij de Union Avenue, een paar straten verder.

Veilig voor het gepeupel.

Roosevelt stond in Eastlea, een bomenrijke buitenwijk voor de middenklasse; een kwartier rijden van het centrum. Het was een staatsmeisjesschool met twee internaatsgebouwen. Ik woonde in het nieuwste, Delano, een gebouw van baksteen en glas met een plat dak. De slaapzalen waren onderverdeeld in zes kamertjes met drie of vier bedden. Aan een kant waren aparte kamertjes voor de beide prefecten en aan de andere kant waren de wc's en douches. In de zomer hing er een vieze geur van smeulend maandverband uit het vuilverbrandingsapparaat in de badkamer in de slaapzalen, geneutraliseerd door ozonvernietigende hoeveelheden Impulse deodorantspray, Charlie-parfum en Clearasil ontsmettingsmiddel voor puistjes.

Zelfs hier konden we niet ontkomen aan de oorlog; we hielden regelmatig noodoefeningen. Een keer ging het alarm af midden in de nacht; we dachten dat er een aanslag werd gepleegd en kropen allemaal op een kluitje in de kamer van de directrice. We zagen onder ogen dat we misschien ver van onze familie zouden sterven, en sommige meisjes snikten: 'Ik zie Frankie nooit meer!'

Het leven op kostschool was een verrukkelijke vrije wereld, zonder ouderlijk toezicht. De slaapzalen werden zelden gecontroleerd door de huishoudsters; het werd aan de prefecten overgelaten ons in de gaten te houden. Daar hadden ze weinig zin in, maar ze gebruikten ons graag als slaven. Eerstejaars werden 'sprogs' genoemd. Ze werden verondersteld alle werkjes voor de prefecten te doen. Dat hield in: bedden opmaken, schoenen poetsen, koffie en thee zetten. Zodra ze ontdekten dat ik ondrinkbare koffie zette en de andere werkjes hopeloos slecht deed, werd ik snel van mijn taken ontheven. Ze beperkten zich ertoe mij te kwellen. Ik moest op een stoel staan in de eetzaal terwijl ze me pestten en de andere meisjes met hun voeten stampten.

Gelukkig had ik veel lotgenoten, te beginnen bij Jean, een sproeterig plantersmeisje uit Umvukwes met lachende bruine ogen en een stalen beugel zo dik als een spoorlijn. Jean en ik waren allebei even slecht in de seksquiz die de prefecten op onze eerste avond in Delano hielden.

'Wat is cunnilingus?' vroegen ze.

'Wat is een condoom?'

'Wat is een ander woord voor pijpen?'

Jean en ik hadden absoluut geen idee. Ik had kortgeleden geleerd wat tongzoenen was, dankzij een lagere-schoolvriendin die het uitgebreid had gedemonstreerd toen ik bij haar logeerde. Zonder dat zou ik de middelbare school niet overleven. Ze legde niet uit wat het woord was voor twee zoenende meisjes, maar dat leerde ik gelukkig in de seksquiz. Toen Merina en ik vriendinnen werden, renden we door de kostschool met het vreemde, afstotelijke woord op onze lippen. We vuurden het spottend af op Bruna, een stevig Afrikaner meisje met blozende wangen, kroezend ravenzwart haar en grijsblauwe ogen, die ze in de leerzaal onafgebroken op Merina gericht hield. We giechelden om Bruna's neigingen, maar we dachten niet dat ze een afwijkende seksuele geaardheid had. Er waren geen homo's in Rhodesië, voor zover wij wisten.

Merina was opgegroeid in Zambia, waar ze een betrekkelijk beschermd leven had geleid met innig geliefde, maar veel oudere ouders. Toen ze naar Roosevelt kwam zag ze er kwetsbaar, klungelig en eenzaam uit. Ik herkende mezelf in haar. We waren buitenbeentjes. Na verloop van tijd sloten we ons aan bij een grotere groep maar we bleven er altijd een beetje buiten hangen. We waren te onhandig, onbevallig en dromerig om er werkelijk bij te horen; bovendien wílden we er niet bij horen. Erbij horen impliceerde dat we ons conformeerden. Conformisme betekende dat je normaal was en afstand deed van je dromen, wat in onze ogen onvermijdelijk leidde tot een verstikkende toekomst met een kantoorbaantje, regelmatige vakanties, een huwelijk met een tabaksplanter in een godverlaten landelijk oord, striae en de dood.

Vanaf de dag dat we vriendinnen werden – een vriendschap die we tijdens het schoenpoetsen plechtig inluidden; we prikten in onze vinger en zwoeren dat we bloedzusters waren – waren Merina en ik geobsedeerd door twee dingen die niets met school te maken hadden. We wilden popzangeres worden en ontsnappen uit de kostschool, een versterkt fort met een alarmsysteem en een bewaakt veiligheidshek. Met dit doel voor ogen oefenden we zwendelpraktijken uit die ons het grootste deel van onze schooltijd bezighielden. Dankzij die zwendelpraktijken gingen Merina en ik elke middag zwemmen met jongens, terwijl onze klasgenoten zaten opgesloten in de leerzaal. We zagen *Blue Lagoon* in de bioscoop en aten roomtaartjes met ananas in het Barbours-warenhuis.

Aan het eind van ons eerste jaar had onze biologieleraar zich laten ontvallen dat we niet naar de leerzaal hoefden (een stomvervelende huiswerksessie die tweeënhalf uur duurde) als we de rattenkooien in het laboratorium schoonmaakten. Het kostte ons minder dan twintig minuten om de kooien met kranten te bekleden, de voer- en waterbakjes bij te vullen en met de ratten te spelen. Daarna hadden we meer dan twee uur vrij om te zonnebaden, te gymmen en te bespreken hoe we onze band zouden noemen als we popzangeres waren.

Toen de aan ons toevertrouwde ratten na een paar weken vertrokken (wij hoopten naar een beter leven, maar waarschijnlijk naar de snijtafel), zagen we niet in waarom we dit moesten melden aan de huishoudsters die ons elke middag een paraaf gaven. Ze noemden ons al 'de ratters'. Drie jaar lang verlieten we trouw elke middag om drie uur de kostschool. We maakten de kooien van niet-bestaande ratten schoon, we maakten de bassins van niet-bestaande vissen schoon en we gingen joggen. De joggingclub was een kortdurende maar geniale uitvinding. We jogden naar het huis van een kennis in de volgende straat, die een zoon had met een hoop vrienden. Dat was heerlijk; we plunderden de ijskast en luierden bij het zwembad met allerlei jongens tot iemand ons verried (waarschijnlijk de kennis). Zo kwam er een eind aan de pret.

Wanneer we niet ontsnapten of zangoefeningen deden, waren we met ons uiterlijk bezig. Tot onze razernij liet ons uiterlijk ons in de steek op het moment dat wij ons ermee bezig gingen houden. We zaten onder de pukkels, ons haar werd slap en vet en we praatten regelmatig over cellulitis. Ik begreep niet waarom ik de goede genen van mijn ouders niet had gekregen. Op de middelbare school leerde een nieuwe groep kinderen mijn ouders kennen, en ze waren diep onder de indruk. 'Zijn dat jouw óuders? Je oude dame ziet eruit als je zusje! Je oude heer ziet eruit als een filmster!'

Hoewel ik trots was en ze heimelijk gelijk gaf, voelde ik me meer dan ooit een eendje dat was afgeleverd bij twee zwanen.

We zochten hulp bij Miss Zeederberg, onze lerares Engels, die ook onze mentor was. Er waren drie invloedrijke figuren op Roosevelt. De directrice, Miss Robinson, die elke ochtend kwam aanrijden op een ouderwetse fiets, met opbollende rokken boven worstenbenen met cellulitis, en de onderdirectrice, Miss Saunders, die Bubbles werd genoemd; de ware macht achter de troon. Iedereen zei dat ze vroeger een talentvolle balletdanseres was geweest. Ze had een ongeluk gehad waardoor ze haar carrière had moeten opgeven. Nu was ze even breed als lang. Ze was een zeer toegewijde lerares; het was zonneklaar dat zij met haar energie en integriteit de grote lijnen op school uitstippelde. Door haar aardrijkskundelessen onthield je voor altijd hoe de Eskimo's hun iglo's bouwden, en wat er in de maag van een kariboe zat.

Bubbles en Miss Robinson en de andere oude vrijsters wierpen afkeurende of jaloerse blikken op de derde invloedrijke persoon, Miss Zeederberg, die aantrekkelijk, uitbundig en enorm populair was. Ze had krullen en een bril en was elegant op een onderkoelde manier. Tijdens haar mentoruren gaf Miss Zeederberg ons advies over huid- en haarverzorging, diëten en relaties – de meeste tips kwamen uit de *Cosmopolitan*. Wij kostschoolmeisjes, die geen tijdschriften konden betalen, beschouwden dat als het evangelie. Ze had een vragenbus waarin je anoniem vragen kon gooien die je niet aan ouders of vriendinnen durfde stellen. Ze las de vragen hardop voor en beantwoordde ze volkomen openhartig.

Na haar lessen bedelden we om ingrediënten bij onze huishoudster, Mrs Cook. Mrs Cook was lang en knokig, met een gegroefde rokershuid en een neus als een cruiseschip. Ze liep alsof ze tegen een tornado optornde. Ze leek sprekend op haar twee teckels. Ze noemde Merina en mij 'de gulzigaards', omdat we altijd uitgehongerd waren en om eten vroegen. Ze gaf ons koekjes en alle ingrediënten die we nodig hadden voor schoonheidsmiddelen. Wij namen een stoombad boven een kom en maakten een peeling met maïsmeel en smeerden maskers van havermout of eiwit op ons gezicht. Thuis spoelden we ons haar met bier en eigeel en bleekten het in de zon met citroensap.

De mentoruren waren geweldig, maar ik keek altijd uit naar haar lessen Engels. Ik was haar lievelingsleerling; ze gaf me het gevoel dat ik bijzonder was. Die aandacht bracht me in verlegenheid, maar inspireerde me ook. Ik begon te geloven dat ik misschien ooit schrijfster zou kunnen worden. Ik werkte voor haar, vertrouwde haar en deed mijn best zoals ik nooit eerder had gedaan. Ik moest huilen toen ze de school verliet. We stonden op de kleine overloop voor haar klaslokaal en ze zei tegen me: 'Vóór je achttiende heb je een boek geschreven.'

Ik was geschokt en een beetje gevleid, maar eigenlijk dacht ik dat ze iets aardigs wilde zeggen. 'Nee, niet waar,' zei ik, terwijl ik dacht: Ik schrijf geen boek als je weggaat. Ik schrijf geen boek als je niet in me gelooft.

Ze omhelsde me. 'Geloof in jezelf. Jij schrijft een boek.'

Regelmatig botsten mijn twee werelden, wanneer mijn vriendinnen op Rainbow's End kwamen logeren. Jean was een jongensachtig planterskind, dus we klommen in bomen en gingen op ontdekkingstocht door het wildreservaat. Merina hield van rustige ritjes te paard. Merina en ik zaten op de stuwdam en visten op brasem, die Madala voor ons bakte. Hij bestoof de gefileerde vissen licht met meel en gooide ze in een koekenpan met hete zonnebloemolie. We gooiden citroensap op de goudbruine vissen en aten ze met een heleboel zout.

Merina woonde in de buitenwijk Bindura in een smetteloos huis. Je moest de chenille sprei eraf halen als je op het bed wilde zitten. Ze had een fantastische, elegante moeder met lachrimpeltjes bij haar ooghoeken, die sigaretten rookte in een lange sigarettenpijp, en een Schotse vader die een mijn bezat en moerbeiwijn brouwde. Hij kon vijfentwintig verhalende gedichten uit zijn hoofd declameren en was onbedaarlijk gelukkig. Bij Merina aten we enorme brunches en beklommen kopjes in de buurt op zoek naar vuurlelies, maar op Rainbow's End waren we met muziek bezig. We zongen mee met Dolly Parton, Kenny Rogers, Barbra Streisand en Olivia en deden alsof we beroemd waren en oefenden voor een optreden.

Daarna zochten we de paarden op. Een keer werden we verrast door een onweer dat kwam opzetten boven het zigzaggende silhouet van de leemhutten in de kraal. Het regende zo hard dat de druppels als glazen kralen in ons gezicht prikten, en we renden weg van de theatrale dreiging en de paarden met hun natte, donker geworden flanken. Bij de tabaksschuren, de dichtstbijzijnde schuilplaats, doken we in de sorteerloodsen. De lucht in de loodsen was vochtig en rook naar jutezakken en tabaksafval. We wrongen onze kleren uit en vonden een baal stro waar we op zaten te bibberen terwijl de regen een lawaaiig Afrikaans ritme sloeg op het ijzeren golfplaten dak. Die grote, weergalmende ruimte voelde veilig en rustig. We zongen een paar liedjes om te experimenteren met de akoestiek.

Toen het onweer voorbij was liepen we door de plassen naar huis. We stampten in de plassen en gooiden handenvol modder naar elkaar tot onze armen en benen onder de vuiligheid zaten. Ons haar hing in groezelige rattenstaartjes langs ons gezicht. In de papajakleurige badkamer lieten we het bad vollopen en we pelden onze smerige kleren uit. Daaronder was onze huid ruw van het kippenvel en zó wit van de kou dat het water brandde toen we ons onder de schuimbellen lieten zinken. We zwolgen in het water als broodmagere zeemeerminnen en verwarmden onze botten met dampende bekers naar mout smakende Milo. We voelden ons onoverwinnelijk.

Later, toen mijn wereld verging, dacht ik terug aan die dag en vergelijkbare dagen. Ze werden mijn toevlucht.

Die dagen gaven me houvast.

10

De oorlog werkte ons allemaal op de zenuwen. Mijn vader was lange perioden van huis in de PATU. Thuis kwam hij in opstand tegen de kluisters van het huiselijke bestaan na die extreme machowereld met zware drinkgelagen en het dobbelspel met de dood. Het waarschuwingstelefoontje van de terroristen had zijn tol geëist van mijn moeder. Ze had hartritmestoornissen en ze slikte pillen alsof het smarties waren. Ze zag er bleek en uitgeput uit; haar handen trilden. Ze hadden weer ruzie, even erg als in Kaapstad, en ik rende het huis uit om te ontsnappen. Ik rende naar Star en Cassandra of naar de beschaduwde nauwe valleien en Jenny. Ik nam Lisa mee en we verscholen ons bij de rivier. De vredige onveranderlijke rivier – de drijvende schapenwolkjes en de blauwe hemel weerspiegeld in de groene diepte; de felle, razendsnelle vleugelslag en het getsjirp van grenadierwevers, sint-helenafazantjes, bonte ijsvogels en malachietijsvogels – verdreef de pijnlijke echo's.

Na de ruzies noemde mijn moeder hem 'je vader' en hij noemde haar 'je moeder'.

Zoals: 'Ik begrijp niet waarom je vader voortdurend tegen me snauwt.'

Zoals: 'Ik zal je moeder nooit begrijpen.'

Niets zette de familieverhoudingen zó op scherp als een uitje naar de Hartley Club. De club was weinig veranderd sinds Billy Mowbray's brief uit 1935 aan mijn grootvader. In die brief merkte hij op dat er 'veel te veel schandalen, geroddel en drank' in het wereldje waren, 'hoewel er ongetwijfeld aardige mensen zijn als je goed kijkt.'

Ik was nog even bang voor de club als toen ik acht was. Voor Lee en Carol Walters, Juliet Keevil en andere kinderen uit gelukkige, sportieve gezinnen was de club vermoedelijk een veilige haven waar tennis, golf, rugby en squash werd gespeeld. Gezonde ouders in witte kleren en enkelsokjes serveerden aces met oranje effectballen; oude besjes dronken gin-tonic met een schijfje limoen. Maar wij hadden er in allerlei gradaties een gruwelijke hekel aan. Een avond op de club ging zo: de mannen zaten aan de bar te praten over floppies en kaffers en 'de situatie'. De vrouwen zaten apart op de veranda met de kleintjes. Lisa en ik werden met flesjes cola, Turks fruit en pakjes Willards-chips naar de auto gestuurd om alvast te gaan slapen of rond te hangen op de door schijnwerpers verlichte parkeerplaats met de andere bibberende, oververmoeide kinderen die zich dood verveelden, levend door de muggen werden opgegeten, en wachtten op hun ouders. De ouders waren er slecht aan toe.

Wanneer je de fout beging een kind dat huilde of zich pijn had gedaan mee naar binnen te nemen, spoelden de golven afkeuring over je heen. Jouw moeder of haar moeder probeerde je het zwijgen op te leggen en stuurde je zo snel mogelijk weg, met nieuwe koude flesjes drinken en snoepjes. Soms liet een planter met een bierbuik zijn glinsterende drankogen over je heen glijden. Hij probeerde je op zijn knie te trekken of zei zacht, zodat de anderen het niet konden horen: 'Je mag bij mij in bed kruipen, wanneer je maar wilt.' Een stel ouders vermaakte zich zó goed dat ze hun dochters, die nauwelijks de tienerleeftijd hadden bereikt, alleen zonder rijbewijs naar huis lieten rijden. Misschien vroegen de meisjes zelf of ze mochten gaan. Ze verzekerden hun ouders dat ze geregeld in hun *bakkie* rondjes reden over de plantage; ze reden goed en voorzichtig. Op weg naar huis kregen ze een ongeluk; een van de meisjes was op slag dood.

Soms werden die avondjes op de club voorafgegaan door een middag rugby. Dat was nog veel erger. De door testosteron benevelde mannen lieten een hele rij biertjes aanrukken op de bar. Ik had geen idee wanneer ze bereid zouden zijn te vertrekken. Mijn moeder, die weinig dronk en bij geen enkel kliekje hoorde, verveelde zich een keer zó bij het meisjesachtige gebabbel van de vrouwen dat ze bij mijn vader aan de bar ging zitten. Dat leidde tot een armageddon op de terugweg naar Rainbow's End. Mijn vader siste tussen opeengeklemde tanden: 'Al die nétte vrouwen zitten op de veranda, maar mijn vrouw niet. Nee, mijn vrouw zit aan de bar met de mannen.'

Lisa en ik wisten niet wat erger was, het wachten of de nabeschouwingen. Wanneer we na een eeuwigheid vertrokken, lachte mijn vader altijd te luid. Mijn moeder, die de club haatte 'als de pest' zag er gekwetst of verdrietig uit, en vervolgens maakten ze ruzie over de autosleutels. De hele rit naar huis maakten ze ruzie over de vraag of mijn vader kon rijden, terwijl de koplampen als gekken zigzagden over de stripweg.

Er verscheen een indringer op het erf terwijl mijn moeder en zusje alleen thuis waren. Mijn moeder werd wakker van de blaffende honden die iets of iemand aanvielen. Lisa sliep in het bed naast haar, zoals altijd wanneer mijn vader weg was. Eerst was mijn moeder versteend van angst en kon zich niet bewegen. Maar het grommen kwam dichter- en dichter bij het huis. Ze dwong zichzelf uit bed te springen, haar pistool te pakken en om hulp te seinen op de Agricalert.

De vrouw die opnam was een oude heks die ze kende uit de fabriek van David Whitehead. Ze teemde nasaal: 'Weet je zeeeeker dat het een terrorist is?'

'Ik kan natuurlijk niet zíen of het een terrorist is...' Mijn moeder snikte bijna, zo bang was ze. 'Het is pikkedonker buiten. Maar er is beslist iemand buiten. De honden worden helemaal gek.'

De telefoniste zei op dezelfde neerbuigende toon: 'Hoor eens, we moeten heel veel noodkreten behandelen. Moeten we écht iemand sturen?'

En mijn moeder, die gevoelig was en geneigd was zichzelf te saboteren, schreeuwde zowat: 'Laat maar!' en smeet de hoorn op de haak.

De hysterische honden waren vlak buiten haar slaapkamer. Mijn moeder loste één schot vanuit het badkamerraam voordat haar pistool blokkeerde. Door de knal kwam Lisa verward mompelend tot leven, maar ze viel algauw weer in slaap. De hele nacht lang stond mijn moeder versteend van angst met haar rug tegen de slaapkamerdeur, overtuigd dat een moordenaar op weg was om de deur in te trappen. Toen de gezegende dag aanbrak, ontdekte ze een rij bloederige voetafdrukken op de stoeptegels buiten haar slaapkamerraam.

In Hartley kwam ze een planter tegen die haar vertelde dat hij en zijn vrienden haar wanhopige noodkreet op de Agricalert hadden gehoord. Verbijsterd vroeg mijn moeder: 'Waarom hebben jullie me dan niet geholpen?'

Hij keek naar zijn schoenen. 'Je begrijpt het niet. Onze vrouwen lieten ons niet gaan.'

Toen begreep ze dat ze Gadzema's *femme fatale* was.

'En dat terwijl ik nooit iets heb gedáán,' zei ze later tegen mij.

Die indringer was de laatste druppel. Mijn vader had een paar lange dienstperioden in het vooruitzicht, en hij wilde mijn moeder en Lisa niet alleen op de plantage achterlaten. Mijn moeder huurde voor drie maanden een flat in Salisbury en zocht een tijdelijke baan bij een accountant. Ik bleef op kostschool; we reden met z'n drieën naar Rainbow's End wanneer mijn vader thuis was. Het was een donkerroze quasi Marokkaanse flat. Toen ze daar woonde kwam er een jonge Amerikaan op bezoek. Hij vertelde me dat hij met mijn moeder wilde trouwen en haar mee wilde nemen naar zijn grootvaders Morgan paardenfokkerij in Fort Worth, Texas. Dat leek me een uitstekend idee, want Morgan was mijn lievelingsras en mijn vader en moeder konden niet goed met elkaar opschieten. Maar mijn moeder stuurde hem weg. Ze hield alleen van mijn vader, zei ze, bovendien was hij te jong.

Haar baas kwam ook een keer langs. Mijn moeder was niet thuis en ik paste op Lisa. Hij wilde me met alle geweld naar het park lokken, maar ik had hem de trap op zien lopen vanuit het keukenraam. Hij was duidelijk stomdronken. Ik deed de deur op de ketting open en liet hem een pan kokend water zien die ik over hem heen zou gooien als hij mij en mijn zusje niet met rust liet. Twintig minuten lang bleef hij bidden en smeken; daarna vertrok hij naar de parkeerplaats, waar hij mijn moeder aanklampte toen ze in het donker thuiskwam, en háár zover probeerde te krijgen dat ze met hem meeging. Ze kregen ruzie en de volgende ochtend, toen ze naar haar werk wilde rijden, ontdekte ze dat hij haar banden had laten leeglopen.

Ik had weer het gevoel dat ons leven anders was dan het eruitzag.

Toen het huurcontract afliep verhuisde mijn moeder niet terug naar Rainbow's End, zoals ik hoopte, maar naar een grotere flat in hetzelfde complex. Het was maar voor drie maanden, zei ze, tot het veiliger was op de plantage. Heimelijk dacht ik dat ze het leven in Salisbury veel te leuk vond om weg te gaan. In die tijd leek mijn moeder een mooie afstandelijke vreemde. Ze zag eruit als een flitsende carrièrevrouw en stortte zich in haar nieuwe onafhankelijke bestaan. Ze at vis *au gratin* in het vogelkooirestaurant bij Sanders, een blauwbetegelde daktuin met klaterende fonteinen, nepkanaries in goudgeverfde kooien en dure terrasjes. Lisa zat op de kleuterschool en mijn grootmoeder en ik (in de schoolvakanties) konden op haar passen, dus mijn moeder ging veel uit. Ze zag nooit dat ik probeerde te doen wat Maud op de plantage deed. Ik maakte schoon, poetste de flat, maakte de bedden op en waste onze kleren in het bad.

Achter die façade kookte mijn moeder van woede, net als mijn vader. Ik merkte het in kleine dingen. Ze kreeg twee keer een driftbui omdat mijn haar een 'verschrikkelijk vogelnest' was, en ze kamde het zó ruw dat ik het uitschreeuwde van pijn. Het kon haar niets schelen en ze zei niet sorry.

In deze periode drongen de aardbevingen in het politieke landschap nauwelijks tot me door. Op Roosevelt mochten we maar eens per week tv kijken. Deze gunst werd ons bij uitzondering verleend op woensdagavond. We keken naar de lovertjes, schoudervullingen en gemene streken in *Dallas*, een extravagante vertoning waaraan we verslaafd waren.

Ik las zelden de krant, zag bijna nooit het nieuws. De veranderingen die zich voltrokken, openbaarden zich aan mij als een serie beelden. Tijdens de verkiezingen in april kronkelden lange rijen jubelende zwarte kiezers door de savanne naar de stoffige stemhokjes. Ik zag beelden van bisschop Muzorewa, een glimlachende welwillende figuur in het paarse gewaad van zijn katholieke geloof. Hij kreeg de sleutels van het regeringsgebouw van Ian Smith, die er bleek en afgemat uitzag. Zijn lichaamstaal zei dat hij verslagen was. Onze angst voor de chaos na de verkiezing van een zwarte president bleek ongefundeerd, want Abel Muzorewa was erg aardig en het leven ging gewoon door. Het enige verschil was dat Rhodesië nu Zimbabwe-Rhodesië werd genoemd. Onze groenwitte Rhodesische vlag, die ik altijd de mooiste vlag ter wereld had gevonden, werd in een aangrijpende, zeer symbolische ceremonie in september voor het laatst gestreken.

Jammer genoeg was de buitenwereld nog steeds boos op ons. Men beschouwde Muzorewa als een marionet van de blanken, en de oorlog woedde grimmiger dan ooit. Onze veiligheidstroepen vielen in de Gaza-woestijn van Mozambique vijandelijke kampen aan van FRELIMO (Front for the Liberation of Mozambique) en ZANLA (Zimbabwe African National Liberation Army). In diezelfde maand troffen Ian Smith en Muzorewa voorbereidingen om te onderhandelen met de guerrillaleiders, op de Lancaster House-conferentie in Londen, met de Britten als gastheer.

Rainbow's End had nog nooit zo gevaarlijk geleken, los van het politieke klimaat. Elk afscheid voelde als het laatste. Mijn vader stond zo vaak in de vuurlinie dat je je wel moest afvragen of hij dood wilde. Aan het eind van 1979 pleegden de terroristen een aanslag met brandbommen op de plantage van onze vrienden Bev en Fred Bradnick (bij wie Lisa een keer een onontplofte granaat in de tuin had gevonden) aan de Lowood Road. Mijn vader was als eerste ter plaatse. Hij verwachtte schoten of een tafereel van verwoesting, maar er heerste stilte. Hij hoorde alleen duiven en het zachte gekraak van het rieten dak. Mijn vader gebruikte een tuinslang om de as te doven en klom toen door een raam met zijn FN-geweer. Hij vreesde een bloedbad. Hij liep van de ene kamer naar de andere. Hij controleerde het hele huis op verstopplaatsen voor terroristen of kinderen. Maar het huis was leeg. Fred was een Selous Scout en hij had zijn vaardigheden aangewend om zijn gezin te redden.

Later, toen mijn vader de Bradnicks vertelde wat hij had gedaan, trok Fred wit weg. Vóór zijn vertrek had hij het hele huis voorzien van boobytraps. Als de terroristen kasten openmaakten en probeerden de bezittingen van de familie te plunderen, zouden ze aan stukken worden geblazen.

'Christus, Errol,' zei hij. 'Het is een wonder dat je nog leeft.'

Mijn vader lachte toen hij dat verhaal aan ons vertelde. 'Als ik de verkeerde kast had opengemaakt, was ik het hoekje om geweest,' zei hij. Om een of andere reden vond hij dat grappig.

Met Kerstmis was ons gezin weer herenigd. Hoewel we naar de lichtjes in First Street gingen kijken – een reuzenvuurlelie die als een edelsteen schitterde in de avondregen – vond Lisa dat Kerstmis de akeligste dag was van het jaar. 'Het regent altijd of er gaat een hond dood of we hebben een grote ruzie.' We moesten de kerstlunch onderbreken omdat mijn vader een enorme Egyptische cobra met een witte rat in zijn bek door zijn kop moest schieten. Hij was vlak buiten de kaya van Maud. Voor één keer waren Maud en mijn vader het gloeiend met elkaar eens: 'We moeten hem doden vóór hij iemand doodt!', hoe ik ook smeekte om clementie, zodat de cobra van zijn kerstmaal kon genieten.

In het nieuwe jaar keerde mijn moeder terug naar haar flat in Salisbury. Het werd duidelijk dat zij en mijn vader op proef uit elkaar gingen. Muzorewa was afgetreden na een nacht van gebed, er werden nieuwe verkiezingen gepland en er was eind december een wapenstilstand afgekondigd, dus de oorlog was niet langer een excuus. Maar mijn moeder reisde nog steeds op en neer naar de plantage in de hoop hun problemen op te lossen. Eind maart verzoenden mijn vader en moeder zich met elkaar. Ze kwamen tot de conclusie dat ze al hun problemen in één klap zouden oplossen als we naar Australië emigreerden en opnieuw begonnen. Ik vond het een goed idee. Ik zou dichter bij Olivia wonen (op wie ik platonisch verliefd was), en mijn vader wilde graag op een veefokkerij werken. Mijn moeder ging op onderzoek uit of we naar Queensland konden verhuizen. Ze dropte Lisa voor een maand in de flat vol Kaapse viooltjes van mijn grootouders en vloog weg om de stranden en tropische regenwouden van Australië te ontdekken.

De enorme veranderingen in het land – zwart Afrika overspoelde ons als lava in al zijn muzikale, betoverende, gewelddadige, ongetemde, onvoorspelbare glorie – weerspiegelden zich in de slaapzalen op kostschool. In Delano verschenen kinderen van ministers, vroegere guerrillaleiders en zakenlieden. Toen het eerste zwarte meisje vorig jaar op onze slaapzaal verscheen, hadden we haar verwelkomd, haar veel aandacht gegeven en ons best gedaan haar in onze groep op te nemen, maar de nieuwe meisjes hadden een heleboel vriendinnen. Ze hadden onze grootmoedigheid niet nodig. Zij woonden aan de ene kant van de slaapzaal en wij aan de andere kant. Ze probeerden zich aan te passen aan onze lange blonde haren in de wastafels, laffe blanke meisjesdrankjes en onhandige messen en vorken, en wij probeerden te wennen aan hun korte springerige haar, speciale houten kammen en hun neiging om met hun handen te eten.

In de eerste week van maart zinderde onze slaapzaal van de muziek van Oliver Mutukudzi, de Harare Mambo's en Bob Marley and the Wailers terwijl de Afrikanen de verkiezingen versloegen op de radio. Terwijl de blanke meisjes stil en gedeprimeerd toekeken, renden de zwarte meisjes rond in uitzinnige vervoering. Hun sterke, chocoladekleurige armen zwiepten door de lucht, hun vrouwelijke lichaam barstte zowat uit hun turkooizen uniform, en toen de uitslagen bekend werden gemaakt begonnen ze te fluiten. Ze schreeuwden en sprongen op hun bedden; ze wervelden met de armen om elkaar heen in het rond en deden stammendansen op de parketvloer van de gang in een triomfantelijke extase.

'Mugabe, Mugabe,' zongen ze.

Jean en ik keken elkaar aan. 'Wíe?' vroegen we.

Maar het was heel duidelijk dat zij zwart waren en wij blank; dit was een feestje en we waren niet uitgenodigd.

Onafhankelijkheid
1980-1983

1

Ik herinner me het exacte moment dat ik besefte dat de oorlog voorbij was. Er was iets verloren gegaan. Ik was in een lift in Barbours. De deuren gleden dicht zodat de koperen buffels, de gebeeldhouwde ivoren slagtanden en de bonten navelwarmers 'voor de man die alles heeft' aan het zicht werden onttrokken en we zoefden met een zeeziek makende ruk omhoog. Het was lunchtijd op een doordeweekse dag en de lift zat vol met secretaresses uit Salisbury en plantersvrouwen in katoenen zomerjurken (met zonnevlekken als dierafttekeningen op hun gebruinde schouders), en een of twee onhandige planters in kaki, en helemaal niemand keek iemand anders aan. Ik kreeg het intense, droevige gevoel dat de lijm die ons bij elkaar had gehouden – door dik en dun – had losgelaten.

Daarna hoorden we elke keer als we naar het postkantoor in Hartley of naar de coöperatieve plantagewinkel gingen dat iemand was vertrokken. Het leek een epidemie, een enorme griepgolf die iedereen wegmaaide; het leek een foto waarop iemand alle blanke gezichten had weggeretoucheerd. Ze gingen naar Australië, Nieuw-Zeeland, Zuid-Afrika, Amerika, Canada en het Verenigd Koninkrijk. Ze vertrokken met gemengde gevoelens. Sommigen waren opgelucht, anderen waren verdrietig, sommigen, zeker degenen die hun naasten hadden verloren, waren vol haat. Sommigen uitten sombere voorspellingen: 'Ag, weet je, het is mooi in de rimboe maar met die nikkers in de regering gaat het land naar de haaien. Naar de haaien.'

Anderen zeiden: 'Het is een teken aan de wand.'

En weer anderen – zij die achterbleven, zoals mijn moeder – zeiden dat we waren verraden door de Britten en de Zuid-Afrikanen.

Zij hadden Robert Mugabe, de vroegere guerrillaleider van ZANLA, op de troon gezet, alleen al door een oogje dicht te knijpen. Hoewel de waarnemers van het Britse Gemenebest hadden verklaard dat de verkiezingen vrij en rechtvaardig waren verlopen, waren er wijdverspreide geruchten dat de kiezers waren geïntimideerd door aanhangers van Mugabe. Maar iedereen wist dat dit het juiste resultaat was, los van de vraag hoe het tot stand was gekomen. De meerderheid van de bevolking wilde dit.

Het was beangstigend hoe snel de oorlog voorbij was, beangstigender dan alles wat eraan vooraf was gegaan. Het land waarvoor we hadden gevochten, armen en benen hadden verloren, ons leven op het spel hadden gezet, was niet langer van ons. Zimbabwe-Rhodesië werd eenvoudig maar triomfantelijk Zimbabwe, een Karanga-term die vermoedelijk 'huis van steen' betekende, en Rhodesië werd een vies woord. Geschiedenisboeken waarin kolonialisten als Cecil John Rhodes en David Livingstone als idealistische helden waren afgeschilderd werden verbrand, hun standbeelden werden omvergehaald, en alle straten of steden die naar hen waren genoemd kregen een andere naam. Hartley werd Chegutu, Salisbury was nu Harare, en Gatooma, waar ik was geboren, werd Kadoma. Lanen die genoemd waren naar Jameson en Rhodes werden nu genoemd naar Afrikaanse leiders als Samora Machel en Kenneth Kaunda of vroegere guerrillacommandanten als Josiah Tongogara.

Het communisme dat we geleerd hadden te vrezen en verachten was plotseling overal, onder het mom van socialisme. Er hingen spandoeken met de woorden Palestine Liberation Organization over de hekken op Second Avenue. Op de televisie namen korrelige zwart-witte propagandafilms over de Sovjet-Unie en China de belangrijkste zendtijd in beslag. Mugabe was niet alleen minister-president Mugabe (later riep hij zichzelf uit tot 'president voor het leven') maar kameraad Robert Mugabe, en alle andere regeringsleiders en rijksambtenaren waren ook kameraden. Op school noemden de kinderen van de nieuwe heersende klasse elkaar kameraad en mij ook, op een toon die suggereerde dat ik allesbehalve een kameraad was.

Het was ten strengste verboden souvenirs uit de oorlog of wapens te bezitten, behalve die met een precies omschreven wapenvergunning voor de jacht of de bescherming van gewassen tegen wilde varkens. Overtredingen kon je beter niet riskeren. Mijn 'We Made Rhodesia Great'-T-shirt, mijn vaders bierpullen van de Grey's Scouts en platen als de 'Troopie Songs', 'Green Leader' en 'De oorverdovende stilte' moesten weg. Mijn vaders camouflagepak, zijn netten, granaten, geweren, legerslaapzak en andere uitrusting moesten ook weg. We vernietigden zoveel mogelijk en gooiden de rest in mijnschachten of ongebruikte putten aan het eind van overwoekerde onverharde wegen. Het vervoer was geheim, alsof het porno was of gevaarlijke contrabande.

Maar dit was niets vergeleken bij het eind van de oorlog.

De oorlog waarvan ik hield.

De wapenstilstand werd van kracht eind 1979. Binnen enkele uren na de aankondiging verschenen er smerige, oorlogsmoeë guerrillastrijders op de inzamelingspunten om hun wapens af te staan aan mannen als mijn vader, die hen een paar dagen eerder zonder met hun ogen te knipperen zouden hebben doodgeschoten. Nu namen ze eenvoudig hun AK-47's en bajonetten in beslag, en maakten er ordelijke stapels van, dankzij de spelletjes die politici spelen. Sommige, maar beslist niet alle Rhodesische soldaten keerden terug naar hun militaire basis. De Selous Scouts waren zo effectief geweest (als moordmachine) en hun opdrachten waren zo roekeloos – zoals die beruchte inval in 1976 in Mozambique waarbij zevenenzeventig Scouts vermomd als guerrilla's tot in het hart van een ZANLA-kamp waren gereden waar ze, na als helden te zijn binnengehaald, meer dan 1200 guerrillastrijders hadden gedood zonder één soldaat te verliezen – dat velen van hen besloten stilletjes over de grens naar Zuid-Afrika te glippen, met medeneming van hun wapens.

In één nacht kwam er een eind aan onze manier van leven. De folklore die bij de oorlog hoorde – elke avond controle op de Agricalert, militaire colonnes, een avondklok, liederen, de band die door de terreur was geschapen – was in één klap uitgewist. Langzaam drong tot ons door wat er was gebeurd. Het was alsof je 's avonds naar bed ging in Jamaica en 's morgens wakker werd op de bladzijden van *1984.*

Mijn leven lang had ik geleerd de naam Rhodesië, haar geschiedenis en mijn band met het land te waarderen en hoog te houden. Ik was opgevoed met dat idee. Wij woonden in het mooiste land ter wereld, met het beste klimaat onder de zon. Rhodesië was bijzonder: het landschap, de wilde dieren, de groenwitte vlag, de vuurlelie, de levende vlam; onze nationale bloem, ons volkslied op de 'ode aan Jo' van Beethoven. Omdat deze dingen bijzonder waren, moest je ervoor vechten en sterven. Zelfs onze oorlog was beter dan die van anderen, want we hadden de mooiste liederen, de vrolijkste soldatenkantines en de dapperste, meest toegewijde soldaten. Dit werd ons vaak verteld. We zagen die schoonheid, dapperheid en pracht met eigen ogen, ons land was ons leven; onze nationaliteit was onze identiteit.

Nu was mijn identiteit weg. De schok was overweldigend.

De euforie die uitbarstte op Onafhankelijkheidsdag in april 1980, toen Bob Marley Harare deed schudden met zijn nationale volkslied 'Zimbabwe', had ik nooit eerder meegemaakt. Het was alsof Afrika toestemming had gekregen Afrika te zijn. De vreugdekreten slakende vrouwen en de op hun trommels roffelende mannen die altijd al hadden gespeeld achter het middernachtelijke silhouet van de leemhutten op Rainbow's End, bevonden zich nu in de open lucht. Ze vierden feest in de straten, hun muziek bonsde onophoudelijk tegen je ribbenkast. Dit was het geluid van de bevrijding; de pure, ongebreidelde vreugde. Je zag het aan de glimlachjes en de nieuwe rechtstreekse blikken van de benzinepompbediendes tot de piccanins die aas verkochten langs de weg naar Lake McIllwaine (dat binnenkort Lake Chivero zou worden genoemd). Restaurants en warenhuizen als Barbours stroomden plotseling vol met zwarte zakenlieden in nette pakken, vergezeld door elegante vrouwen in felgekleurde traditionele kledij of kleren van modeontwerpers uit

Londen. Je zag het aan het opbruisende zelfvertrouwen van de zwarte kinderen. De rijkere kinderen hoefden niet langer tien kilometer naar school te lopen, en hun arbeidsethos wierp nu vruchten af. Je zag het aan romans van schrijvers als Chenjerai Hove die vroeger verboden waren, en nu plotseling als uit het niets op de boekenplanken verschenen.

Ik dacht ongelovig: waar komen al deze mensen vandaan? Deze dynamische zakenlieden en hun prachtige vrouwen, deze kunstenaars en schrijvers, deze talentvolle advocaten, journalisten en politici? Het leek alsof ze hadden klaargestaan in de coulissen van een enorme, discriminerende theaterproductie. Ik was niet in staat die gedachte volledig tot me door te laten dringen, omdat ik het niet kon verwerken. Wij, de blanke Rhodesiërs, waren verantwoordelijk voor het feit dat zij niet op het toneel waren verschenen.

Natuurlijk was niet iedere Afrikaan blij. Sommige Afrikanen vonden dat het lot hen onrechtvaardig of wreed had behandeld, en ze eisten onmiddellijke genoegdoening. Sommigen waren plotseling ontevreden met hun lot. Maud, die na haar scheiding was teruggekeerd uit de Tribal Trust Lands, was nors. Haar oude vrolijkheid was verdwenen. Toen het nieuwe rode bankbiljet van $ 50 van Zimbabwe uitkwam en mijn vader haar daarmee betaalde, hield ze het omhoog zodat de zon door het slagveldrood scheen en zei beschuldigend: 'De kleur van ons bloed.'

Hij was diep verontwaardigd. Hij had haar altijd gewantrouwd, altijd gedacht dat ze 'verwend' was, en nu had hij een onweerlegbaar bewijs van haar verraad.

Mijn moeder, die Maud beschouwde als kippensoep, een surrogaatmoeder en een knuffeldekentje in één, was geschokt. 'Ik wist echt niet dat ze er zo over dacht,' zei ze. 'Echt niet.'

Hun euforie verried in mijn ogen alles. Ik had pas kort geleden voor het eerst de naam Mugabe gehoord, en toch leek iedere zwarte in Zimbabwe hem al jaren te kennen. Als ze uit de Mashona-stam kwamen zoals Mugabe, verafgoodden ze hem, als ze uit de Ndebelestam kwamen zoals Nkomo, hadden ze een uitgesproken mening over hem. Aan hun euforie kon ik zien dat de vrijheidsoorlog die ik in mijn kinderlijke onschuld had beschouwd als een strijd tegen het communisme, de vrijheidsoorlog van iemand anders bleek te zijn. Wíj waren de terroristen. Onze helden waren helemaal geen helden, ze waren gemene racisten. Alleen zwarte mensen waren helden.

Ik was volkomen gedesillusioneerd. Het land waarvan ik zoveel had gehouden, waarvoor ik had willen sterven, was niet het land dat ik had gedacht. We hadden mensen onderdrukt, onderworpen, gemarteld en vermoord om de slechtste reden die er bestond: hun huidskleur. In onze oorlog waren twintigduizend mensen gestorven, blijkbaar voor niets.

Het leek alsof er een aardbeving in mijn hoofd plaatsvond. Ik was dertien, ik interesseerde me niet voor politiek en ik begreep er niets van, maar de gevolgen van de onafhankelijkheid waren overal te zien. Ik kon dat niet rijmen met de geschiedenis zoals ik die had geleerd. Ik kon niet verkroppen dat al die onschuldige slachtoffers zoveel verdriet, ellende en wreedheid was aangedaan, omdat we de zwarten geen kiesrecht wilden geven, en dachten dat wij het land beter konden regeren dan zij. Wat hadden de communisten ermee te maken als de oorlog eigenlijk over ras en kiesrecht ging? Ik had uitsluitend gruwelverhalen over China en de Sovjet-Unie gehoord, over hun afschuwelijke schending van de mensenrechten. Ze hadden zich echt niet bekommerd om de belangen van het gewone volk in Zimbabwe. Ik kwam niet te weten wat de waarheid was of wat er achter zat. En ik kon niet accepteren, wílde niet accepteren, dat er twintigduizend mensen voor niets en roemloos zouden zijn gestorven, maar het werd al snel duidelijk dat ze voor niets en roemloos waren gestorven. Toen Mugabe de Koreanen vroeg een begraafplaats te bouwen voor oorlogshelden, een gedenkplaats ter ere van de gesneuvelden van de tweede Chimurenga, zoals onze oorlog nu heette, werden daar alleen voormalige 'vrijheidsstrijders' begraven of herdacht. De stoffelijke resten of foto's van de zwarte soldaten die vrijwillig tegen hen hadden gevochten – een enorm aantal, tweederde van het Rhodesische leger – waren niet welkom. Als ze niet eervol voor hun land waren gestorven, voor wie of wat waren ze dan wel gestorven?

En hoe kon de wereld zo op zijn kop staan dat Joshua Nkomo, die lachte toen zijn ZIPRA-strijders de overlevenden van het neergestorte *Hunyani*-vliegtuig in mootjes hakten, en wiens ZIPRA-strijdkrachten verantwoordelijk waren voor de moorden op Rainbow's End (de aanslag was gedetailleerd beschreven in hun dagboeken), nu onze minister van Binnenlandse Zaken was? Men beschouwde hem als een goed, gematigd mens; iedereen was blij dat hij in de regering zat.

Hoe was dat mogelijk?

Welke rechtvaardiging had iemand om een elfjarige jongen te vermoorden, met de natuur in zijn ogen en de vrijheid van valken in zijn hart?

Met welk recht hadden ze Agnes gemarteld en vermoord, een onschuldige lieve jonge vrouw met haar hele leven vóór zich?

En wat moest ik met de afschuwelijke daden die de Rhodesiërs hadden gepleegd? Hoe hadden ze de oorlog aan ons kunnen verkopen? Het was niet alleen noodzakelijk geweest, maar ook een reden tot trots dat ze een kamp van Afrikaanse nationalisten waren binnengereden, die vochten voor het recht op gelijke behandeling in hun eigen land. Ze hadden 1200 levende zielen afgeslacht, zodat er tien keer zoveel rouwende en berooide familieleden waren achtergebleven.

We hadden de dood gevierd van een enorm aantal nationalisten in de 'Green Leader'-missie in Zambia, alsof we een voetbalwedstrijd hadden gewonnen.

Waarom was dat goed toen ze terroristen waren, en een dag later slecht, toen ze vrijheidsstrijders waren?

Ik had geen antwoord op deze vragen. Ik lag in mijn bed op Rainbow's End, en voelde de vertrouwde knopen in mijn maag wanneer de honden blaften. Ik wist alleen zeker dat angst, hevige adrenalinestoten en de warme gloed van de strijd voor iets wat ik als een rechtvaardige zaak beschouwde, zo lang continu aanwezig waren geweest in mijn leven, dat ik die gevoelens miste – ernaar smachtte – toen ze weg waren.

De oorlog had alles en iedereen bij elkaar gehouden. De oorlog had evenveel huwelijken in stand gehouden als vernietigd. De stellen die het grootste deel van de afgelopen tien jaar bezig waren geweest met overleven, beseften plotseling dat die overlevingsdrang het enige was wat ze gemeen hadden. Mannen die onverdraaglijke dingen hadden meegemaakt, dronken te veel. Anderen ontdekten dat ze hun hele bestaansrecht hadden verloren; ze wisten niet langer wie ze waren. Vrouwen moesten eraan wennen dat hun man, die ze vroeger haast nooit zagen, weer door het huis liep, zich met het huishouden bemoeide en probeerde zijn macht terug te grissen. Ik was één van de weinige kinderen uit de klas zonder gescheiden ouders, hoewel ze beslist niet harmonieus getrouwd waren.

Mijn vader was de meest laconieke van allemaal over het eind van de oorlog. Hij was een beetje teleurgesteld dat het zo was afgelopen en dat we het land toch niet gingen regeren, maar hij was voornamelijk opgelucht dat hij niet meer hoefde te vechten.

'*Ag*, het stond van meet af aan vast dat we zouden verliezen,' zei hij berustend.

De 'Rhodies', zoals de blanken werden genoemd, waren zo gewend zich aan te passen, sancties te overleven door handel op de zwarte markt, 'een plan te verzinnen', dat ze zich gewoon opnieuw aanpasten. Ze aanvaardden, soms morrend, soms schouderophalend, de nieuwe zwarte regering en de veranderingen die zich voltrokken – de nieuwe plaatsnamen en het recht voor Afrikanen om zich in alle gebieden te vestigen – en als ze het niet aanvaardden, gebruikten ze humor om het te verwerken. Ze maakten 'bananenrepubliek'-grapjes over onze nieuwe president, Canaan Banana. Andere dingen waren moeilijker te slikken, zoals het recht op gemengde huwelijken. Die dingen werden voorlopig genegeerd of met medelijden bekeken.

Toen ze ontdekten dat ze konden blijven leven zoals vroeger, wijdden de Rhodies zich weer aan drankzuchtige boottochten op de Zambezi en het Kariba-meer, met spartelende zilveren tijgervissen en schitterende rode zonsondergangen, die werden geparodieerd in duizend afschuwelijke schilderijen. Ze schoten op olifanten,

visten met vliegen in Inyanga, vulden hun bierbuiken met Castle-
bier en dikke biefstukken en vermaakten zich broederlijk in naar
sekse gescheiden groepen op hartelijke, gastvrije braais. Ze vervin-
gen hun 'Rhodesië is super'-t-shirts door 'Zimbabwe' baseballpet-
jes; het land werd opnieuw een zonnig paradijs. Je zag nu meer
zwarte dan blanke gezichten in restaurants, op golfbanen en in va-
kantieoorden. Het paradijs was mooier dan vroeger omdat zij ook
mochten meedoen – hoewel er natuurlijk een groep Rhodies bleef
praten over floppies en kaffers, die wilden dat we de oorlog hadden
gewonnen.

Wij hadden ons eigen paradijs op Rainbow's End – het enige
probleem was dat mijn moeder uit het paradijs was verdreven. Ze
had de hele onafhankelijkheid gemist, toen ze eind april uit het
vliegtuig uit Australië stapte met armenvol 'I Love Australia'-t-
shirts en koalabeertjes. Mijn vader wilde niet weg uit Afrika, maar
wel bij haar. Mijn moeder verhuisde naar oom James in de stad die
nu Harare heette, en probeerde mijn vader tot rede te brengen. Ze
vond werk bij een bedrijf dat bouwmaterialen leverde voor nieuwe
dorpen, die door de regering werden gebouwd voor mensen die
door de oorlog uit hun huis waren verdreven. Lisa ging naar een
school in de straat waar James woonde.

Ons paradijs bestond dus eigenlijk niet.

Maar ik koos ervoor dat niet zo te zien. Ik geloofde dat elke sto-
ring in ons geluk tijdelijk was. Mijn vader en moeder hadden altijd
geruzied en het weer goed gemaakt. Mijn moeder was altijd in het
buitenland om andere dingen te doen en wij waren altijd gescheiden geweest, en de fundamenten onder mijn bestaan – Morning
Star, die bijna anderhalf was, met een glanzende gebogen hals en
een hele bos zwarte manen, mijn verkenningstochten in het wildreservaat met Jenny, mijn lange zondagse ritten met mijn vader – waren nog steeds hetzelfde.

Misschien kon mijn moeder dat zien. Vlak voor ze de plantage
verliet zei ze plotseling tegen me, terwijl ik op haar donzen dekbed
lag: 'Jij zit nergens mee, hè?'

Ik grijnsde loom. 'Nee,' mompelde ik. Pas veel later, toen ik de vraag opnieuw afspeelde in mijn hoofd, voelde ik een steek in mijn borst, een addertje onder het gras. Ik besefte dat die woorden een waarschuwing bevatten. Ik kreeg een voorgevoel.

2

In Afrika is het paradijs eindig. Afrika behoort niet toe aan de buitenstaanders, zoals Karen Blixen, Beryl Markham, Rian Malan en Kuki Gallman ontdekten. Afrika behoort niet toe aan de mensen die er al eeuwen wonen, zelfs niet aan de mensen die er het meest van houden. Het verleden houdt Afrika in een wurggreep. De onveranderlijke overlevingswetten van dood en verrijzenis volgen een kringloop die geen rekening houdt met de geïnvesteerde emotie of het vergoten bloed.

Ik herinner me de dag dat er een einde kwam aan het paradijs zoals ik het kende. In mei 1980 kwam mijn vader naar het huis van James. Het grasveld was geel en verdroogd door de winterzon, er lagen katten te zonnen tussen de stenen en aloë's, er dreven bijen in het vogelbad, en er stond een vospaard op het stuk grond bij de kaya. Ik zie mijn vader voor me; hij staat bij het zwembad in zijn stadskleren. Ik dacht: die passen niet bij hem. In die kleren leek hij een vreemde. Los van het platteland, de natuur, leek hij altijd minder dan de som der delen. Zijn buik was te dik, zijn haar te netjes, zijn handen zaten onbeholpen in zijn zakken geprept; ze trilden zelfs een beetje terwijl hij een flakkerende lucifer afschermde tegen de wind.

Hij bleef vijf minuten. Ik vloog in zijn armen, omhelsde hem en riep: 'Hoe gaat het op de plantage, pap? Hoe gaat het met mijn baby's?' Hij antwoordde: 'Nee, vriendin, alles gaat prima.' Toen liep mijn moeder het huis uit naar hem toe. Ze zag eruit als een zieke, ze gaapte, ze droeg geen make-up en had haar nachthemd en kimono nog aan.

Ik was woedend omdat ze geen moeite deed. Hoe kon ze hopen

hem terug te krijgen als ze er zo uitzag? Mijn vader dacht er duidelijk ook zo over, want hij vertrok, na een korte ruzie. Ik rende achter hem aan naar zijn vrachtauto, de paniek brandde in mijn borst. Ik smeekte hem te blijven maar hij schudde me van zich af en zei kortaf: 'Praat maar met je moeder.'

In huis liet mijn moeder een bad vollopen. De lichtgevende stroom jadekleurig water maakte spiegelbal-lichtpatronen op het plafond en het oude emaillen bad.

Ik viel binnen toen ze op het punt stond zich uit te kleden. 'Wat is er met je aan de hand?' riep ik. 'Waarom doe je altijd zo afschuwelijk tegen hem? Hij doet zo zijn best voor je, maar je duwt hem altijd weg. Je bekritiseert hem en je bent gemeen tegen hem, nu is hij weg en het is jouw schuld. Ik wou hem zien. Ik wou even bij hem zijn.'

Mijn moeder zei kil: 'Als je de waarheid wist, zou je nooit meer met hem praten.'

Ik hield mijn adem in, snoof en zei langzaam: 'Hoe bedoel je?' Terwijl ik die vraag stelde, wist ik zo zeker als nooit tevoren, dat ik het antwoord niet behoorde te weten.

Ik ging op de rand van het bad zitten.

De rand van een afgrond.

Het geruis van de kraan stopte. In de plotselinge stilte hoorde ik het metronoomachtige getik van de laatste druppels, alsof er werd afgeteld voor een executie. Mijn executie.

Toen werden één voor één de bouwstenen onder mijn leven weggehaald.

De keer daarna dat ik mijn vader zag, stond hij op een grote afstand. In de tussentijd waren allerlei willekeurige gebeurtenissen uit mijn leven in een nieuw grimmig daglicht komen te staan. Ze doemden op uit mijn geheugen als moordenaars uit de mist. Nog pas gisteren schoof ik de gele gordijnen opzij in het huis met de twee verdiepingen. Ik zag mijn vader met beukende vuisten in en uit de schaduw tollen en zichzelf beschermen tegen de ongeoefende stompen van een man in een kantoorpak. Ironisch genoeg had ik in dat huis urenlang meegezongen met Tammy Wynette's 'D-I-V-O-R-C-E', en 'I Don't Wanna Play House', zonder de woorden te begrijpen. Ik begreep die ondraaglijke droefheid zoals een kind doet: 'Ik en kleine Joe gaan bij je weg...'

Dat was slechts één van de duizend herinneringen die ik nauwkeurig moest onderzoeken. Blikken, lachjes, ruzies, onverklaarde periodes van afwezigheid, verdachte telefoontjes en lieve woordjes. Wat was echt en wat niet? Al onze verhuizingen verloren hun onschuld. In plaats daarvan werden het zinloze – zelfs zielige – pogingen met een schone lei te beginnen.

Zodra hij wist dat ik het wist, overstelpte mijn vader me met theorieën en uitvluchten. Het kwam door het leger, de oorlog, de familievakantie waarop mijn moeder en Lisa zonder ons naar Engeland waren gegaan. Hij had al die tijd geweten dat je nooit boven je stand moest trouwen. Er was helemaal geen standsverschil, maar mijn vader kwam uit een onvervalst arbeidersmilieu en mijn moeder was 'gecultiveerd' en hield van mooie dingen. Hij had haar op een voetstuk gezet in de overtuiging dat er een standsverschil was. Dat kwetste me het meest; ik wist dat hij het oprecht geloofde. Ik haatte hem omdat hij het hardop zei; omdat hij dacht dat zoiets onbelangrijks en subjectiefs als een standsverschil ooit tussen een gezin kon komen, terwijl we van elkaar hielden.

Waar ik ooit kracht had gezien, zag ik nu een enorme zwakte. Hij verhief zijn stem in zijn schuldbewuste woede, maar zijn stem trilde; zijn protestkreten klonken hol en hij verdedigde zichzelf voor iets wat onvergeeflijk was.

Mijn moeder was weg en Lisa was te jong om iets te begrijpen (hoewel ik haar in mijn bittere ellende op een avond probeerde uit te leggen wat er was). Ik was alleen met mijn woede en mijn onbetrouwbare herinneringen. Aan tafel kreeg ik geen hap door mijn keel. Ik zag mijn vader door een waas van verraad. Ik voelde dat ik aan zijn genade was overgeleverd, net als toen ik bij Shamrock op de stroom naar hem toe was gedreven. Dit keer voerde de stroom me mee; ik dreef van hem weg en verdween, stroomafwaarts, en hij keek uit de verte toe.

Toen ging mijn moeder naar hem terug, en dat voelde als een dubbel verraad.

Er brak een periode aan waarin we allemaal deden alsof alles gewoon was. Er was een natuurramp gebeurd die ons beslist had beschadigd. Die ramp stond echter los van ons, zoals een orkaan die je ziet vanuit een rijdende trein.

Aan het eind van juli keerde mijn moeder terug naar Rainbow's End. Haar beeld van Rainbow's End was nog idyllischer dan vroeger. Ze begon dat beeld vorm te geven. Ze zette de plantagebouwvakkers aan het werk. Ze braken de carport af, die mijn moeder altijd foeilelijk had gevonden, afgezien van de koraalkleurige klimplant die eroverheen groeide. Ze maakten een aanbouw aan het huis: een grote lichte slaapkamer voor mijn vader en haar. Lisa kreeg de beide slaapkamers achter in het huis en voor mij bouwden ze een piepklein kamertje boven de hal. Het was een nauwe ruimte; het rieten dak was zo laag dat ik de balken met mijn vingertoppen kon aanraken als ik rechtop in bed zat. Ik had een buitentrap; in huis was geen plaats voor een trap.

In mijn nieuwe kamer zat ik tussen de takken van de msasaboom, ter hoogte van de vogels. Vanuit mijn bed zag ik 's morgens vroeg de vermiljoenkleurige bal van de zon rijzen boven de in mistflarden gehulde bomen aan de rivier. Ik zag Star als een zwarte flits door een regen van mauve palissanderbloesems galopperen, of ik lag op mijn rug en snoof de geur op van het rieten dak, dat leek op de geur van de wildernis. 's Avonds zat ik op de hoogste traptree buiten mijn deur en keek door de amberkleurige heiige zonsondergang naar Jenny en de impala's die zich verzamelden bij de waterpoel.

In deze kamer begonnen mijn dromen pas goed. Ik schreef liedjes om te ontsnappen aan het heden en als ontsnappingsmogelijkheid voor de toekomst. Hoe eerder ik een zangeres of een beroemde ruiter werd, hoe sneller ik kon ontsnappen. Hoe eerder ik bevrijd zou zijn van grote mensen met hun geheimen, leugens, dwaalsporen en verborgen agenda's. Vrij van alles. Vrij.

En dus schreef ik liedjes met titels als 'Instorten' en 'Het spel is uit'. Sommige liedjes waren vol tienerangst; sommige gingen over dingen waar ik niets vanaf wist.

We kunnen elk moment worden ontdekt
Als het daglicht onze dekens oplicht
Aan de kaak gesteld door de maatschappij
De ongeschreven wetten hoe het hoort
Zullen jou en mij beschuldigen

De rust in mijn kamer, mijn nieuwe toevluchtsoord, werd één keer verstoord. Ik lag op een lome middag op mijn bed te lezen. Kim lag naast me te doezelen. Plotseling sperde hij zijn blauwe ogen wijd open; hij sprong op, siste en blies tegen de lege muur tegenover ons. Zijn roomkleurige Siamese vacht stond recht overeind als een flessenborstel. Gedurende enkele seconden stond hij woedend te blazen tegen het niets en toen sprong hij van het bed en vloog de deur uit.

Ik vloog achter hem aan. Misschien waren de spoken op Rainbow's End gelukkig, maar ik wilde ze beslist niet tegenkomen.

In deze periode bracht ik uren door in mijn moeders slaapkamer, waar ze hof hield. Mijn moeder lag een groot deel van haar leven in bed, zoals sommige gezinnen altijd aan de keukentafel zitten, omdat ze herstelde van een ziekte of een jetlag, of omdat het bed zo vol lag met stapels kranten, kunstboeken en wereldkaarten, dat het onpraktisch was om ze te verplaatsen. Maar nu werd het haar heiligdom; haar schuilplaats voor de wereld. Ze had behoefte aan gezelschap, ik kende haar geheim, en Lisa op haar vijfde was te klein om haar geheim te kennen. Daarom werd ik in haar slaapkamer ontboden. Merina werd er gek van als ze bij ons logeerde. Ze staarde urenlang naar de grijze merrie met het kastanjebruine veulen boven de haard, zonder te begrijpen wat ik deed en waarom ze niet mee mocht doen.

Lisa ging naar het derde onderwijskundige niveau van de eerste klas op de kleuterschool in Chegutu (voorheen Hartley), waar Mr Clark nog altijd zijn schrikbewind uitoefende. Soms nam ik haar kwalijk dat ze niet in staat was te begrijpen hoe subtiel grote mensen elkaar konden martelen. Ze was nog te klein om door mijn moeder in vertrouwen te worden genomen, en mijn zware last te delen. Op één van die dagen vertelde ik haar dat de kerstman, de paashaas en de elfjes niet bestonden. Ze antwoordde dat ik 'haar kinderdromen kapotmaakte'. Haar enige bijdrage aan het jaarboek van de kleuterklas in Chegutu uit 1980 was: 'Mijn zus haat me.'

Dat was ontnuchterend. Vanaf dat moment deed ik grote moeite haar te laten merken dat ik van haar hield, en te zorgen dat ze ook van mij hield. Op tekenles maakte ik twee prentenboeken voor haar, met raampjes die je kon openklappen waarachter schattige diertjes tevoorschijn kwamen, en tekeningen van lachende familieleden. Op haar verjaardag had Lisa een microscoop gekregen. Ze raakte geïnteresseerd in de natuur en de wetenschap. Ze verzamelde allerlei vieze dingen uit de tuin. Ik hielp haar die dingen te pletten tussen twee objectglaasjes om ze te onderzoeken. We verzamelden zebrabotten die op een stapel naast de oude mijnschacht lagen en ze nam ze mee naar school voor een natuurproject. Er hingen steeds meer dolfijnenposters en 'Red de Walvis'-stickers in haar kamer.

Maar ze was vaak alleen, net als ik. Nu de oorlog voorbij was, was de scheiding tussen ons vieren nog uitgesprokener, want er was geen reden toe. 's Avonds en 's zondags waren we nog steeds bij elkaar. Mijn vader en moeder deden vastberaden hun best. We lachten veel en mijn vader en moeder deden overdreven lief tegen elkaar, op een weeë, ingetogen manier. Zoals veel Zimbabwaanse mannen was mijn vader ouderwets preuts. Mijn moeder kon geen ergere misdaad begaan dan een blote jurk aantrekken als ze deur uitging. Zijn lijst met regels was eindeloos. Geen korte jurken, geen strakke jurken, geen decolletés, geen grote armsgaten. Ze mocht jarenlang geen nagellak dragen; dat was iets voor hoeren. Dezelfde restricties golden voor seks in boeken of films. Toen ik dertien was, mocht ik met pijn en moeite Wilbur Smith lezen. Als een paartje op de televisie meer deed dan elkaars handen vasthouden, ging de tv uit of ik werd naar bed gestuurd.

Mijn vader en ik gingen elkaar uit de weg. We waren behoedzaam en onoprecht. We reden weinig, en als we reden vielen er lange stiltes. Er was iets gebroken en we wisten allebei dat het mis-

schien nooit meer gelijmd zou kunnen worden. Om de stemming
op te vrolijken plaagde hij me, vooral over gevoelige onderwerpen,
zoals Star, die hij een 'ezel' noemde. Als ik gekwetst was of de grap
niet begreep, was hij veel opvliegender dan vroeger, en achteraf had
hij veel meer spijt.

Mijn vader en moeder besloten weer eens dat de kreukels in ons
bestaan als bij toverslag gladgestreken konden worden als we naar
Australië verhuisden. Mijn vader solliciteerde, mijn moeder regelde
immigratiepapieren en oriënteerde zich op de huizenmarkt in
Queensland. Het liet me koud. De laatste tijd veranderden ze zó
vaak van gedachten dat ik het niet de moeite waard vond me erin te
verdiepen. Ik las boeken in de wieg van de moerbeiboom en probeerde zo weinig mogelijk na te denken. Tijdens haar afwezigheid
was mijn moeder gewogen en te licht bevonden door de kliekjes in
de Hartley Club. In dergelijke situaties kreeg de man altijd het voordeel van de twijfel. De vrouwen hadden hem op het slechte pad gebracht; vrouwen waren sletten; zijn eigen vrouw verzaakte haar
plicht. Toen een planter een affaire kreeg en zijn huwelijk opdoekte
voor zijn jonge blonde minnares, werd zijn vrouw veroordeeld omdat ze 'godsdienstwaanzinnig' was geworden. Ze zat altijd in de
kerk. Wat kon ze anders verwachten? Twee beruchte pedofielen waren geen kinderlokkers, maar 'mannen die iets geks hadden met
jonge meisjes'.

Mijn moeder die zich schaamteloos had 'opgetut' en bij de mannen aan de bar was gaan zitten, die jaar in jaar uit zonder zich te verontschuldigen haar man en kinderen had achtergelaten om wereld-
reizen te maken, moest onder ogen zien dat de gelederen zich
geleidelijk sloten.

Na het incident met de indringer was ze veel cynischer geworden.
Terwijl ze vroeger altijd een kinderlijk vertrouwen had gehad in de
menselijke goedheid, en alles had genomen zoals het kwam, oor-
deelde ze nu even hard over die vrouwen als zij over haar.

Over een vrouw die bij haar rijke maar mishandelende man
bleef, zei ze: 'Dat noem je baatzuchtige liefde.' Over een ander zei ze:
'Ze is met een levensstijl getrouwd, liefje.'

Maar diep in haar hart was mijn moeder een onverbeterlijke optimist, vooral als ze geld kon verdienen en reizen. Het bedrijf waarvoor ze aan het begin van dat jaar had gewerkt bood haar een contract aan om gras te leveren voor dakbedekking. Ze vergaf en vergat alles en benaderde elke plantersfamilie die we kenden voor gedroogd gras. Een paar maanden lang werkte ze met een woeste energie als een hamster in een wiel. Na jarenlange pogingen had ze een lot uit de loterij te pakken.

Maar ze kon geen gezondheid kopen. Zodra ze aan het contract had voldaan lag ze weer in het ziekenhuis voor een nieuwe operatie.

Om haar herstel, het succes van haar grasonderneming en de hereniging van ons gezin te vieren maakten we een reis door Zimbabwe. Dit was mijn eerste reis door Zimbabwe sinds we op mijn vierde en vijfde een paar keer naar Inyanga waren geweest. We waren wel naar het strand in Zuid-Afrika geweest, en mijn vader en moeder gingen dikwijls zonder ons naar Kariba en andere plaatsen. Mijn vader had de pest aan vakanties en kon zich nooit echt ontspannen, maar hij deed zijn best.

In de uitgestrekte wildernis van Hwange (vroeger Wankie) National Park ervoer ik de diepe spirituele stilte van de natuur die met rust wordt gelaten. Die stilte was een balsem voor mijn ziel. Overdag gingen we erop uit in open Landrovers. We waren diep onder de indruk van de gouden flanken vol littekens en moordlustige blikken van de heerszuchtige leeuwen; de oeroude silhouetten van de apenbroodbomen met hun kantachtige hoofdtooi van bladeren; de vertraagde vlucht van grote kudden giraffes. De olifanten met hun grijze flapperende oren deden een schijnaanval; hun poten deden het stof omhoogwervelen.

's Nachts werd het ene sterrenbeeld verdrongen door het andere; de sterren waren lukraak over de hemel verspreid. Ze stonden zó dicht op elkaar; het leek alsof er een engel was gestruikeld terwijl zij ze 's avonds aan de hemel zette, en tien keer zoveel sterren had gemorst als anders. Ik lag op het gras buiten de safarihut en keek omhoog naar de sterren. Het was alsof ik in een zee van diamanten viel, in de rode gloed van Mars. De paranoïde kreten van de hyena's en het moordzuchtige gegrom van de leeuwen klonken als spookachtige filmmuziek.

Bij de Victoriawatervallen zochten we in de mist van het regenwoud beschutting voor de vochtige, plakkerige hitte. We snoven de geur op van het vochtige hout en lachten om de capriolen van de ondeugende aapjes die boven ons hoofd slingerden. Tot afgrijzen van mijn moeder stonden Lisa en ik in het natte groene gras aan de uiterste rand van de afgrond, gebiologeerd door het waterwonder dat door het Makalolo-volk de *Mosi-o-Tunya* wordt genoemd 'de rook die dondert'. De krachtige nevel van het water was even zoet en doordrenkend als regen. De witte, neerstortende muren water waren zeer indrukwekkend; het geluid donderde tegen je trommelvliezen. Het leek alsof je elk moment over de zwarte granieten kliffen kon worden getrokken om in de maalstroom te worden meegezogen. Een kromme regenboog, verlicht als door een goddelijk licht, was gespannen over het hele schouwspel. We keken omlaag in de kokende pot, waar de stroomversnellingen van de Zambezi en de getijdenneerslag van de schuimende overvloed van de watervallen elkaar ontmoetten in een dodelijke draaikolk. Mijn moeder beweerde dat een verre oudoom, oom Bernie, in de kokende pot was gevallen. Hij stond bekend als de enige persoon die het had overleefd.

Daarna liepen we over het steile pad naar het Victoria Falls-hotel. Onderweg verzamelden we rode, fluweelachtige regenspinnen (hemelse wezens die geen enkele gelijkenis vertoonden met echte spinnen). We stonden op het grasveld voor de trappen en majestueuze witte pilaren van een van de schitterendste gebouwen uit de koloniale tijd, en keken naar de wrattenzwijntjes die op hun knieën zaten te grazen en de bavianen die aan mango's lebberden en elkaar treiterden. Het uitzicht was nauwelijks veranderd sinds de tijd van Livingstone. Een zweem van een regenboog en een streep mist die opsteeg als de rook van een rebellenkamp uit een opengehakt stuk in de dichtbeboste vallei was het enige wat duidde op de nabijheid van de watervallen. Aan het eind van het pijnlijk keurig onderhouden grasveld stond een spierwitte vlaggenmast, die het tafereel in tweeën sneed. Een jaar geleden wapperde de groenwitte vlag hier fier. Nu wapperden hier de kleuren van het land dat wij hadden verraden, en dat ons had verraden.

Nauwelijks hadden we onze koffers uitgepakt op Rainbow's End, of mijn moeder boekte een rond-de-wereld-ticket en verdween voor drie maanden. Terwijl ze weg was kreeg ik buikgriep. Ik zei niets tegen mijn vader omdat ik zijn mening over dokters deelde. Ik was zo kwaad op hem; het laatste wat ik wilde was zijn hulp of goede raad. Maar toen ik om drie uur 's nachts geelbleek uit de badkamer strompelde, ontdekte ik dat hij op me zat te wachten. De rook van zijn Madison steeg in sierlijke krullen op.

'Je bent erg ziek, lieve schat,' zei hij alleen.

Hij sleepte me onder protest naar een Poolse dokter, de opvolger van dokter Bouwer, een norse man wiens geruststellende bejegening van zieken voorgoed was verdwenen in het Oostblok. Hij stak een lange naald in mijn rechterbil. De schok voor mijn zenuwstelsel was zó groot dat ik voorover flauwviel, toen ik zijn spreekkamer uitliep.

En mijn vader, die ik niet langer vertrouwde, ving me op.

3

In het eerste weekend van augustus zaten Merina en ik gek van verveling in Delano. Onze ouders konden ons dat weekend niet gebruiken. Mijn moeder was nog maar net teruggekeerd naar mijn vader en moest orde op zaken stellen. De huishoudsters waren op zoek naar vrijwilligers om naar Samora Machel te zwaaien, de president van Mozambique die op staatsbezoek was in Zimbabwe. Dit was een kans om het schoolterrein te verlaten en jongens te ontmoeten, dus we stonden in de voorste gelederen. We trokken ons schooluniform aan en zetten een 'deuker' op, een hartgrondig gehate stijve platte strohoed die we hadden fijngeknepen tot hij even zacht was als een stetson. We renden de school uit naar de wachtende bussen.

Pas toen ze ons in de buurt van Mugabes residentie aan de kant van de weg hadden afgezet, beseften we dat we een kolossale beoordelingsfout hadden gemaakt. De kostschool was saai, maar dit was duizend keer erger. We hadden geen geld, er was geen winkel te bekennen en niemand wist hoelang we hier moesten blijven staan. Uit andere bussen stroomden mensen in feestelijke, voornamelijk zwarte rijen in beide richtingen over de stoep, zover het oog reikte. Hun zwarte gezichten schemerden als inktachtige luchtspiegelingen in de hitte.

Naarmate de zon steeg begonnen de vijf of zes blanke meisjes te verbranden. We hadden honger en dorst en wierpen jaloerse blikken op de dertig Afrikaanse meisjes wier huid ongevoelig was voor de meedogenloze stralen, en die er wél aan hadden gedacht geld mee te nemen. Lachend troepten ze samen rond het blauwwitte ijscokarretje van de ijsverkoper. Gulzig dronken ze sinaasappelsap en

243

aten ijslolly's met fruitsmaak en Choc 99-ijshoorntjes, en likten chocolade van hun rood-chocolade lippen. Mijn bloedsuikerspiegel kelderde; ik voelde me zwak en krachteloos. Het schoot door mijn hoofd dat ik al die tijd gelijk had gehad: ze wáren sterker dan wij, en slimmer in alle opzichten.

Ik voelde me niet verbonden met mijn land, verre van dat; ik voelde me een vreemdeling.

Toen ze waren verzadigd, wendden ze zich tot ons. Ze dreven ons een voor een in een hoek en sloten ons in, als bijen die verwelkende bloemen verzwelgen. Ze drukten hun voluptueuze, warme lichaam tegen ons aan. Als we terugdeinsden vroegen ze: 'Wat heb je? Vind je een zwarte huid niet mooi?'

We probeerden te zeggen dat we een zwarte huid juist heel mooi vonden, we waren alleen warm en moe. We wilden niet tegen andere mensen aangedrukt staan. Opgehitst door een agressief, zelfverzekerd meisje dat Pleasant heette, scholden ze ons uit voor racisten en bleekscheten. Ze duwden ons, stootten ons aan, trokken aan ons haar en gedroegen zich als overwinnaars van een gevecht. We konden geen rechten doen gelden. We konden er niet eens boven staan.

Het duurde uren voordat Samora Machel arriveerde in zijn kogelvrije limousine, geflankeerd door een bereden lijfwacht. De menigte juichte en slaakte vreugdekreten. Daarna duurde het nog minstens een uur voordat we werden opgehaald. Het was laat in de middag, we hadden zeven of acht uur zonder eten of water gezeten; ik was duizelig en had hoofdpijn en mijn borst was verkrampt door de spanning.

We liepen door het hek van de kostschool. Ik hoorde dat Pleasant, die in een groep meisjes achter me liep, nog een belediging naar ons hoofd slingerde. Toen verloor ik mijn zelfbeheersing. Ik draaide me bliksemsnel om en riep: 'Sodemieter verdomme op!'

Ik zag niet dat ze naar me toe liep. Ik was me alleen bewust van een donkere vlek en een explosie van pijn in mijn hoofd. Daarna werd ik tegen het hek geduwd, het prikkeldraad sneed in mijn wang en mijn mond en ik proefde de metaalsmaak van bloed. Pleasant schreeuwde iets wat ik niet hoorde of begreep. Zelfs toen ik me omdraaide om haar aan te kijken beukten haar woorden op me los. Ze hief haar gebalde vuisten, haar ogen waren dierlijk wild. Mijn ziel kromp in elkaar onder haar woede. Ik wilde op geen enkele manier wraak nemen, verbaal noch fysiek. Ze liet haar armen zakken, lachte vol minachting en liep schaterend weg met haar vriendinnen, met de armen om elkaar heen.

Toen ze weg was snikte ik van woede. Hoewel ik haar haatte, kon ik het haar niet kwalijk nemen.

Ik vond het moeilijk om mijn ouders te vertellen, toen ik naar huis belde, dat ik gevloekt had.

'Wát zei je?'

Mijn vader zei nooit iets krachtigers dan 'verdomme' en ik hoorde de teleurstelling in zijn stem.

'Ik zei dat ze moest opsodemieteren.'

Op advies van de directrice kwam mijn moeder me halen zodat ik thuis kon herstellen. Het duurde toch nog maar een paar dagen tot het eind van het semester. Na één blik op mijn kapotgeslagen lip, blauwe oog en paarse, gezwollen gezicht besloot ze een aanklacht in te dienen, maar Miss Robinson en ik overreedden haar dat niet te doen. De terugreis naar Rainbow's End was lang en onaangenaam. Mijn moeder irriteerde me met haar gezeur over mijn vernielde gezicht en eventuele littekens. Ze zanikte aan één stuk door hoe erg ze het vond en wat een gemeen, afschuwelijk kind die Pleasant was, terwijl ik met nietsziende ogen naar het citroengele licht staarde dat de groene landerijen van de plantages deed schitteren. Toen we aankwamen riepen Maud, Gatsi en Medicine 'Oooh!' en 'Aaah!' over mijn wonden. Ik liet mijn moeder vertellen dat een afschuwelijk meisje dit had gedaan – hoewel ze natuurlijk niet zei dat het meisje zwart was en hoe het was gegaan.

De dagen daarop keek ik vanuit mijn masker van paarse plekken naar mijn vader die met de opgewektheid der rechtvaardigen zijn werk deed en naar Gatsi die glimlachend en enthousiast het gras maaide, en concludeerde dat mijn hele leven één grote leugen was. Ik was politiek gehersenspoeld, ik was blind in bijna alle opzichten,

en ik moest alles opnieuw leren begrijpen vanuit een andere ge-
zichtshoek.

Wanneer je ogen met geweld worden opengerukt, krijg je ze op geen
enkele manier weer dicht, dat is de moeilijkheid. Ik voelde me weggerukt uit een gelukkige droom, een mooie illusie. De grond onder
mijn voeten was verdwenen. Ik maakte de balans op van mijn leven,
en wat ik zag beviel me niet. Ik had altijd lopen dromen, van de wereld afgeschermd door mijn vriendinnen en mijn leven op Rainbow's End. Ik had in een mist geleefd. Ik had niet gezien wat er in
mijn eigen huis gebeurde. Ik had mijn hele leven naast of in dichte
nabijheid van Afrikanen gewoond en toch leidden we volkomen gescheiden levens. Wat wist ik over hen of hun moeilijkheden, afgezien van een lijst generalisaties?

Ik kende de gebruiken die ze met me hadden gedeeld, en die ik op
school had geleerd. Ik wist hoe hun huid aanvoelde – soms ruw en
koel, soms boterachtig en heet. Ik kende de geur van hun zeep en
hun zweet. Ik wist hoe hun geschreeuwde roddelpraatjes klonken
en kende hun verschrikte keelklanken en het soms dreigende gerof-
fel van hun trommels in de kraal. Ik kende de zuivere papsmaak van
sadza, en wist dat ze vliegende mieren vingen en roosterden. Ik wist
alles over de voordelen van uit leem en mest vervaardigde hutten,
en de nadelen van zwerflandbouw. Ik kende het principe van de lobola (de bruidsschat). Ik had delen van hun taal overgenomen
(koeien waren '*mombies*' en medicijn '*muti*'). Ik had ze geïmiteerd
en grapjes gemaakt over hun manier van praten: 'Het is niet mijn
fout! Ik ben niet diegene!' Ik kende alle stemmingen en gezichtsuit-
drukkingen van Maud; ik wist hoe ik haar aan het lachen moest
maken.

Maar ik kende hen niet echt. Maud had me te eten gegeven, mijn
kleren gestreken, mijn driftbuien doorstaan, me op mijn donder
gegeven, me getroost en haar hoofd geschud over Lisa's krengigheid
en mijn ouders' ruzies. Ze had mijn kinderjaren tot in alle nuances
meegemaakt. Maar ik had nog nooit bij Maud in haar kaya gegeten.
Ik wist niets over haar kindertijd in Malawi, hoe ze haar man had

ontmoet en hoe ze het vond om maandenlang zonder haar kinderen te leven wanneer ze in de Tribal Trust Lands vertoefden. Ik wist niet of er familieleden van Gatsi, en zo ja hoeveel, tijdens de oorlog in 'beschermde dorpen' hadden gewoond, waar ze werden opgesloten tijdens de avondklok (zogenaamd in hun eigen belang). Het systeem had ervoor gezorgd dat we gescheiden levens leidden. Of misschien ook niet. Misschien had ik er gewoon voor gekozen bepaalde dingen niet te zien.

Door de jaren heen had ik over de grens naar de Zuid-Afrikanen gekeken. Ik beschouwde hen als racisten; zij hadden rassendiscriminatie een eervolle plaats gegeven in hun grondwet; zij hadden aparte en dikwijls smerige wc's voor zwarte mensen; hun politieagenten droegen een *sjambok*, een zweep van rinoceroshuid waarmee ze opstandelingen afranselden in helse zwarte stadsdelen als Soweto; zij praatten over Afrikanen als 'zwarten', alsof het een ziekte was. Ik dacht altijd dat wij, Rhodesiërs, anders waren. Onze politieagenten waren beleefde aardige mensen die leefden volgens de wet. Ze sloegen alleen als de mensen het echt verdienden, met een smalle houten knuppel. Ik had het krachtige citaat gelezen in mijn moeders folder ('U en Uw toekomst in Rhodesië') van het Rhodesische Front (de partij van Ian Smith): 'HET RHODESISCHE FRONT IS DE ENIGE PARTIJ DIE HET HEIL VAN ALLE RASSEN GARANDEERT IN ONS EIGEN LAND, RHODESIË', en ik had het allemaal voor zoete koek geslikt.

Ik had *Roots* gelezen en ik had gehuild om het lot van Kunta Kinta en de onmenselijke behandeling van slaven. Ik had even heftig gereageerd op het lot van de joden in *Exodus*, de bestseller van Leon Uris over het ontstaan van Israël. Ik voelde een fysieke pijn in mijn keel bij de gedachte dat mensen vervolgd, gemarteld en vermoord werden op grond van hun ras of religie. Ik verdrong de stukken in *Roots* over de behandeling van plantagearbeiders of huispersoneel. Grootmoeders en oude mannen werden 'meisje' of 'jongen' genoemd. Dat was griezelig dicht bij huis. Ik wilde niet toegeven dat er overeenkomsten waren.

Ik wendde mijn gezicht altijd vol schaamte af als ik zag dat blanke planters zonder enige reden zwarte mannen aanhielden die over hun land liepen of nietsvermoedend op hun fiets over de stripweg reden – vaak kromgebogen mannen met sneeuwwit haar, die geen terroristen konden zijn – en agressief eisten hun *stoepa's* te zien, hun identiteitspapieren. Ik had geprobeerd niet te horen hoe ze stotterend van angst antwoordden. Ik wilde niet zien hoe ze met trillende handen hun zweterige, verkreukelde papieren aanreikten. Ik had me zelfs nooit afgevraagd waarom de Afrikanen identiteits-papieren hadden en wij niet, en waarom zij ze moesten tonen alsof wij de Gestapo waren.

Ik kreeg altijd een ongemakkelijk gevoel wanneer ik de keuken binnenkwam aan het eind van lange, vrolijke diners, en Madala aantrof, die al lang klaar was met zijn werk, en uitgeblust van ver-moeidheid bij het aanrecht stond te wachten tot hij verlof kreeg om naar huis te gaan. Ik verdrong dat gevoel altijd. Ik had zonder meer geaccepteerd dat de arbeiders op de plantage een latrine hadden in plaats van een wc met een spoelbak. Ik had de Afrikanen munten genoemd (hoewel niet recht in hun gezicht) terwijl ik eigenlijk wel wist dat ze die term neerbuigend of beledigend vonden. Ik had me nooit afgevraagd waarom de Tribal Trust Lands, de stukken land die als reservaat aan de Afrikanen waren toegewezen, meestal in de droogste en minst vruchtbare gebieden van het land lagen. Tot de scholen waren geïntegreerd vond ik het volkomen normaal dat er geen zwarten bij ons op school zaten. Ik was er zelfs blij om. Ik had er nooit bij stilgestaan, ik had alleen vaag gedacht dat ze te arm wa-ren om die scholen te bezoeken. Nu begreep ik waarom ik deze din-gen had geaccepteerd. Ik beschouwde Afrikanen als tweederangs burgers. Ik was een racist.

Een kind, een product van mijn omgeving, ja, maar toch een ra-cist.

Was het te laat om het goed te maken met Gatsi, Maud en Luka, vroeg ik me af. Behalve zo goed mogelijk voor ze te zijn? Hoe kon ik nu naar eer en geweten zeggen: je hebt al die tijd voor ons gewerkt en ik heb geen idee wat je dromen, gedachten en angsten zijn, en ik weet niet precies hoeveel kinderen je hebt?

Toch kon ik geen andere manier bedenken om een stap vooruit te doen.

En dus opende ik, niet zonder vrees, mijn oren en mijn hart. Ik liet Afrika naar binnen stromen.

Ik maakte voor het eerst kennis met de nieuwe regering toen het ministerie van Milieu een glanzende zwarte auto naar Roosevelt stuurde om Merina en mij op te halen. We werden weggevoerd door een chauffeur, terwijl verzorgsters, prefecten en vriendinnetjes ons met open mond nastaarden, voor een gesprek met de minister zelf. We hadden hem een brief geschreven omdat we hadden besloten de rinoceros te redden. Hij had ons per kerende post teruggeschreven en ons uitgenodigd. Natuurlijk wilden Merina en ik liever zingen dan geld inzamelen. We hadden geen antwoord verwacht. We hielden een hartstochtelijk pleidooi voor de rinoceros en deden een paar ondoordachte voorstellen voor een bazaar en een gesponsorde zwemwedstrijd. Hij maakte een kerk en kerktoren van zijn vingers en gaf ons zijn onverdeelde, niet-bevoogdende aandacht, en we glimlachten naar elkaar onder een grimmig portret van Mugabe. Toen reden we terug naar kostschool en dachten nooit meer aan de rinoceros.

Merina had haar kindertijd doorgebracht in Zambia. Ze had op een gemengde school gezeten met zwarte kleuters, dus ze hoefde niet veel te leren. Ik sprak met niemand over de dingen die ik moest leren – het verleden begrijpen en een gedragslijn opstellen voor de toekomst – want ik kon het nauwelijks voor mezelf formuleren. Maar het was een weg met veel obstakels en tegenstrijdigheden.

Op Roosevelt waren dagelijks spanningen. Dat had meestal te maken met discipline. De Afrikaanse meisjes waren gediscrimineerd; ze waren al hun hele leven tweederangs burgers. Veel van hen waren belemmerd door het vroegere onderwijssysteem; blanke kinderen hadden gratis middelbaar onderwijs gekregen, maar zwarte kinderen niet – wat ik in mijn zalige onschuld nooit had geweten. De Afrikaanse meisjes waren veel ouder dan hun blanke klasgenoten. Ze waren gevoelig voor blijken van minachting. Als een blanke lerares of prefect tegen hen schreeuwde of hen commandeerde, vatten ze dat vaak op als racisme. Dit leidde tot problemen, want de discipline op Roosevelt werd streng gehandhaafd. Je kon van school worden gestuurd als je rookte. De blanke meisjes moesten eraan wennen te slapen naast dochters van mannen die ze al vanaf hun geboorte hadden gevreesd, mannen die wellicht hun familieleden hadden geterroriseerd of vermoord. De zwarte meisjes moesten daar ook aan wennen.

Op het eerste gezicht was het onderwijs na de onafhankelijkheid in grote trekken hetzelfde als daarvoor. We kregen les uit syllabi van een Britse examencommissie. Het enige echte verschil was dat we nu Afrikaanse leraressen en huishoudsters hadden, en dat de lessen Shona verplicht waren. De klassen waren ook groter. Ouders van blanke meisjes hadden nachtmerries over hun ongerepte twaalfjarige dochters die zich moesten verweren tegen de avances van eenentwintigjarige zwarte jongens uit hun klas.

Op Roosevelt werden er langzaam en aarzelend vriendschappen en breekbare banden gesmeed. Soms waren we geschokt. De overeenkomsten waren groter dan de verschillen. Daardoor kreeg ik een schuldgevoel. Het verbaasde me dat ze net als wij onzeker waren over gewicht, jongens en uiterlijk. Of dat ze op een koddige, droogkomische manier ongelooflijk grappig waren. Of dat we allemaal op Michael Jackson vielen.

De enige met wie ik geen vriendschap wilde sluiten was Pleasant. In mijn tienerjaren vond ik iedereen die me ergerde of me op de zenuwen werkte een rotwijf. Dit gold soms voor Merina, de bazige prefecten, Miss Robinson, Bubbles (wanneer ze ons voor straf onkruid liet wieden) en onze Franse lerares. Pleasant was ook een rotwijf, niet alleen omdat ze me had mishandeld. Ze vond mij ook een rotwijf, dus we gingen elkaar een paar weken zorgvuldig uit de weg. Daarna interesseerde het ons niet meer. We waren gewoon onzekere tieners, gek op jongens en muziek. Het enige verschil was dat Pleasant haar onzekerheden niet zo openlijk toonde.

De school was één ding, maar daarbuiten was een heel land, en niet iedereen had in één keer het been bijgetrokken. Toen Diana Ross op tv verscheen in *Sounds on Saturday*, noemde mijn vader haar een 'zwartje', hoewel hij het complimenteus bedoelde.

Zoals: 'Mijn god, dat zwartje heeft een mooie stem.'

Ik kromp in elkaar wanneer ik blanken op een braai racistische opmerkingen hoorde maken in aanwezigheid van een zwarte gast of bediende. Sommige blanken trokken zich terug in Rhodie-enclaves. Vanuit die veilige positie maakten ze smakeloze grappen over het *jongwe* (pik) symbool van Mugabes Zanu-p f-partij. Anderen zeiden dat ze fans waren van de tv-programma's na de onafhankelijkheid over rijke, geestige zwarte Amerikanen als *The Jeffersons* en *Diff'rent Strokes* en waren enthousiast over het nieuwe multiculturele aspect van Zimbabwe, maar vonden het moeilijk een toon aan te slaan die niet bevoogdend overkwam.

'Ze is een supermeisje, Beauty,' zei een vrouw vriendelijk over haar dienstmeisje. 'Ik weet niet wat ik zonder haar zou moeten beginnen. Nietwaar, Beauty? Je bent een parel.'

'O, mevrouw!'

Ik was waarschijnlijk ook zo. Ik deed kinderlijk mijn best hen te behagen en het verleden goed te maken; ik probeerde ongedaan te maken wat er was gebeurd. Zoals alle blanke kinderen die ik kende had ik de populaire Afrikaanse muziek altijd afgekeurd omdat die 'altijd hetzelfde' klonk. Ironisch genoeg waren de meeste van onze favoriete popsterren in die tijd Afro-Amerikanen, zoals Donna Summer, Kool & the Gang, Stevie Wonder, Michael Jackson, George Benson, Dionne Warwick, Diana Ross en Lionel Ritchie. Ik zette de radio in de keuken zodat Maud kon luisteren naar de jengelende gitaren en aanstekelijke ritmes van de nieuwe zwarte radiostations en popsterren als de Harare Mambo's, de Four Brothers en Oliver Mutukudzi, en gaandeweg ging ik meer van die muziek houden. Ik had te laat ontdekt dat veel Afrikanen een hekel hadden aan Chilapalapa als een door onderdrukkers gecreëerde taal, en dat de platen van Wrex Tarr een racistische ondertoon hadden. Ik hoopte dat ze zou vergeten dat ik die voor haar had gedraaid.

Maud was even zorgzaam en cynisch als vroeger; ze hielp me met mijn Shona-huiswerk en ik ontlokte haar een glimlach met een pastelportret van haar. Ze liet me zien dat ze het op haar nachtkastje had gezet in haar kaya. Ik was ontroerd, maar ik voelde dat ik een gedragscode overtrad of een duidelijk gedefinieerde grens overschreed door haar huis binnen te komen, nadat mijn ouders me jarenlang stilzwijgend hadden ontmoedigd een kaya binnen te gaan of met piccanins te spelen. De meeste kaya's waren niet veel meer dan een leemhut met één kamer. Het witgekalkte huisje van Maud bevatte twee slaapkamertjes en een wc. De muren waren beroet en er hing een sterke geur van rook, zoete parfum en koude sadza maar, behalve de Bijbel en de boekjes van jehovagetuigen (haar geloof), die ze langzaam en consciëntieus las, was er weinig van haar in te vinden.

Het leek alsof ze maar half leefde.

Ongetwijfeld dacht ze dat om andere redenen ook over mij.

4

Zimbabwe was veranderd van een pariastaat in de trots van Afrika. Dit bracht een ommekeer teweeg in de nationale stemming. Ik had me altijd verbeeld dat het licht in Zimbabwe anders was dan in andere landen, zodra je de grens overstak. Ik beschouwde het als *sponspek* licht: suikermeloenlicht. Overal, in de bergen van Inyanga of in een kano tussen de hippo's op de Zambezi, baadde het landschap in dezelfde honingkleurige gloed, alsof er een hemels kleurfilter in de vorm van een theepot – de omtrek van Zimbabwe lijkt op een theepot – boven onze hoofden hing. Die positieve gloed was nu overal zichtbaar. De sancties waren opgeheven. Platen uit het buitenland, boeken die niet door Wilbur Smith waren geschreven en chocolade die echt naar cacao smaakte stroomden de winkels binnen. Rocksterren als Bruce Springsteen en UB40 traden op. We konden nu op ontdekkingstocht naar buitenlands en mysterieus aandoende stadsdelen die vroeger verboden waren. We wrongen ons tussen balen felgekleurde stof door in Indiase winkels die naar kerrie en kardemom roken en kochten zijden haarlinten en repen stof voor haarbanden. We liepen door de luidruchtige menigte die uit de rook spuwende bussen in het busstation stapte en snuffelden tussen de platen in de tweedehandswinkels achter het busstation waar Thomas Mapfumo en de Sounds of Afrika in onze oren schetterden. Piccanins hingen rond op de stoep en aten aangebrande maïskolven, en zwarten met de zwarte band deelden met wijde armzwaaien slagen uit op de karateschool boven ons hoofd.

Rainbow's End was weer veilig – voor terroristen, niet voor slangen en krokodillen – en we haalden dingen uit die we tijdens de oorlog nooit hadden gedurfd.

'Zullen we een vlot bouwen?' vroeg ik aan Merina. 'Dan zeilen we midden in de nacht naar het eiland.'

Het was gekkenwerk om een zelfgemaakte boot te water te laten in een rivier vol krokodillen, en bij het licht van een zaklantaarn te zeilen naar een oerwoudeiland vol zwarte mamba's, boomslangen en baviaanspinnen, maar Merina was direct dolenthousiast. De hele dag verzamelden we planken, stukken touw en ijzerdraad uit allerlei bijgebouwtjes op de plantage. We sjorden ze vast aan twee roestige olievaten, tot we iets hadden wat enigszins op een vlot leek. We sjouwden het vlot met moeite omlaag naar de oever en verstopten het in het lange gras. Ik wist niet of het zeewaardig was, maar ik kon nu niet meer terug.

Die avond lagen we op mijn bed te kletsen en te wachten op middernacht. Volgens een vreemde natuurwet verlang je, wanneer je wakker moet blijven, zo verschrikkelijk naar slaap dat je er een moord voor zou doen. Er was bijna geen grotere marteling dan middernachtelijke feestjes op kostschool. Je werd wakker gemaakt door je vriendinnen en slaapdronken naar de badkamer gesleept, waar je op de koude tegelvloer moest zitten. Je moest doen alsof je zin had in een twijfelachtig feestmaal van marshmallows, winegums, Corn Curls, pinda's en Rosemary Creams. Dat moest je wegspoelen met Cream Soda. Je hoopte aan één stuk door dat je weer mocht gaan slapen.

Die avond van het vlotavontuur was het net zo. We keken uit het raam naar de zwarte onherbergzame nacht. We hoorden een opkomend onweer. De donder kraakte; we hoopten en baden dat we zouden mogen slapen. Eindelijk, vlak voor elven, begon het te regenen zodat we ons vaartuig niet behoorlijk te water konden laten. We konden er zonder gezichtsverlies onderuit komen. Opgelucht vielen we in slaap. De volgende morgen probeerden we de reis bij daglicht te maken. De honden liepen ons voor de voeten, we duwden het vlot in het water en klauterden erop. Halverwege het eiland viel het vlot in tien stukken uit elkaar. Sommige stukken verdwenen spoorloos in de diepte, andere dreven weg op de snelle stroom. Merina, ik en alle honden zwommen zo hard mogelijk tot we buiten bereik van de krokodillen waren. We stonden tot ons middel in het groene water en huilden van het lachen. Daarna verzonnen we een nieuw plan.

Toen we op Roosevelt aankwamen waren Merina, Jean en ik meer geïnteresseerd in paarden dan in jongens, maar dat ging gauw voorbij. We hingen de muren van onze slaapzaal vol posters van zouteloze blanke popsterren als Shaun Cassidy, Leif McGarrett, Andy Gibb en Michael Jackson, die toen nog een knappe zwarte man was. We wilden maagd blijven tot het huwelijk en genoten in de tussentijd van een paar fantasieën.

Als Jean niet sliep las ze Mills & Boon liefdesromannetjes. Ik nam die gewoonte algauw over. We lazen bij het licht van een zaklantaarn, in de leerzaal, tijdens de pauzes en met ons boek onder onze tafel tijdens de lessen wiskunde en Frans. De formule bleef ons bekoren, hoe vaak we ook werden meegesleept door inwisselbare verhalen over stoere donkere vreemdelingen met een façade van arrogante onverschilligheid wier harde hart smolt voor mooie, bescheiden vrouwen.

In de late jaren zeventig en vroege jaren tachtig waren de romannetjes van Mills & Boon hinderlijk vrij van seks. We waren er trots op dat we in één oogopslag konden zien welke schrijvers verder gingen dan de anderen. 'Probeer Anne Rule,' zei Jean dan. 'Ze is heel, heel...' en ze bloosde. In de boeken van Wilbur Smith stond hier en daar een pikante scène (tussen de jachtpartijen op leeuwen en de sterfgevallen aan zwartwaterkoorts). Verder stond er 'porno' in de boeken van Jackie Collins. Ik griste de kostbare contrabande weg en haastte me naar mijn ijzeren bed met de flinterdunne matras en door de regering verstrekte bruine dekens. In mijn fantasie drukte een tot dan toe onverschillige dokter die Ryan Hunter of Conrad Knight heette mij aan zijn borst, kuste me ruw en fluisterde: 'Domkopje! Je weet toch dat ik zonder jou niet kan leven?'

Twee keer per jaar organiseerde onze kostschool een discofeest, waarbij een paar jongensscholen werden uitgenodigd; vier of vijf keer per jaar werden wij bij hen uitgenodigd. We mochten er pas naartoe als we veertien of vijftien waren. In ons derde jaar, toen ons eerste discofeest naderde, werden Merina en ik, de buitenbeentjes, het slachtoffer van de gemeenste grappen. De prefecten stelden ons onbegrijpelijke vragen over seks en maakten afschuwelijke zuiggeluiden terwijl ze deden alsof ze aan het tongzoenen waren met hun handpalmen.

We waren vastbesloten te bewijzen dat ze ongelijk hadden, en namen ons uiterlijk onder handen. We smeekten onze ouders om een Farrah Fawcett-permanent, een rage in die tijd. Na urenlang lijden, een brandende hoofdhuid en zwavelstank verlieten we de kapper triomfantelijk en enigszins Beverly d'Angelo-achtig. Toen kwamen we erachter dat je een haardroger, een rolborstel en heel sterke haarlak nodig had. Eén plens water en je zag eruit als Roger Daltry op de elektrische stoel.

We waren niet uit het veld geslagen, en gingen op zoek naar een dansjurk. Mijn moeder nam me mee naar Honors in Chegutu, die voornamelijk leverde aan conservatieve plantersvrouwen en vrome grootmoeders. Dit was een speciale gelegenheid en mijn kast bevatte alleen gescheurde spijkerbroeken, schunnige gerafelde korte broeken en verwassen t-shirts. Daarom mocht ik twee jurken uitzoeken. Ik koos een kuitlange witte nylon jurk met een zoom van gouddraad, waarin ik eruitzag als een kerstengel, en een witte stretchjurk met felle roze, zwarte en jadegroene driehoekjes, die mijn moeder later afknipte tot een minirok. Er hoorde een ceintuur bij, en ceintuurs waren hip, voor zover ik wist. Ik wilde geen naaldhakken, dus ik mocht laarzen kopen. Ik koos een paar metallic koperkleurige Robin Hood-laarzen, één maat te klein. In die uitrusting ging ik naar mijn eerste disco.

Die zaterdag renden dertig in handdoeken gewikkelde gillende meisjes door de slaapzaal en vochten om één haardroger. Het was een tweetandige haardroger zonder adapter. We kregen hem aan de praat door een plastic kam in het derde gat van het stopcontact te steken. De meeste meisjes waren wereldvreemde planterskinderen; niemand wist iets van make-up of hoge hakken. We prikten met mascaraborsteltjes in onze tranende ogen en spoten royale hoeveelheden geleende vloeibare make-up over onze pukkels. We leenden elkaar lipgloss met aardbeiengeur en we kauwden voor alle zekerheid op kauwgum met druivensmaak. Toen we ons eenmaal hadden aangekleed maakten we een podium in de slaapzaal. We strompelden heen en weer op onze nieuwe schoenen, als jonge travestieten in een modeshow.

Toen de karakteristieke piano in George Bensons 'Give Me the Night' de trap op daverde, liepen we zenuwachtig naar de eetzaal die was omgetoverd tot danszaal. De muren waren behangen met zilverpapier, er flitsten lampen in primaire kleuren en er draaide langzaam een spiegelbal aan het plafond. Een dj draaide hits van Kool & the Gang, Diana Ross, Abba, Air Supply (I'm all out of Love') en Saturday Night Fever, terwijl de jongens van Prince Edward, de school die was uitgenodigd, verlegen naar binnen troepten. De zwarte jongens hadden in seksueel opzicht veel zelfvertrouwen, wat ons, overtuigde maagden, enigszins verontrustte. De Indiase jongens waren altijd onberispelijk gekleed. Ze hadden een gladde goudkleurige huid en keurig geplakt haar, en keurden ons geen blik waardig. De blanke jongens zaten naast hen aan de overkant van de zaal en frunnikten aan hun pukkels. Ze fluisterden met elkaar en grijnsden stiekem naar ons. We zaten aan de andere kant als bevroren lemmingen. Het leek een film uit de jaren vijftig. Onze grootste angst was dat we een muurbloempje zouden zijn.

Zoals ik had verwacht was ik een van de laatsten die ten dans werd gevraagd door een magere blonde jongen die Neil heette, en die 'de vogelverschrikker' werd genoemd. Tijdens snelle nummers schuifelde hij lusteloos met zijn schoolschoenen over de vloer terwijl hij mijn blik zo goed mogelijk probeerde te ontwijken. Tijdens langzame liedjes blies hij zijn hete adem in mijn nek. Ik werd overweldigd door zijn Old Spice-geur en voelde zo nu en dan zijn erectie prikken. Toen hij genoeg had van dansen nam hij me bij de hand en trok me mee achter een heg op de binnenplaats, waar hij een lange rokerige tong in mijn mond duwde. Ik was opgelucht dat ik nu geen muurbloempje was, en beantwoordde zijn kus geestdriftig. Het was niet zo geweldig als met Ryan Hunter of Conrad Knight, en we zeiden nauwelijks iets tegen elkaar, maar hij leefde, en hij was geen meisje.

Jammer genoeg stond zijn gulp open toen we achter de heg vandaan kwamen. Het gold niet als bewijs van mijn succes bij de jongens, zoals ik had gehoopt. Integendeel: ik werd er nog jaren mee gepest.

We stonden onder zware druk om een vriendje te krijgen, niet alleen op de discoavonden. Elke middag legde de huishoudster onze post op een dienblad naast de thee en de boterhammen. De jongens schreven altijd op blauw of wit postpapier, in een kriebelig, onregelmatig handschrift. De enveloppen roken – bedwelmend, vonden we – naar Old Spice. Als je een brief kreeg was je een ster; het betekende dat een jongen aan je dacht. Het maakte niet uit of ze 'de vogelverschrikker' werden genoemd, het maakte niet uit of ze raar of sullig waren en puistjes hadden, als ze maar aan je dachten. We schreven lieve brieven terug op roze of crèmekleurig postpapier van Barbours, met stemmige foto's van paartjes die zoenden op Caribische stranden of hand in hand liepen door de zonsondergang in Florida. We vleiden deze brieven voorzichtig in bijpassende enveloppen en bespoten ze met Charlie-parfum. Daarna kerfden we de initialen van de jongen met een passer in onze schoolbank en beten elke dag op onze nagels tot er eindelijk antwoord kwam, zodat we opnieuw konden bewijzen dat we verliefd waren en dat iemand aan ons dacht.

We hadden een reeks waterdichte smoezen om het schoolterrein te verlaten. Pas toen onze kettingrokende Tsjechische tekenlerares Mrs Krog vaststelde dat we goed konden tekenen, slaagden we er ook in lessen te verzuimen. Tegen onze leraren Frans en wiskunde zeiden we dat we aan een kunstproject werkten. We kropen door het hek naar de golfbaan van Chapman en lagen urenlang heerlijk in de zon en lieten onze benen bruin worden. Daarna flansten we in tien minuten een impressionistisch schilderij in elkaar en gaven dat aan een stralende Mrs Krog.

Op jacht naar vrije uurtjes gingen we op zangles. Onze zanglerares was een voormalige cabaretière uit Berlijn die visnet-body-stockings droeg over een zwarte bh en een tangaslip, voordat die in de mode raakten. Ze was enorm lang, met een blauwwitte huid, kroezend chocoladekleurig haar en vuurrode lipstick. Ze heette Magda. Magda leerde ons eerst ademhalingsoefeningen en ging toen verder met toonladders. 'Ah, Ahh, Ahhh, Ah-hh, Ahh, Ahhh, Aahh, Ah-ahhhhh! Hap naar lucht, Mireeenaaah, hap naar lucht Hahhhhh!'

Toen we arriveerden voor onze derde les was Magda's stereo gestolen. Er was een detective in de studio. Het was duidelijk dat hij zijn uiterste best deed om zijn ogen af te houden van de bodystocking en te luisteren naar Magda's theorieën over de inbraak. Hij liep achter haar aan naar het raam, waar ze het moment naspeelde dat de inbrekers het slot forceerden.

'Ik veet zeker dat ze hier naar binnen zijn gekomen, niet?' opperde ze. Ze boog zich vooroverr en haar tangaslip verdween uit het zicht. 'Kijk, daar zijn de vingeravdrukken.'

De detective gaf de strijd op en boog ook voorover. 'Ja,' hijgde hij. 'Ja, ik zie wat u bedoelt.'

Magda gaf een liedtekst van mij aan Ashante, een leerling van haar met dreadlocks. Ik voelde me trots en revolutionair toen Ashante 'De jongleur' op reggaemuziek zette. Hij speelde het in bierhallen en op rastaconcerten door de hele stad. Na zes lessen had Merina er genoeg van, en ik durfde niet in mijn eentje door te gaan. Onze huishoudsters waren eraan gewend ons een paraaf te geven voor zanglessen buiten het kostschoolterrein, en we zagen niet in waarom we hen uit de droom zouden helpen. We verlieten de kostschool elke donderdag tussen de middag en pakten de bus naar de stad voor niet-bestaande muzieklessen, een misdaad waarvoor je op staande voet van school gestuurd kon worden. Aangezien we geen cent bezaten, bedelden we de hele ochtend kleingeld bij externe leerlingen die geld voor de lunch van hun ouders kregen. 'Geweldig,' zeiden we dan. 'Man, jij bent aardig. We komen nog twintig cent te kort voor de bus.'

Met onze zakken vol kopergeld zaten we hele middagen in de

bioscoop. We zagen films voor boven de zestien zoals *Endless Love*, wat uitdrukkelijk verboden was, en aten enorme stukken roomtaart met verse aardbeien of ananas in het restaurant op de bovenste verdieping van Barbours. We waanden ons in de hemel, tussen de goedgeklede zwarte zakenlieden en de geparfumeerde plantersvrouwen.

5

Mijn moeder keerde halverwege 1981 terug van haar wereldreis. Ze was levendig en stralend. Zo zag ze er alleen uit als ze op reis was. In haar ogen zag je Venetiaanse gondels en de Golden Gate Bridge in San Francisco. De winter was in aantocht. Op koude, heldere avonden staarde ik naar de dansende vlammen in de haard op Rainbow's End, en luisterde naar het knetterende knallende vocht in de geurige houtblokken van de gomboom. Buiten klonk het eindeloze lied van de krekels en kikkers, dat altijd doorging, hoeveel ellende de mensen in huis ook te verduren kregen. Ik *braaide* stukjes vlees voor mezelf en probeerde marshmallows te roosteren, die altijd smolten en tussen de kolen vielen.

We voerden een discussie over Australië. Daar zouden we naartoe verhuizen, want mijn vader kon een baan krijgen. Een vriend van mijn moeder, een dokter, had aangeboden dat we bij hem konden logeren. In Australië zou alles in orde komen; alles zou zo worden als vroeger.

Ik vroeg: 'Hoe gaat Star daarnaartoe?' Ik stelde me voor dat hij op een schip zou reizen, zoals de zwarte hengst uit de kinderboeken.

Ze antwoordden tegelijk: 'Star gaat niet mee.'

Ik zei botweg: 'Nou, dan ga ik ook niet mee.'

Kort daarop besloot mijn vader dat hij nooit uit Afrika weg zou kunnen gaan. Hij hield met elke vezel van zijn wezen van Afrika, en veegde de kwestie Australië voor altijd van het tapijt.

Zijn onbuigzaamheid dreef mijn moeder tot razernij. Ze was ervan overtuigd dat Zimbabwe de kant opging van Zambia en Mozambique. We zouden binnenkort een koffer vol geld nodig hebben om brood te kopen en alle onmisbare diensten – ze dacht aan ziekenhuizen – zouden ineenstorten.

'Je weet wat ze zeggen,' zei ze: '"Wanneer de joden vertrekken moet je wegwezen. Wanneer de Aziaten vertrekken is het te laat." Hoe laat besluit jij je koffers te pakken?'

Ondanks de verkoeling tussen mijn vader en mij was ze ervan overtuigd dat we samenzwoeren. Al die jaren was ze gek geworden van de manier waarop hij op het laatste moment 180° draaide. 's Avonds verdedigde hij hartstochtelijk een bepaalde gedragslijn die hij de volgende morgen even hartstochtelijk verwierp. Het leek alsof mijn vader geloofde dat zijn harde lot was voorbeschikt. Als hij probeerde boven zijn gewone niveau uit te klimmen, zou dat alleen maar ellende opleveren. Maar in zijn hart was hij een geboren dromer.

'Jij bent niet de enige die dromen heeft,' zei hij een keer geërgerd. 'Toen ik zo oud was als jij, wilde ik ook zanger worden.'

Ik keek sceptisch maar hij sprong op, liep naar zijn spartaanse nachtkastje – de tegenpool van mijn moeders nachtkastje dat uitpuilde van naaipatronen, Liberty-sjaals, tijdschriftknipsels en sieradendozen vol strengen valse parels, antieke broches en Indiase lapis lazuli – en kwam terug met een aantekenboekje met ringband, met gekrulde bladzijden van de ouderdom. Hij had dat boekje al sinds zijn tienerjaren. In het boekje had hij liefderijk tientallen liedjes overgeschreven, net zoals ik, en een paar gedichten. Ik kon het niet geloven. Jarenlang praatte ik de hele dag over muziek en zingen, en toch had hij dit notitieboekje geheim gehouden. Hij had de dromen uit zijn kindertijd verborgen gehouden. Even zag ik hem voor me zoals hij er in die tijd had uitgezien, een knappe zorgeloze jockey, met een gitaar bij een kampvuur. Die man was hij niet langer. Nu zag hij eruit als de Marlboro-man na te veel sigaretten, bier en zorgen.

Nu ging hij gebukt onder de Afrikaanse werkelijkheid.

Het succes van mijn moeders dakbedekkingsonderneming stelde mijn vader in staat een lang gekoesterde droom te verwezenlijken: hij wilde een eigen kudde vee kopen. Tot nu toe had de onafhankelijkheid voornamelijk positieve veranderingen teweeggebracht; hij geloofde dat de toekomst van Zimbabwe er rooskleu-

rig uitzag. De planters hadden alleen bezwaar tegen de belasting-
verhogingen en het minimumloon voor de plantagearbeiders. De
meesten hadden geen problemen met het loon zelf, dat redelijk was,
maar mijn vader en veel andere planters die ik kende vreesden, ironisch genoeg, dat de plantagearbeiders minder goed af waren met
het extra geld. Ze kregen extra geld in plaats van maandelijkse 'rantsoenen'. Op Rainbow's End waren de rantsoenen: een kilo vlees,
veertien kilo maïsmeel en Nyemo-bonen als die er waren. Daarnaast kregen de plantagearbeiders zaden, meststof en een stuk land
waarop ze hun eigen maïs konden verbouwen. De planters waren
cynisch: ze wisten zeker dat de meeste plantagearbeiders het geld
niet zouden besteden aan voedsel, maar het over de balk zouden
smijten aan vrouwen en Chibuku-bier.

Mijn vader liet zich niet afleiden van zijn doel. In september 1981
pachtte hij een mooie afgelegen plantage die Chikanga heette, aan
de Lowood Road bij Shamrock. Op die plantage zette hij zijn lieve-
lingskoeien, gekruist met Brahmanen. Op Chikanga waren ruige
verwilderde kopjes met in elkaar gedoken luipaarden in donkere
grotten. Toen hij Chikanga pachtte ging mijn vader, in de roes van
zijn halve eigendomsrecht, op pad met zijn honden en zijn .22-ge-
weer op jacht naar luipaarden.

'Godzijdank heb ik ze niet gevonden,' zei hij later, toen hij besefte
dat het onverstandig was op zoek te gaan naar een van de gevaarlijk-
ste roofdieren uit Afrika, met een licht geweer en een paar slecht af-
gerichte foxterriërs. 'Ik had het niet kunnen navertellen. Het was
zelfmoord. Pure zelfmoord.'

Chikanga had een lichte, zanderige grond, die volmaakt geschikt
was om tabak te verbouwen, en na een jaar besloot mijn vader dat
hij de plantage wilde kopen, zodat hij eindelijk een grondbezitter
zou worden. Een échte planter. 's Avonds bleef hij laat op. Hij rookte
en schreef cijfers op de achterkant van sigarettenpakjes. Het zou geweldig zijn. We zouden rijk worden. Hij zou zoveel hectare tabak
planten en zoveel koeien kopen, allemaal gekruist met Brahmanen.
Wij werden allemaal aangemoedigd mee te leven met zijn plan.

Van de ene dag op de andere was het voorbij.

Hij had die plantage niet gekocht; de beste beslissing die hij ooit had genomen, zei hij. Hij had bijna een zenuwinstorting gekregen. Wat zou er zijn gebeurd na een slechte oogst, of als er een plaag neerdaalde op zijn tabak of zijn vee? Als het niet regende of als hij niet in staat zou zijn geweest zijn lening terug te betalen, of als hij geconfronteerd zou worden met een enorme belastingaanslag?

'Ik zou geruïneerd zijn, volkomen geruïneerd.'

Daarna was elke nare gebeurtenis koren op zijn molen. In 1983, toen er werkelijk droogte heerste, zei hij telkens weer dat het een zegen was dat hij Chikanga niet had gekocht.

Door dergelijke gebeurtenissen was ik ervan overtuigd dat ik een lijst moest maken met doelen. Volwassenen gaven hun dromen op, of de beproevingen van het leven maakten dat ze hun dromen vergaten. Dat zou mij niet overkomen als ik mijn dromen opschreef, dacht ik. Op mijn veertiende stond er op mijn lijst: 1) popzangeres worden en een hit schrijven; 2) een boek schrijven en zorgen dat het wordt gepubliceerd; 3) meedoen aan een springconcours op het hoogste niveau en een medaille winnen in een crosscountrywedstrijd; 4) dierenarts worden; 5) een schilderwedstrijd winnen; 6) in een toneelstuk of een film spelen.

Ik was voortdurend op zoek naar een goede gelegenheid om naam te maken in één van mijn gewenste beroepen. In de eerste plaats wilde ik zo gauw mogelijk van kostschool. Ik bladerde een keer door de zondagskrant en stuitte op een advertentie van een auditie voor Assepoester. Je moest liedjes kunnen zingen als 'Hopelessly Devoted to You'. Dit was een teken. Mijn moeder was in het buitenland, dus ik vroeg aan mijn vader of hij me naar Harare wilde brengen.

Ik moest een paar regels voorlezen, en heen en weer over het toneel paraderen in een korte broek (blijkbaar moest Dandini mooie benen hebben). Verschillende mensen trokken hun wenkbrauwen op tijdens mijn optreden. Er rende een vrouw met een klembord op me af om mijn naam en adres op te schrijven. Toen moest ik zingen. Ik keek met een toegeeflijke blik naar een stel tieners met puppyvet en puistjes die zich hakkelend een weg baanden door 'Bye Bye, Blackbird', een afschuwelijk musicalliedje dat ik niet kende, zonder enig gevoel gespeeld door de pianist van het theater. Tijdens het wachten dacht ik met voldoening terug aan al die uren die ik had meegezongen met Olivia. Mijn toewijding zou worden beloond.

'Volgende!' schalde de vrouw met het klembord.

'Ik zing: "Hopelessly Devoted to You", zei ik tegen haar.

'Je zingt het liedje dat je hebt opgekregen,' kaatste ze terug.

Ik had geen keus; ik stak van wal in een niet-gerepeteerde uitvoering van 'Bye Bye, Blackbird'. Ik werd niet geholpen door de aanblik van mijn vader achter in de zaal, die zijn gezicht bedekte met de auditiefolder. Na een heleboel valse starts werd ik zonder pardon weggestuurd. Ik verliet het theater, opgelucht dat er nog zoveel andere carrières bestonden.

Het enige voordeel aan de kloof tussen mijn vader en mij was, dat ik dichter bij mijn moeder kwam te staan. Mijn moeder was jarenlang mijn leven in- en uitgezweefd als een exotische vlinder. Door haar onthullingen over mijn vader vielen de grenzen tussen moeder en dochter weg, en we werden vriendinnen. Ik besefte dat ze bijzonder was. Ik raakte geïnteresseerd in kunst, cultuur en reizen, en mijn moeder las meer en had meer belangstelling voor de wereld dan alle andere mensen die ik kende. Ze had ook gevoel voor stijl. Ze was dolblij dat ik uit mijn jongensachtige fase kwam. Ze was bezeten van naaien, en flanste dansjurken en knickerbockers voor me in elkaar toen die in de mode raakten. Ik op mijn beurt was fel in mijn loyaliteit en steun aan haar. Vroeger zou ik alles hebben gedaan om theepartijen of winkels te ontlopen, maar nu ging ik betrekkelijk gewillig met haar mee.

Ze had nog een paar goede vrienden, na haar breuk met mijn vader en de jaren waarin ze de streek had gechoqueerd. Anne en Mike Ford vond ik het aardigst. Anne was een lange energieke Engelse met wapperende zijden of linnen roomwitte en lichtblauwe rokken. Haar theepartijen waren onnavolgbaar chic. Ten tijde van de sancties serveerden de Fords zilveren schalen vol zeldzame heerlijkheden als tonijn of garnalen in mayonaise, en luchtige zelfgemaakte worstenbroodjes of vol-au-vents, of stevige vanillecake met verse slagroom en aardbeien uit de tuin.

Anne sprak vlekkeloos Shona met een deftig Engels accent. Boven de keukendeur hing een totem tegen de dwergachtige watergeest Tokoloshe. Sommige Afrikanen zetten hun bed op een stapel stenen, zodat ze buiten het bereik van de dwerg waren. Ze waren doodsbang voor de gemene Tokoloshe met zijn enorme penis, die op vrouwen joeg en een toversteentje in zijn mond had waardoor hij onzichtbaar werd. Mike Ford was bezeten van zijn werk. Hij wijdde zich geheel aan zijn plantage. Anne en Mike sloegen voortdurend hun ogen ten hemel, maar ze konden hun grote liefde en hun respect voor elkaar niet verbergen. Ze hadden twee beeldschone kinderen, Lisa en Jeremy, en woonden in een klassiek Zimbabwaans huis – grote luchtige kamers met betonnen vloeren, witgekalkte muren en een hoog rieten dak met zichtbare dakbalken. Het huis was zo gezellig dat je er altijd wilde blijven. Achter het huis was een paddock vol pastelkleurige paarden: rossig, grijsbruin en appelgrijs.

Anne interesseerde zich echt voor mijn toekomstplannen. Ze vertelde me over haar eigen dromen, die allemaal te maken hadden met een reis naar Engeland. Ze was de meest vrijgevige vrouw ter wereld. Je kon het huis van de Fords niet verlaten zonder uitpuilende tassen vol groenten, vruchten, taarten en jams van de allerbeste kwaliteit. Ze fokte dikke witte eenden voor de slacht, en we verlieten het huis altijd met een geplukte eend. Mijn moeder had het hart niet haar te vertellen dat mijn vader Madala verbood ze te braden. Mijn vader beweerde dat hij had gezien wat ze aten.

'Afschuwelijke vogels,' zei hij huiverend. Zwakheden in het eetpatroon van dieren beschouwde hij als een indicatie van hun minderwaardige karakter. Als ze ook maar enige geestkracht bezaten zouden ze niet zo diep zinken om paardenvijgen en bedorven etensrestjes te eten.

Mijn vader koesterde een wrok tegen Patches en Pebbles, op grond van hun eetgewoonten. Afgezien van de foxterriërs, die hem waren opgedrongen, was elk ras dat mijn vader kocht het beste ter wereld tot het tegendeel werd bewezen. Daarna werd dat ras het slechtste ter wereld, en hij ontkende dat hij ooit het tegendeel had beweerd. Hoe meer hij probeerde een échte hond te vinden, een hond als Jock of de luipaardenvechter Muffy, een hond met de vereiste mannelijkheid en moed (zonder enige belangstelling voor menselijk voedsel), hoe meer hij werd opgescheept met kruiperige straathonden, honden die katten doodbeten, honden die bedelden bij de bedienden (zodat je ze niet langer kon vertrouwen als waakhond), en honden die hun modderige poten op zijn dijen plantten wanneer hij zich netjes had aangekleed om naar de stad te gaan. Honden die hem droevig aankeken door de spijlen van de tuinstoelen terwijl hij zich probeerde te ontspannen met een biertje en een kippenpootje, tot hij veel luider gromde dan zij: 'scheer je weg, verdomde aaseter!'

Dankzij de dierenbescherming en mijn vaders zoektocht naar de perfecte hond trok er een stoet beagles, rottweilers en Rhodesische draadharen voorbij. Uiteindelijk hadden we er acht. Wanneer ik ze floot, daverde de grond onder hun denderende poten. Mijn vader bleef van honden houden, ook na de dood van Jock. Toch gaf hij ze maar weinig aandacht, tenzij ze voldeden aan zijn hooggespannen verwachtingen. Als gevolg daarvan gingen ze tien keer zoveel van hem houden, als slachtoffers van een onbeantwoorde liefde. Dit was het duidelijkst bij de foxterriërs. Een vrijblijvend klopje van mijn vader was veel meer waard dan alle uren die Lisa en ik met hen ravotten of hen mee uit wandelen namen naar de rivier. Toch waren ze een dagelijkse bron van teleurstelling. Mijn vader werd gek van hun behoeftigheid. Hij koesterde de vurige hoop, vaak geuit, dat ze jong zouden sterven. Hij hoopte dat ze zich zouden krabben aan een vlooienbeet terwijl hij met zijn vrachtauto achteruitreed op het erf. In stil verwijt tegen deze wrede uitlatingen rolden Pebbles en Patches de hele dag door de vuiligheid en vraten uitwerpselen van wilde dieren. Dan rende mijn vader schreeuwend door de gang: 'scheer je weg, verdomde aaseter!'

Dankzij de theepartijen met de Fords, de braais met de Etheredges en de fluctuaties in onze menagerie leek het alsof ons leven doorging zoals vroeger. *Voordat ik de waarheid wist over mijn vader. Voordat ik de waarheid wist over de oorlog.* Zoals stellen die denken dat een nieuwe baby een afbrokkelend huwelijk kan redden, namen we voortdurend nieuwe huisdieren, omdat we langdurig voor ze moesten zorgen. Bovendien schraagden ze onze status. We waren een schilderachtig gezin in een schilderachtig huis met een tuin en een wildpark vol schilderachtige dieren. De dieren waren een welkome afleiding voor de emotionele onderstroom waarin ik soms dreigde te verdrinken. Op een dag kwam mijn moeder thuis met een kastanjekleurige pompon. Een kennis had hem in haar karretje gelegd in de Schofield-supermarkt. Tenminste, ik dacht dat het een pompon was tot hij bewoog. Toen zei mijn moeder: 'Ik heb een cadeautje voor je. Een Engelse dwergkees!'

Net als mijn vader vond ik dat honden pittig en avontuurlijk moesten zijn, met een sterke persoonlijkheid. Het laatste wat ik wilde was een Engelse dwergkees; dat was niet bepaald een boerenhond. Maar na een halve minuut was ik al verliefd op hem. Tiger groeide op tot de dapperste en Jock-achtigste van al onze honden. Hij stond altijd als eerste klaar om in de rivier te springen of mij te verdedigen. Wanneer ik thuiskwam uit school nam hij vol vertrouwen een enorme sprong in mijn armen. Het maakte niet uit wat ik deed of waar ik naartoe ging, hij liep naast me of lag aan mijn voeten – een harige rode lijfwacht die altijd naar me keek met een halve glimlach.

Met Tiger begon een nieuwe trend in onze menagerie. Hij werd gevolgd door een prachtige Blue Heeler herdershond, Skippy, en twee wrattenzwijntjes, Miss Piggy en Bacon.

Op het hoogtepunt hadden we acht paarden, acht honden, zes poezen, Geit, Mindy de koe, twee lastige struisvogels, een giraffe en twee wrattenzwijntjes. Een komisch element deed zijn intrede in het dagelijkse leven op Rainbow's End. Toen een handelsreiziger in tabak bij mijn vader op bezoek kwam, begroette Star hem door een hoef op de motorkap van zijn Mercedes te planten. Desondanks liep de handelsreiziger onvoorzichtig genoeg naar binnen zonder zijn raampje dicht te draaien. Star knauwde zijn leren stoelen kapot en strooide zijn etiketten en paperassen over het hele erf. Star dronk cola uit een flesje en liep de kamer in – tot het tapijt – om Tomazo's boterhammen te bedelen.

Toen Miss Piggy ongeveer een jaar oud was, besloten we haar even in de tuigkamer op te sluiten, waar paardenvoer, zadels en hoofdstellen werden bewaard. Anne Ford zou op bezoek komen. Miss Piggy was het aanhankelijkste wrattenzwijntje ter wereld, maar haar liefdesbetuigingen gingen altijd gepaard met veel modder. Niet iedere gast waardeerde haar bijzondere charmes. Anne zat bij het tuinhuisje met mijn moeder. Ze nam een slok thee en zei met haar deftige Engelse accent: 'O, ik krijg nooit genoeg van het uitzicht op Rainbow's End.' Op dat moment hoorden ze een explosie van versplinterend hout. Er verscheen een gat in de vorm van een wrattenzwijn in de deur van de tuigkamer.

Terwijl ze deze nieuwe ontwikkeling verwerkten werd Anne van achteren besprongen door Miss Piggy. Miss Piggy wreef zich vol vreugde tegen haar benen, enkels en zoveel mogelijk lichtblauwe linnen rok met een snuit vol verse modder. Anne nam het goed op, maar toen Miss Piggy's slagtanden zo groot werden dat haar liefkozingen gevaarlijk werden, besloten we haar los te laten in het grote wildreservaat van Mike Campbell (Bruce Campbells vader). Toen we later gingen kijken zagen we dat ze een vriendje had gevonden en een hele stoet biggetjes met stijve staartjes had gekregen.

Sinds die keer dat Charm op de vlucht was geslagen en me alleen had achtergelaten in het wildreservaat, had ik haar maar zelden bereden. Cassandra was nu echter drachtig van een kastanjebruine Arabier uit Kadoma en ik had geen keus. Hoewel we acht paarden bezaten, waren ze allemaal te jong, te oud of te drachtig om te rijden. Intussen was ik verslaafd geraakt aan springen. Cass was een fantastisch springpaard, en ze was ook bijzonder goed in behendigheidswedstrijden. De muur in mijn slaapkamer hing vol rozetten. Aangezien Cass op non-actief was gesteld, haalde ik Charm van stal. Toen Jean kwam logeren wilde ik een demonstratie geven van Charms talenten als dressuurpaard. Ik wilde haar over een rij *cavaletti* laten draven (lage balkjes die werden gebruikt om een paard in te rijden). Ik zette balkjes neer in een platgebrand weiland – pas platgebrand, zodat het nog rookte. Ze zag kans te struikelen over het laatste balkje en we vielen allebei met een klap op de grond. Toen ik onder haar vandaan kroop zag ik eruit alsof ik een maand in een kolenmijn had doorgebracht.

In dat weekend moest ik nog een vernedering doorstaan, want Mindy, het weeskalfje (Mashona gekruist met Sussex) die ik tijdens haar eerste nachten in leven had gehouden met mijn lichaamswarmte, viel me aan.

Mindy was nooit groter geworden dan een kalf van een halfjaar oud. Dat kwam waarschijnlijk omdat ze geen colostrum had gekregen, het ingrediënt in de eerste moedermelk dat het immuunsysteem bevordert. Toen ze oud genoeg was om gespeend te worden verhuisde ze naar het weiland achter het huis, waar ze at en at tot ze zo dik werd als een volwassen neushoorn, alleen kleiner. Op een gegeven moment begon ze tekenen van waanzin te vertonen. We brachten haar naar het wildreservaat, bij Cheeky en een onhandelbare Brahmin-stier. In het wildreservaat zag ik dat ze ons op een vreemde manier bespiedde vanuit de bosjes. Jean en ik zaten diep in gesprek gewikkeld met onze benen te zwaaien op de rand van een greppel. Het drong niet meteen tot me door dat Mindy op ons afstormde als een gewonde olifantstier. Toen was ze al in volle vaart.

Jean slaakte een gil en sprong als een hordeloper over de greppel. Ik wilde wegrennen tussen de bomen. Het kwam geen moment bij me op dat Mindy het meende. Ik had haar liefderijk opgenomen toen haar eigen moeder haar had afgewezen. Ik had zelfs haar billen afgeveegd. Jammer genoeg was Mindy niet dankbaar. Ze denderde op me af met een griezelige vastberadenheid. Haar ogen waren rood, ze hijgde en kwijlde. Het was net een griezelfilm. Ik rende en rende tot ik niet meer kon, langs kudden verschrikte impala's en het verbaasde wildebeest. Ten slotte bereikte ik de stuwdam aan de grens van het wildreservaat. Daar viel ik uitgeput op de grond, snikkend van uitputting en woede.

'Kutwijf!' hijgde ik zwakjes. 'Koe!'

Mindy kwam verbaasd tot stilstand. Haar gezicht kreeg een welwillende, onschuldige uitdrukking. Terwijl ze mijn troosteloze gestalte met één oog in de gaten hield, stak ze haar grijze tong uit en trok een paar bladeren van een tak boven haar hoofd. Ze kauwde er nadenkend op, alsof ze niet wist wat ze moest doen. Na een paar minuten slenterde ze naar de rand van de dam en nam een lange teug koel water. Het spel was uit, had ze besloten.

6

In februari 1982 begon het te regenen en het hield niet op. Dag in dag uit stond de doorweekte giraffe verloren onder de bergacacia's en de regenmeter raakte sneller vol dan mijn vader hem kon legen. De stuwdam werd een Victoriawaterval in het klein; de rivier steeg griezelig snel.

De Burrows werden het eerst uit hun huis verdreven, drie of vier kilometer verder stroomopwaarts. We stonden op het erf en zagen hun diepvrieskist op de stroom voorbij tollen. De Etheredges vertrokken als tweede. Ze vluchtten voor de modderige vloed met hun schilderijen van David Shepherd en hun beslagen ivoren slagtanden. Tegen die tijd kabbelde het water tegen ons veiligheidshek. Onze bijenkast, een cadeau van oom James, was de diepvrieskist van de Burrows achterna gegaan. Mijn moeder had dankzij haar liefdadigheidsnieuwsbrieven een duidelijk beeld voor ogen van een Bangladesh-ramp. Ze snakte ernaar het voorbeeld van de Etheredges te volgen en het huis zo gauw mogelijk te verlaten, maar mijn vader trad de naderende ramp met zijn gebruikelijke optimisme tegemoet.

'Het komt zéker niet tot het huis,' beweerde hij terwijl het gastenhuisje op de mierenheuvel, met een dak dat onder het gewicht van de regen in elkaar zakte, veranderde in een eiland in een koffiekleurige zee. 'Nóóit. Nooit, in geen duizend jaar.'

Mijn moeder werd steeds hysterischer. 'Wil je dat je kinderen verdrinken?' vroeg ze. 'Wil je dat?'

Mijn vader hield vol dat hij de situatie meester was. Hij had een tractor met aanhangwagen en een heleboel mannen (er was er niet één te zien) die op het punt stonden ons razendsnel in veiligheid te brengen. Hij stak stokjes in het grasveld, 30 centimeter van elkaar, om het voortschrijdende water bij te houden. Elke avond schudde hij zijn hoofd bij de voortjagende wolken in het televisieweerbericht, en zei: 'Dat kan zo niet langer doorgaan. Dat kan gewoon niet.'

Ik was langzamerhand opgelucht dat mijn slaapkamer op de tweede verdieping was.

Achtentwintig jaar geleden, tijdens de vorige grote overstroming op Rainbow's End, werd Mike Swan, de jonge Ierse zetbaas, midden in de nacht gewekt door zijn plantagearbeiders. Hij liep met knipperende ogen naar buiten en ontdekte een zwart meer dat de tabaksschuren naderde. De tabaksschuren werden gered door snel denkwerk, harde arbeid en een muur van maïsmeelzakken.

In datzelfde jaar besloten Cameron 'Cam' Meredith en Nobbie Clark, twee jongens uit de buurt, dat ze hun vriendinnetjes wilden opzoeken in Gwelo. Door zo'n kleinigheid als een overstroming lieten ze zich niet weerhouden. Nobbie Clarks vader had die dag zojuist een splinternieuwe Humber Super Snipe gekocht. Nobbie kreeg zijn vader zover dat hij hem de sleutels gaf. Nobbie en Cam begaven zich opgetogen op weg. Toen ze bij de Umfuli kwamen, ontdekten ze dat de brug onder water stond. Volgens de goede oude Gadzema-traditie weigerden ze hun nederlaag te erkennen en 'maakten een plan'. Ze konden toch net zo goed over de spoorbrug gaan? De spoorbrug verhief zich trots boven het kolkende water, slechts een paar honderd meter stroomopwaarts.

Nadat iemand hen had verzekerd dat het treinverkeer door de overstroming was lamgelegd, gingen de jongens en een paar haastig opgetrommelde vrijwilligers aan het werk. Ze haalden planken, legden die op de rails en reden de auto erop. Zodra de achterwielen over de achterste planken waren gereden, droegen ze de planken naar voren en reden de auto een eindje verder. Zo kropen ze centimeter voor centimeter naar de overkant, aangemoedigd door een groeiende menigte.

Toen ze er bijna waren zagen ze een rookpluim over de boomrand zweven. Er ontstond een volslagen verwarring. Hoe moesten ze de auto redden? Het werd algauw duidelijk dat ze blij mochten zijn als ze hun eigen huid konden redden. Ze renden terug over de rails en sprongen opzij, juist toen de trein, barstensvol passagiers, in het zicht verscheen. De trein kon met geen mogelijkheid stoppen. Met een schril gefluit ramde de trein de motorkap van de Humber Super Snipe. Hij schepte de auto aan de ene kant van de brug en duwde hem in zijn geheel naar de overkant, waarna hij de rails verliet als een opstijgende Boeing. Toen de zwaartekracht zich deed gelden stortte hij neer op de oever en gleed omlaag in de modder en de biezen. Daar bleef hij tien jaar liggen – een roestige blauwe waarschuwing hoe gevaarlijk het is als je hartstocht laat prevaleren boven verstand.

Op Rainbow's End steeg de rivier tot zestig centimeter voor onze voordeur. Toen hield de regen eindelijk op. Mijn moeder maakte aanstalten haar koffers te pakken, Lisa en mij te roepen en te vertrekken.

Weer.

'Het is één ding dat hij ons leven in gevaar brengt – wij zijn niet belangrijk. Maar hij mag jullie niet in gevaar brengen.

En het is niet de eerste keer,' voegde ze er venijnig aan toe.

Maar mijn vader toonde geen berouw. Hij had gezegd dat het water het huis niet zou bereiken en hij had gelijk gekregen. Dankzij hem was ons het gedoe van een verhuizing bespaard.

'Nee hoor, het gaat prima,' zei hij tegen mensen die opbelden om te kijken of we waren verdronken of weggespoeld naar Kariba. 'Heus, prima. *Ag*, weet je, het kwam tot in de tuin maar het was helemaal geen probleem.'

Toen het water zakte, lagen er niet langer twee krokodillen op de zandbank te zonnen, terwijl hun tanden werden schoongemaakt door de koereigers. Er was er een verdwenen.

'Ik maak me echt zorgen,' zei mijn moeder aan de telefoon tegen Richard Etheredge. 'Misschien is hij verdronken.'

'May, krokodillen verdrinken niet!' bulderde Richard door de lijn. 'Ik heb hem doodgeschoten en er een handtas voor Katherine van gemaakt.'

Achteraf bezien was de overstroming een voorteken, maar ik herkende het niet als zodanig. In plaats daarvan leidde ik Morning Star, die nu volwassen was, in vliegende vaart over een crosscountryparcours dat de timmerman voor mij had gebouwd in het wildreservaat. Ik ploeterde door sloten en galoppeerde verraderlijke modderige oevers op alsof we op Badminton waren, en joeg Jenny en de impala's de stuipen op het lijf.

Een paar weken eerder was Star gediagnosticeerd als 'geestesziek' door een vrouwelijke trainer die stuntruiter was geweest in een James Bondfilm. Ik had Star zelf ingereden en genoot ervan op hem te rijden, maar ik wilde dat hij een wedstrijdpaard werd. Ik had hem naar haar toegestuurd om bijgeschaafd te worden. Op de eerste dag schopte hij een gat in het dak van een stal en probeerde een paar paardenknechten dood te trappen. Het had een week geduurd voor ze hem onder controle kreeg. Daarna kon ze hem alleen berijden door hem met een touw tussen twee andere paarden vast te binden en een martingaal te gebruiken, een zwaar hoofdstel. Ze dreef me tot wanhoop met haar oordeel dat hij 'geestesziek' was. Ik kon hem berijden, maar ik zou hem nooit kunnen vertrouwen, zei ze. Ooit zou hij, wanneer ik het absoluut niet verwachtte, gek worden en me de dood injagen.

De eerste keer dat ik opsteeg na zijn terugkeer op Rainbow's End was ik net zo zenuwachtig als de eerste keer dat ik op Cassandra reed. Maar hij gedroeg zich net zoals anders, vurig maar lief. Ik bereed hem met een zacht rubberen bit, maar zelfs dat had hij nauwelijks nodig. Net zoals Cass ging hij van een volle galop over op stilstand en vice versa, louter op gesproken commando's. Terwijl we door de rimboe naar huis galoppeerden vroeg ik me af hoe de trainer zich zo had kunnen vergissen. Ineens sprong er een koedoestier uit het hoge gras tevoorschijn, bijna onder ons.

Star steigerde. Zijn zwarte hoeven maaiden door de lucht, zijn manen sloegen in mijn gezicht toen ik me over zijn hals boog. Toen hij weer met zijn benen op de grond kwam trok zijn achterhand samen. Ik voelde zijn enorme kracht onder me terwijl hij naar voren sprong en op hol sloeg.

Ik dacht kalm: 'Dit is het. Dit is het moment waarop hij gek wordt en me de dood injaagt.'

Maar hij deed het niet. Toen niet en later niet, in drieëntwintig jaar (waarin ik minstens een keer per jaar voor twee maanden naar Zimbabwe terugkeerde). Ogenschijnlijk ging ik terug om mijn familie te zien. Ik hunkerde naar de Afrikaanse wildernis, het geklets van de Afrikanen en vooral naar mijn geliefde paard. Hij deed me nooit pijn of kwaad; hij was altijd lief. Hij galoppeerde een eindje, toen draaide hij zich om en bleef briesend staan. We zagen beiden hoe de koedoe, een der meest volmaakte schepselen uit de natuur, met lange sprongen door het vlaskleurige gras verdween, met zijn gedraaide hoorns naar achteren.

Star, Cass en ik reden wedstrijden, ik deed zangoefeningen in de hoge kathedraalachtige schuren en knipte mijn haar kort en deed een combinatie van aerobics en gymnastiekoefeningen en Royal Canadian Air Force-oefeningen om eruit te zien als Olivia op de omslag van *Physical* en kocht een gitaar die ik niet kon stemmen, en tussen al die dingen door keek ik naar mijn stapeltje platen of de boeken op mijn boekenplank en vroeg me af hoe ik ooit de kloof moest overbruggen tussen mij en de mensen die ze hadden gemaakt. Hoe iemand ooit ontsnapte aan de spoorlijnen van het lot, de miezerigheid die je opsloot, verzegelde, en voor altijd gevangen hield in een web dat je zelf had gemaakt.

Ik wendde me tot mijn moeder, een ontsnappingskunstenares van het zuiverste water, hoewel het haar niet was gelukt te ontsnappen – aan een leven dat ze niet had gewild. Later zei ze tegen Lisa: 'Trouw nooit met een planter en word nooit secretaresse.'

Een belangrijk obstakel voor succes was onze onuitsprekelijke Nederlandse achternaam, daar waren mijn moeder en ik het over eens. Zij zei dat ik mijn naam moest veranderen in Lauren St John. Mijn moeder, mijn vader en Lisa wilden hun naam ook veranderen. Aangezien geen enkele naam voor iedereen acceptabel was, kregen we uiteindelijk vier verschillende achternamen. Hoe moest je beroemd worden als je in Gadzema was geboren? Mijn moeder herhaalde als een mantra: 'Je kunt alles krijgen, als je het maar graag genoeg wilt. Het maakt niet uit: een Rolls Royce of een kasteel op een heuvel. Of popzangeres worden. Alles is mogelijk. Je moet het echt willen.'

Ik zat met mijn rug tegen een boom in het wildreservaat naar de giraffe te kijken en verlangde tot ik barstte, maar dat loste het probleem niet op. De wildernis en de dieren waren mijn leven, en Afrika zat me in het bloed. Hoe zou ik ooit zonder kunnen?

Mijn nieuwe loyaliteit jegens mijn moeder droeg bij tot de spanning in huis. Mijn vader zei dat ik de oorzaak was van alle problemen in huis. Ik zag niet hoe ik de oorzaak kon zijn van de ruzies die de eettafel in een slagveld veranderden. Lisa zat met grote ogen van schrik aan tafel en ik probeerde niet te huilen. Als ik huilde schreeuwde hij, als mijn moeder huilde schreeuwde hij en dan moest Lisa ook altijd huilen. Maar het stond in mijn dagboek:

3 mei 1982: Mijn vader zei dat ik de oorzaak was van alle problemen in huis. Toen zei ik dat ik zou weglopen. We hebben onze excuses aangeboden.

5 mei: Mijn moeder gaat binnenkort op reis. Ze gaat naar Londen, Portugal, Zwitserland en Holland.

29 mei: Kreeg een kaart van mijn moeder uit Lissabon. Ze had een noodlanding achter de rug omdat een band van haar vliegtuig was geklapt.

Terwijl ze weg was sleepte mijn vader me mee naar de Suri Suri Club aan de Chakari Road. Het clubgebouw was rustiek, met een rieten dak en een leistenen vloer, en keek uit over een mooi stuwmeer, omgeven door weelderige biezen. Daar tenniste hij en dronk, niet noodzakelijkerwijs in die volgorde. Hij en zijn tennispartner, Betty B., lachten veel. Als hij niet speelde stond er een kring glimlachende mensen om hem heen. Hij was van nature prettig in de omgang. Hij was altijd in een uitstekend humeur bij deze gelegenheden en erg populair; hij was grappig, zat vol zelfspot, wilde graag aardig worden gevonden en was altijd, altijd ongelooflijk goedgemanierd.

Ik verveelde me en had de pest in. Ik hield me met een boos gezicht afzijdig, tot mijn vriendin Lisa me kwam opvrolijken. Ze stelde me voor aan Nick, een donkere jongen met een ontbloot bovenlijf. Hij was nog net een tiener of begin twintig, en droeg een jagersgroene korte broek van de OK-bazaar. Een van zijn benen was bruin en gespierd; het andere was een stomp, eraf geschoten in de oorlog. Zijn bijnaam was Skippy.

Tegen de avond belandde ik met Nick in een hooiberg. Het voelde alsof ik hem heelde toen ik hem kuste, alsof ik de oorlogsjaren en alles wat hij had verloren kon vergoeden. De hemel was bewolkt; de lucht was klam en drukkend. Een laagje zweet deed de bronzen huid van Skippy glanzen. We zoenden tot de zon onderging boven het stuwmeer in een zacht gekleurde lappendeken van kussenwolkjes met halfroze randjes. Later lagen we daar zwijgend, met mijn wang tegen zijn bruine borst.

Mijn vaders stem bulderde in ons liefdesnest.

'Kom, vriendin, we gaan weg!'

Ik krabbelde uit het holletje tussen de balen en plukte het hooi uit mijn haar, gloeiend van schaamte. Mijn vader zweeg. Hij liep gewoon naar de auto, enigszins zwaaiend op zijn benen, en had al zijn aandacht nodig om de sleutel in het slot te krijgen. Toen ik een blik over mijn schouder waagde, zat Skippy glimlachend rechtop. Hij zat tot zijn middel in het hooi. Hij zag er heel uit.

27 juni: Mijn vader heeft de hele dag naar cricketwedstrijden gekeken. Daarna was hij bezopen, en ramde de vrachtauto tegen een wegversperring. Misschien raakt hij zijn rijbewijs kwijt.

Mijn moeder was weer terug van haar reis. Ze reed over donkere plantageweggetjes naar het politiebureau om hem op te halen. De enige schade aan zijn blauwe vrachtauto was een kapotte koplamp. Dit leidde tot hevige ruzies, vooral omdat hij kort geleden onze nieuwe Renault in de prak had gereden na een ander dronkemansgelag. Die keer kwam hij thuis zonder zich te verontschuldigen. Hij waarschuwde mijn moeder: 'Zeg geen woord. Niet één woord.' Hij moest voorkomen en kreeg een zware boete maar hij raakte zijn rijbewijs niet kwijt, tot onze grote opluchting, want het zou hem zijn baan hebben gekost.

Ik was zo weinig mogelijk thuis of bij huis. Ik reed op Cass over de stripweg naar het huis van mijn vriendin Dee Burrows. We maakten een tocht naar de oude groene spoorbrug waar Cam en Nobbie de Humber Super Snipe om zeep hadden geholpen. Ik flirtte met de dood; ik hing ondersteboven aan mijn knieën aan een ijzeren steunbalk, en lachte om de kringen stenen met franjes ondiep water dertig meter onder me. Ik vroeg me af wat er zou gebeuren als ik wegleed. Als ik ter aarde zou storten zoals die civetkat. Als ik dood was. Zouden mijn ouders spijt krijgen? Maar het was een voorbijgaande gedachte. Er waren te veel mooie dingen om voor te leven.

Een van die dingen gebeurde een paar dagen later: ik ontdekte dat Olivia Newton-John een concert gaf in Sun City, een Las Vegas-achtig vakantieoord in Bophutaswana, een onafhankelijke staat binnen Zuid-Afrika. Veel popsterren boycotten Sun City; ze beschouwden het als een speeltuin voor de verloederde blanke grondleggers van het apartheidsregime. Olivia deed daar niet aan mee en ik was toen zo jong dat mijn aanbidding voor popsterren zegevierde over de politiek. Er ging een busreis naar Sun City en ik wilde mee. We zaten krap en ik moest een paar weken zeuren, maar uiteindelijk mocht ik gaan. Ik zat met mijn plakboeken buiten de deur van het hotel van Olivia te wachten tot een lijfwacht bereid was ze af te leveren. Olivia zette overal haar handtekening en schreef erbij: 'Je hebt een fantastische verzameling foto's!' Ik wilde haar verschrikkelijk graag ontmoeten, maar moest uiteindelijk genoegen nemen met haar handtekening en het voorrecht op mijn vijftiende in mijn eentje naar een ander land te reizen en in een hotel te logeren waar permanent bruine volwassenen met glazige ogen tijdens het ontbijt zaten te knikkebollen boven gokautomaten, om Olivia te zien optreden. Mijn moeder, die niet kon verdragen een reisje te moeten missen, verpestte het enigszins door midden in de week op te duiken.

Niet alleen de eettafel was een slagveld geworden. In het wildreservaat moest je voorzichtig zijn voor Mindy, de krankzinnige koe, de gekke Brahmin-stier, de slangen en de struisvogels. Vroeg of laat zou iemand gebeten of onder de voet gelopen worden. En ja hoor, Cheeky viel mijn vader en Lisa aan bij de waterpoel. Ze konden niet zo hard rennen als hij, dus mijn vader tilde Lisa op, gooide haar in een doornboom en riep: 'Pak een tak en blijf er uit alle macht aan hangen!'

Toen klom hij ook in de boom en probeerde de struisvogel met een tak van zich af te slaan.

Hun kreten trokken de aandacht van mijn moeder, die naar het wildreservaat rende. Ze probeerde Cheeky schreeuwend, kirrend en met haar armen zwaaiend af te leiden. Hij stormde als een racevogel op haar af. Zijn grijsroze poten maaiden als messen door de lucht, maar ze stond zo dicht bij het hek dat ze kon ontsnappen. Cheeky richtte zijn aandacht op Geit, die met belangstelling naar deze capriolen had staan kijken. Razend van woede stampte hij Geit letterlijk in de grond. Geit hield zich dood. Hij was een beetje verbaasd en toegetakeld, maar ongedeerd.

Mijn vader was woedend op Lisa omdat ze huilde.

'Alsof het niet normaal is dat een kind van acht huilt wanneer er een struisvogel achter haar aanzit,' zei ze later droogjes.

Toch redde hij ons altijd.

Kort daarna zat Cheeky zijn laatste slachtoffer achterna, de wachter van het wildreservaat. Het lot wilde dat hij in een kuil stapte en zijn been brak. Hij moest worden afgemaakt. Struisvogels hebben een leerachtig kippenvel dat sommige mensen mooi vinden. Kort na zijn laatste driftbui veranderde Cheeky in een riem voor mijn vaders broek. Net als de krokodil was hij groot genoeg voor een handtas, maar mijn moeder vertikte het zo'n ding te dragen.

Soms regende het doden. Er ging geen week voorbij zonder dat iets of iemand werd getroffen door een typisch Afrikaans noodlot. Eerst verdween Geit (gestolen, stelden we later vast, voor een kookpot in de kraal), toen werd Bacon doodgebeten door de foxterriërs en daarna werd het pasgeboren veulen van onze oude volbloedmerrie Queenie – dat ze liefhad als een mensenmoeder, na een reeks miskramen, en bitter beweende – doodgebeten door een Rhodesische draadhaar die we een week daarvoor hadden gekregen van de dierenbescherming. De vrouw van de dierenbescherming was diep verontwaardigd toen mijn vader hem terugbracht. Behalve dat hij veulens doodbeet was hij een goede hond en ze vond snel een nieuwe baas voor hem.

Daarna werd er elke keer dat wij niet thuis waren een kat doodgebeten door een foxterriër. Een hond werd overreden, een stierf aan galkoorts, veroorzaakt door teken, en een werd gebeten door een slang. Er werd een cobra onder de eettafel gevonden en onthoofd. Alleen de foxterriërs waren niet kapot te krijgen.

Op een ochtend verscheen Luka niet op zijn werk. Ik had Luka rijles gegeven zodat hij de paarden kon berijden als ik op kostschool zat, en hij had het binnen een uur geleerd. Verlichte zit, galopperen en teugelhulpen: het ging hem allemaal moeiteloos af. Ik was zeer verwonderd. Was hij een geboren ruiter? Had hij zichzelf stiekem leren rijden? Had hij leren rijden bij een vorige baas? Maar Luka was een man van weinig woorden; hij glimlachte ontwijkend als ik hem iets vroeg, dus ik wist het fijne er niet van.

'Luka, *ari kupi?*' vroeg ik aan Gatsi toen Luka niet verscheen, maar niemand wist waar hij was of wat hij deed. Toen verscheen er een sombere delegatie bij mijn vader. Hij haastte zich naar de kraal. Daar stond een menigte rond Luka's hut. Het Afrikaanse gebruik stond niet toe dat mijn vader het huis van de dood betrad, maar iemand reikte hem de oorzaak aan: een plastic fles Cooper's veeontsmettingsmiddel dat Luka zichzelf had toegediend. Verdund zag het eruit als afgeroomde melk, maar de scherpe, zwavelachtige geur was onmiskenbaar. Hij was tot zelfmoord gedreven door een huwelijkscrisis, net als Peters vrouw op Giant Estate. Net als zij had hij veeontsmettingsmiddel gebruikt en was een langzame, martelende dood gestorven.

Ik had het gevoel dat alles in Afrika bijna eindigde in een tragedie.

Deze gebeurtenissen, hoewel belangrijk in mijn wereld op Rainbow's End, waren een kleinigheid vergeleken bij de geruchten over Mabeteland en de Midlands. In de jaren na de onafhankelijkheid broeide er vijandigheid die gepaard ging met gewelddadige schermutselingen tussen rivaliserende groepen ex-guerrilla's. De ene stam streed tegen de andere. De vroegere soldaten van Mugabe, verbonden met ZANU (Zimbabwe African National Union), de politieke vleugel van ZANLA, spraken Shona en kwamen uit het noorden van het land. De meeste aanhangers van Joshua Nkomo's ZAPU (Zimbabwe African People's Union), vroegere soldaten van de ZIPRA, spraken Ndebele en kwamen uit het zuidelijke Zimbabwe. In 1981 en februari 1982 kwamen de spanningen twee keer tot uitbarsting in regelrechte veldslagen. De eerste had driehonderd doden tot gevolg. De hulp van de luchtmacht en de Rhodesian African Rifles (RAR) werd ingeroepen. Er verzamelden zich Zuid-Afrikaanse tanks bij de grens.

Toen werd Nkomo, die door de Ndebelestam liefkozend *umdala wethu* (onze oude man) werd genoemd, beschuldigd van een complot voor een coup, samen met een paar andere ZAPU-leiders. Er werden geheime wapenvoorraden aangetroffen op bezittingen van de ZAPU. De leiders werden 'ontheven van hun verplichtingen'. Het paspoort van Nkomo werd geconfisqueerd en hij werd in zijn bewegingen beperkt tot Bulawayo. Als antwoord op de 'onlusten' die hierop volgden liet Mugabe zijn Shona-leger, de Vijfde Brigade, aanrukken om de 'dissidenten' in Mabeteland en de Midlands uit te roeien.

Aan het begin van 1983 begonnen verhalen over barbaarse, ontaarde daden naar buiten te sijpelen uit Mabeteland, het centrale gebied van de Ndebele stam, een minderheidsgroep. Onmenselijke daden. Deze verhalen reisden bijna op de wind. Als je ze doorvertelde riskeerde je dat je dezelfde wreedheid op je dak kreeg. Die verhalen gingen over de in Noord-Korea getrainde soldaten van de Vijfde Brigade, die bekendstond als *Gukurahundi* (een Shona-term die betekent: 'storm die het kaf wegblaast voor de lenteregen'). Deze soldaten waren alleen loyaliteit verschuldigd aan de minister-president, en opereerden onder het commando van kolonel Perence Shiri, die de 'zwarte Jezus' werd genoemd. Een manier om 'heel, heel snel vrede te stichten' was dit: ze dwongen Ndebele-dorpelingen massagraven te graven en erin te springen voordat ze hen doodschoten of levend begroeven. Ze sneden de buik van zwangere vrouwen open om 'dissidente' foetussen te onthullen, en keken toe hoe ze doodbloedden; pleegden groepsverkrachtingen op meisjes en vrouwen, waarna ze op hun genitaliën inhakten tot ze doodbloedden; gooiden dorpelingen in mijnschachten en lieten ze verhongeren in concentratiekampen; dwongen hen tot seks met honden of varkens; dwongen vaders hun dochters te verkrachten; dwongen overlevenden hun geliefden op te eten; lieten dorpelingen levend verbranden in hun hutten of dwongen ze op een rij te staan, allemaal met hun gezicht naar dezelfde kant, en doodden ze met één enkele kogel.

Geen van die dingen kwam ter sprake in de staatsmedia. Het duurde nog jaren voor de schaal van de genocide bekend werd. Het aantal doden in die periode wordt door onofficiële bronnen geschat op 10.000 tot 30.000, even veel als het dodental in de hele 'vrijheidsoorlog'. Dit was nog maar het begin van een campagne van intimidatie, marteling, moord en gedwongen verhuizing van onschuldige burgers die voortduurt tot op de dag van vandaag. Honderdduizenden Ndebele-stamleden zijn het slachtoffer, en allerlei andere mensen van wie wordt vermoed dat ze tegenstanders zijn van Mugabes regime. Het enige officiële onderzoek naar Mugabes zuivering van dat gebied was het rapport van de Catholic Commission for Justice and Peace uit 1997. Het rapport concludeerde dat er tussen 1980 en 1989 2000 bevestigde en 4000 'bijna zekere' dodelijke slachtoffers waren in Mabeteland en de Midlands, plus minstens 10.000 gevangenen en 'niet minder dan' 7000 mishandelde en gemartelde mensen. De schrijvers van het rapport gaven toe dat de ware cijfers waarschijnlijk vele malen hoger lagen. Geen van de regeringen die Mugabes klim naar de macht hadden gesteund veroordeelde hem op een adequate manier. De mensen uit Matebele kwamen niet in opstand omdat Nkomo, die al generaties lang hun politieke en geestelijke leider was, nog steeds in een democratische oplossing geloofde. Hij geloofde het zelfs nog toen hij in 1983 vrijwillig in ballingschap ging. Hij zei weinig en protesteerde nog minder over de marteling en de massamoord op zijn volk.

Weer heerste er een oorverdovende stilte.

Weer werden we aan ons lot overgelaten. Weer waren we verenigd in de enige taal die de mensen uit Zimbabwe kenden: de taal van de rouw.

7

De angst die eerst was verdwenen, keerde weer terug. Hij was er niet voortdurend, zoals tijdens de oorlogsjaren, en het was niet langer de vrees voor het onbekende. Op mijn zestiende was ik bang als de autocolonne van Mugabe voorbijreed met loeiende sirenes en een motorescorte met flitsende blauwe lichten, auto's met lijfwachten en lokvogels en grijze vrachtauto's vol soldaten die stierven van verlangen om hun machinegeweren te gebruiken. Als dat gebeurde moest je maken dat je wegkwam – zelfs als je de auto in de prak moest rijden in een sloot. Soms dachten ze dat je een bedreiging was; dan maaiden ze je neer in een hagel van machinegeweervuur. Dat deden ze, dat hadden ze ook bij anderen gedaan. Ik was bang dat we per ongeluk tijdens de avondklok van zonsondergang tot zonsopgang langs de residentie van Mugabe zouden rijden en neergemaaid zouden worden, zoals andere pechvogels. Er waren steeds meer verdachte, onverklaarde sterfgevallen. Politieke rivalen werden plotseling dood aangetroffen in kofferbakken. Josiah Tongogara, de populaire Shona guerrillacommandant die de conferentie in Lancaster House had bijgewoond en werd beschouwd als een verzoeningsgezinde, pro-Ndebele-figuur en een goede kandidaat voor het leiderschap, was de eerste die het hoekje om ging. Hij stierf op geheimzinnige wijze bij een auto-ongeluk in Mozambique op eerste kerstdag in 1979, nog vóór Mugabe aan de macht kwam.

Ik was het bangst voor de Central Intelligence Organization, de geheime politie van Zimbabwe – die ook in Noord-Korea was opgeleid. Men zei dat ze infiltreerden in clubs en cafés. Ze tapten je telefoon af en gaven huisbedienden geld om gesprekken af te luisteren. Iemand die een negatieve opmerking over de regering maakte of een foto van Mugabe bekladde werd gearresteerd en in de van luizen en seksueel overdraagbare ziekten vergeven cellen in de Chikurubi-gevangenis gegooid. Als hij geluk had. Vaak verdween hij gewoon. Er gingen geruchten over een krokodillenfokkerij.

Op een dag kwam de CIO naar Rainbow's End. Mijn vader herkende de witte Landrover die hun handelsmerk was. Hij gebood mijn moeder binnen te blijven. Vijf mannen kwamen uit de auto en omsingelden hem op het erf. Meer dan een uur lang vuurden ze vragen op hem af tot mijn vader, die zonder een spier te vertrekken in de loop van een geweer kon kijken, die doodkalm bleef als de granaten links en rechts in het zand ploften, die in het donker slangen in een zak propte en boven op een dam vuurgevechten leverde, als een kind stond te bibberen van angst. Hij zweette angst. Hij beantwoordde hun vragen vastberaden, met groeiende wanhoop. 'Ja, meneer. Nee, meneer. Absoluut niet, meneer. Nooit, meneer. Geen sprake van, meneer. U kunt het iedereen vragen, meneer.'

Mijn moeder keek angstig toe vanuit de deuropening. Ze wist niet waarom die mannen daar waren, maar ze wist wat het kon betekenen.

Ze beschuldigden hem ervan dat hij wapens en munitie had opgehaald bij een planter in Selous. Ze wisten dat hij het had gedaan, want de kok die voor de planter werkte had het gezien. Mijn vader was ongerust, want de mannen leken heel zeker van hun zaak. Als hij zijn geheugen niet opfriste, zouden ze hem ergens naartoe brengen waar ze hem een handje konden helpen. Ze bleven maar doorzeuren over dozen met geweren en granaten met bedwelmingsgas. Ze beschreven de dozen zelfs – twee kartonnen dozen voor kruidenierswaren.

Op dat moment mengde mijn moeder zich in het gesprek en vroeg: 'Hebt u het over de dahliaknollen die we hebben gekregen?' Ze liet hen de dozen zien.

'Je moeder heeft me die dag het leven gered,' zei mijn vader later. 'Ze heeft me echt het leven gered.' Dus het leek alsof de oorlog weer terug was. Alleen de grondregels waren veranderd.

De gewone mensen in Zimbabwe waren even vriendelijk als de regen van Inyanga. Ik zag het aan de zorgeloze vreugde van de kinderen die naar de plantageschool gingen op Wicklow Estate; aan de plagerijtjes van de paddenstoelenventers, die ons overhaalden paddenstoelen te kopen zo groot als etensborden en twee of drie keer zo dik als een biefstuk. Ze waren heerlijk als je ze roosterde met kaas. Ik zag het aan de uitgelaten menigte in de biertuin van het Hartleyhotel bij het concert van Thomas Mapfumo and the Blacks Unlimited; en ik zag het aan Daniel, die Medicine verving, omdat hij met pensioen ging.

Daniel was lief en onmogelijk, bijna komisch, maar ik vond hem direct erg aardig, en hij mij. Hij schaterde het uit om alles wat ik zei of deed. Als hij niet lachte deed hij zijn uiterste best om zijn lachen in te houden. Als ik naar Rainbow's End ging keek ik er meer naar uit om hem te zien dan mijn ouders, hoewel onze gesprekken grotendeels beperkt bleven tot praatjes over dieren en de familie:

Ik: *Kunjani, Daniel?* ('Hoe gaat het, Daniel?')
Daniel: *Ah, yena mushi stelek. Yena mushi.* ('O, heel goed. Goed.')
Ik: *Zonke, yena* goed? ('Gaat alles goed?')
Daniel: *Ah, yena* square. ('Alles kits.')
Ik: *Kunjani lo piccanin gawena?* ('Hoe gaat het met je kinderen?')
Daniel: *Yena mushi.* ('Het gaat goed.')
Ik: *Kunjani, lo shamwari gamina?* ('Hoe gaat het met mijn vriend [Star]?')
Daniel: *Ah, yena mafuta stelek.* ('Hij wordt erg dik.')

Met die gesprekjes probeerde ik het contact met de Afrikanen uit mijn land te herstellen. Ik leerde, met kleine stapjes, van hun en hun cultuur te houden.

Ik werd steeds meer geplaagd door vervreemding. De blanken die Rhodesië, het verloren paradijs, hadden verlaten vonden het over het algemeen zó moeilijk zich aan te passen aan de harde realiteit van het leven in het buitenland dat ze een spottende bijnaam kregen: de 'toenwij's'. Zoals: 'Toen wij nog in Rhodesië woonden,

stroomde het Lion-bier overvloedig en de zon scheen altijd...' Ze
zwierven als dolende zielen over de aarde. Ze konden de goede oude
tijd niet vergeten, konden zich niet aanpassen in hun nieuwe land,
konden zich hier niet aanpassen. Er verscheen zelfs een stripboek
over hun verdriet.

Maar ik verkeerde in een andere tweestrijd. Ik kon steeds moeilijker in het reine komen met de realiteit van ons vroegere leven. Ik
voelde me gevangen tussen twee werelden: de Afrikaanse wereld
waar ik door het verleden nooit bij zou horen, en mijn eigen wereld,
waar ik steeds minder bij hoorde. Ik wilde geen leven in eeuwige
zonneschijn. Ik wilde niet dat ze me bedienden en kopjes thee voor
me zetten. Zwarten, blanken en Aziaten integreerden. Ze sloten
goede, bevredigende vriendschappen en troostten elkaar veel sneller en oprechter dan buitenlanders voor mogelijk hadden gehouden. Door tientallen jaren sociale conditionering gaven mensen uit
alle lagen van de bevolking echter uiting aan een achteloos, nonchalant racisme. De houding: we doen ons best, of: we maken een
plan bleef bestaan. Die houding was bewonderenswaardig, want
het stelde mensen in staat te functioneren en zelfs tevreden te zijn
onder de meest onverdraaglijke omstandigheden. Ik deed het ook,
maar toen ik ouder werd kreeg ik meer last van de ontkenning van
dingen die daaronder zaten.

Nu de oorlog voorbij was kwamen er steeds meer geheimen aan
het licht over wandaden van de Rhodesische regering en hun veilig-
heidsdiensten, in het bijzonder de Selous Scouts, die erin waren gespecialiseerd guerrilla's met alle noodzakelijke middelen te laten
overlopen naar de andere kant. Sommigen van hen kwamen in op-
spraak door de illegale jacht op olifanten voor ivoor in het Gona-
rezhou National Park, aan het eind van de oorlog. Mensen die we
kenden hadden afschuwelijke dingen gedaan. Een kennis werd ervan verdacht betrokken te zijn bij een massaslachting. In de jaren
zeventig, toen mijn moeder nog naïef en onschuldig was, had ze
hem zonder dat te weten geholpen het land uit te vluchten. Ze wist
niet dat hij werd gezocht door de marechaussee, alleen dat hij in
moeilijkheden zat. Hij verzekerde haar dat die moeilijkheden zou-

den worden opgelost als hij een paar maanden naar Europa ging. Jaren later ontdekte ze wat ze had gedaan. Wat híj had gedaan.

Mijn vader, die samen met hem had gevochten bij de Grey's Scouts en hem als een vriend beschouwde tot hij de waarheid wist, vond hem de wreedste man die hij ooit had gekend.

'Iedereen doet wel eens iets in de oorlog, maar er zijn weinig mensen die een nikker achter een paard aan een touw binden en hem tien kilometer lang over de grond slepen.'

Wat moest ik hiermee? Was mijn liefde voor Zimbabwe minder waard door de daden van mijn voorouders, mijn regering, mijn vader of mijzelf (onwetend als ik was)? In Groot-Brittannië en de Verenigde Staten werden mensen als Brit of Amerikaan beschouwd vanaf hun geboorte of de dag dat ze het staatsburgerschap kregen. In Zimbabwe waren zwarte mensen Afrikanen, Indiërs waren Indiërs en blanken werden meestal Europeanen genoemd.

Mijn familie woonde al vier generaties lang in Afrika.

Waarom was ik geen Afrikaan? Waarom?

Maar ondanks deze onbeantwoordbare vragen ging het leven verder, zoals altijd. Lisa verliet de lagere school in Chegutu en het ijzeren regime van Mr Clark en ging naar Lilfordia, een kostschool die nog veel strenger was. Op haar achtste moest ze elke morgen drie kilometer hardlopen vóór het ontbijt, ondanks dat ze dagelijks flauwviel. Ze werd het hele semester op school opgesloten.

Ik was beduidend beter af. Aan het begin van 1983 wisten Merina en ik onze ouders ervan te overtuigen dat het eten en de andere omstandigheden op de kostschool ondraaglijk waren. Dat was waar, maar eigenlijk hadden we gewoon genoeg van de bel en de regels. We verhuisden naar Sophie, een aantrekkelijke blonde gescheiden Griekse vrouw die gewend was te koken voor drie grote zonen. Ze maakte ovenschalen vol moussaka, groot genoeg voor een Griekse familie, en gaf ons ieder de helft. Sophie had een logeerkamer met een tweepersoonsbed. Merina en ik wilden dat bed delen op voorwaarde dat niemand op school het te weten zou komen. Ze had een zoon van in de twintig die ons altijd probeerde te bespieden in de badkamer, en een aardige vriend van in de vijftig die fotografeerde voor de *Sunday Mail*.

'Hoe word je beroemd?' vroeg ik aan Mr Grey. 'Hoe kom je in de krant?'

Dat was gemakkelijk, zei Mr Grey. Zelfs criminelen deden het. Hij wilde portretfoto's in zwart-wit voor ons maken, zodat we die in onze portfolio's konden stoppen wanneer onze grote doorbraak kwam. Hij nam ons mee naar de fotostudio van de krant. We poseerden als verlegen popsterren en verlieten het pand met een stapel professionele foto's. Op de foto's zie ik er ernstig en onschuldig uit, in de verste verte niet als een popster. Misschien kwam dat omdat ik, na alle doden en verwarring in mijn leven, een wederdoper was geworden.

Jean had het jaar daarvoor al geprobeerd onze belangstelling te wekken voor de kerk, maar het duurde een paar maanden voordat we erop ingingen. Ik hield van de kathedraal om de architectuur en de sfeer, maar ik verveelde me tijdens de hymnen en de preek, en ergerde me aan de uitgestreken gezichten van de kerkgangers. Maar Immanuel was anders dan alle andere kerken die ik ooit had meegemaakt. Het was een evangelische, ongebonden kerkgemeenschap met een goede band, meeslepende liederen over het geloof en fantastische hel-en-verdoemenispreken over de twaalf ruiters van de Apocalyps en de Wederopstanding, en andere pakkende onderwerpen. Tijdens de dienst woei de geest Gods als een wervelstorm in een korenveld door de kerk. Mensen wierpen zich ter aarde, spraken in tongen en werden op dramatische wijze bekeerd.

In februari werd ik officieel wedergedoopt in Immanuel. Mijn moeder vond het verschrikkelijk, omdat ik al een keer was gedoopt in een echte kerk. Bij de doop werd ik achterover gegooid in een ijskoud bassin. Mijn witte gewaad waaierde om me heen als de brede bloembladen van een aronskelk. Ik voelde me dichter bij God maar ik was boos op de pastoor, die het water een beetje had moeten opwarmen.

Ik 'ging heen en wierf discipelen' na mijn doop, zoals het hoorde. Zo kwam ik tot de ontdekking dat mijn vader, wiens ziel nodig gered moest worden, een atheïst was.

Ik begreep niet dat ik zoiets essentieels altijd over het hoofd had gezien; aanvankelijk drong de waarheid niet tot me door.

'Dus we gaan dood en worden begraven, en dat is dat?'

'Ja. Als je eenmaal het hoekje om bent, is het voorbij.'

'Maar er waren toch zeker momenten in de oorlog toen je de dood onder ogen zag, dat je misschien bad of hoopte dat er een god zou zijn?'

'Nee, vriendin. Welke god zou het lijden op deze wereld toestaan?'

Op het hoogtepunt van onze religieuze fase brachten Merina en ik de zondag en vaak ook de zaterdag door bij Jean en haar aardige excentrieke moeder, Margot. Margot had haar vroegere bohémienleven vaarwel gezegd en het christendom omhelsd met de geestdrift van een nieuwe bekeerling. Ze reed in een blauwe Alfa sportwagen die 's morgens nooit wilde starten. Ze kookte abominabel slecht: gekookte kip, meestal nog een beetje roze, kleverige spaghetti bolognaise en roereieren in urinekleurige jus. Op een dag ontdekte ze een dode rat in de broodrooster die duidelijk vele, vele keren was getoost, en dat deed de deur dicht.

Aangezien Merina en ik popster wilden worden, dwong ze ons te luisteren naar bandjes van de Amerikaanse televisiedominee Jim Bakker. Hij jeremieerde over de kwalijke invloeden van popmuziek en duivelaanbiddende bands zoals Queen en AC/DC en decodeerde de satanische boodschappen in liedjes als 'Another One Bites the Dust', die je kon horen als je de plaat achterstevoren draaide. Dat probeerden we en ja hoor, een griezelige stem gaf ons de raad: 'Het is leuk om marihuana te roken.' Volgens Jim Bakker bedierf zelfs de engelachtige Olivia de onschuldige jeugd met haar liedteksten. Ze zong dat ze horizontaal wilde praten. Deze zittingen mondden altijd uit in vreselijke ruzies. Daarna lagen Merina en ik wakker en maakten plannen om bij dageraad terug te liften naar het huis van Sophie. We hielden van Jezus, maar ook van popmuziek en jongens.

Tijdens een van deze verloren weekenden zaten we honing te zuigen uit oranje kamperfoeliebloesems op de stenen stoep van Margot toen ik opkeek. Ik zag een blond hoofd op een stel rugbyschouders, omgeven door een halo van zonlicht, scherp afgetekend tegen de lucht. Een mooie jongen liep naar me toe. Hij stond lachend tussen de weggegooide bloesems aan onze voeten en keek me plagend aan op een seksueel getinte manier. Hij heette Troy. Hij was een vriend van Richard, de broer van Jean. Hij was groot voor zijn leeftijd en twee jaar jonger dan ik, op een leeftijd dat je dat belangrijk vindt.

Hij kuste me voor het eerst buiten op straat bij Roosevelt, nadat ik het roze hart uit een Charons chocoladereep had gegeten. Toen hij zich naar me toe boog, viel zijn jasje open en ik rook zijn zweterige jongensgeur. Ik legde mijn handpalmen op zijn borst en voelde zijn pik omhoogkomen onder het dunne katoen van zijn grijze Churchill schooloverhemd. Hij had een zelfverzekerde sensuele mond, met omhoogkrullende mondhoeken. Zijn kus was zacht en zout en smaakte naar roomijs.

'Je smaakt naar chocola en aardbeien,' prevelde hij.

Nu had ik voor het eerst echt een vriendje. Als ik het weekend niet naar Rainbow's End ging deden we de deur op slot van Margots logeerkamer en zoenden tot we duizelig waren, terwijl zij op de deur bonkte en tirades afstak over seks. We reden twee keer mee naar de kerk. Juist toen iedereen uit de auto stapte zeiden we dat we toch niet mee naar binnen gingen. We zoenden en giechelden en schreven 'ik hou van je' in de wasem van onze adem op de ruit, terwijl de liederen uit Immanuel naar buiten zweefden.

Op Roosevelt veroorzaakten we een schandaaltje omdat hij zo jong was. Binnen enkele maanden waren er praatjes over hem en een ander meisje, maar toen maakte ik me absoluut geen zorgen meer over zijn vervlogen belangstelling. In die periode, toen ik me meer dan ooit aangetrokken voelde tot een jongen, kreeg ik voor het eerst dromen over meisjes – levendige, erotische dromen waarin ik niet alleen met ze zoende, maar ook met ze ging vrijen. Ik vertelde het aan niemand, zeker niet aan Merina, met wie ik nog steeds een bed deelde, maar ik was ervan overtuigd dat mijn dromen bij het ontwaken duidelijk op mijn gezicht te lezen stonden. Ik wuifde ze zonder na te denken weg als een gril van mijn verbeelding of een bijproduct van suggestie. Hoe dan ook, ik moest het verwerken en ik wist er op dat moment geen raad mee.

Doordat ik geen vaste grond onder mijn voeten had, raakte ik uitgeput. Toen ik tijdens een weekend op Star over het driehoekige gele veld tussen de landerijen en het huis reed, besefte ik plotseling dat ik een vertekende blik had: de tabaksschuren van rode baksteen, de zilveren gombomen in de verte en ons huis met het rieten dak tussen de msasa's en de palissanderbomen. Het dak, dat ooit goudkleurig was geweest, was in de loop der tijd donkerder geworden. Ik voelde dat ik in een kaartenhuis woonde en dat alles op instorten stond.

8

Niets stond meer vast, niets was zeker. Tijdens slapeloze nachten op Rainbow's End stopte ik mijn hoofd onder mijn kussen en luisterde naar het bloed dat als een Afrikaanse trommel in mijn oren bonsde.

Een zwarthalscobra in de gootsteen in de keuken spoot een straal gif in Madala's goede oog (zijn reactie was vertraagd omdat zijn andere oog verbonden was na een staaroperatie). Daarna ontwikkelde ik een fobie voor slangen. Ik kreeg hevige angstaanvallen van nauwelijks waarneembaar geritsel in de dakbedekking. Ik verbeeldde me een paar keer dat er een groene boomslang in het donker boven mijn bed bungelde, en zich opmaakte om me een fatale beet toe te brengen. Ik droomde vaak dat ik door de wildernis liep of reed, en een slang zag. Ik stond stil om te kijken. Pas dan ontdekte ik dat ik was omsingeld door allerlei soorten slangen. Ze waren gedrapeerd over takken en lagen opgerold op stenen aan mijn voeten, en ik wist dat ik nooit zou kunnen ontsnappen zonder gebeten te worden. Ik werd nooit gebeten, maar de doodsangst was er niet minder om. Het hielp niet dat mijn nachtmerries overdag voortdurend werkelijkheid dreigden te worden. Zesentwintig pythons drongen onze kippenren binnen voordat we ophielden met tellen, en ik stapte bijna op een nachtadder die door de deur van de zitkamer naar binnen probeerde te glippen. Alleen door het zachte geruis van zijn schubben toen hij tegen het glas omhooggleed en weer omlaag viel werd ik gered.

Voor mijn gevoel waren er, zelfs voor een plantage in Afrika, zelfs voor een plantage aan een rivier met een kippenhok, onnatuurlijk veel slangen die met alle geweld ons huis wilden binnendringen.

Op een middag in maart 1983 zat ik boven in mijn kamer een liedje te schrijven toen mijn moeder, die zich zelden haastte, de trap op stormde. Haar gezicht was krijtwit en haar handen leken vogelklauwen, zoals ze er ook wel eens uitzagen in het ziekenhuis. Ze trilde zo hevig als ze sinds de oorlog niet meer had gedaan en ze was buiten adem. Ze zei iets onsamenhangends, maar haar laatste woorden waren niet mis te verstaan: 'Carl B. is op weg hier naartoe. Er kan ik weet niet wat gebeuren. Maak dat je wegkomt.'

Ik zette het op een lopen. Ik rende voor de duizendste keer langs de stille, droge stuwdam en de acacia's die als wachters langs de rivieroever stonden. Ik rende door de herfstachtige wildernis, uitglijdend en opkrabbelend door greppels vol dode bladeren. Ik rende tot ik dubbelsloeg van een steek die als een stiletto in mijn zij stak, en spuwde gal, want het was weer gebeurd: mijn vader had een nieuwe liefdesaffaire. Er was een nieuwe naam toegevoegd aan de eindeloze reeks vrouwen die hem hadden veroverd of die door hem waren veroverd. Zij hadden ons opgejaagd van de ene stad naar de andere. Er was een nieuwe echtgenoot onderweg om hem in elkaar te slaan, net zoals in het huis met twee verdiepingen.

Er was natuurlijk nog nooit een man geweest die tegen hem op kon. Afgezien van een schermutseling en een hoop verhitte woorden ('stokken en stenen kunnen mijn botten breken maar woorden doden'), was hij ongedeerd gebleven. Hij had alleen moeten beloven haar niet meer te zullen zien – Betty B., zijn tennispartner, een vrouw met een kastanjebruine huid, hennarood haar en een nasale stem. Hij was naar haar plantage gereden om een brand te bestrijden. Hij had onze gloednieuwe auto bijna in de prak gereden. Hij reed op een goddeloos uur als een bezetene over een pas omgeploegd stuk land – terwijl mijn moeder gilde en de motor gierde – om alarm te slaan en het vuur te blussen. Mr en Mrs B. vonden dat hij een medaille had verdiend.

Inmiddels dacht Mr B. daar anders over.

Toen ik terugging naar kostschool, hield mijn moeder me op de hoogte van de ontwikkelingen.

Ja, het was uit.

Nee, het was nog niet helemaal uit maar mijn vader zou met Betty B. praten, want het moest nu echt uit zijn.

Ja, het was officieel uit.

Nee, het was toch niet uit. Zes weken later zag ze hen samen op een veemarkt; ze was er kapot van. Om maar te zwijgen over haar schaamte, ten overstaan van de hele plantersgemeenschap.

Dus ze had Carl gebeld, de echtgenoot, en een tussenkomst georganiseerd. Ze maakten een afspraak met z'n vieren op de plantage van de B.'s. Terwijl ze luisterde naar een reeks halve waarheden en smerige onthullingen waardoor ze alle vier voor schut stonden, pakte ze een foeilelijke zware oranje porseleinen asbak. De andere drie zaten te kibbelen en schenen haar te zijn vergeten. Toen ze het niet meer kon verdragen stond ze op, liep nonchalant naar Betty toe en sloeg de asbak op haar hoofd kapot, zodat ze bijna een hersenschudding had.

Dus nu was het echt voorbij. Maar hun huwelijk was ook voorbij.

Aan de telefoon of bij mijn moeder in de slaapkamer luisterde ik naar deze verhalen, terwijl Merina buiten liep te ijsberen. Ik probeerde mee te leven, medelijden te voelen en goede raad te geven. Ik voelde dat mijn ziel en alles waarop ik ooit had gebouwd, in had geloofd en op had gerekend, met elk woord werd weggescheurd tot er niets overbleef. Afgezet tegen de oorlog, Rhodesië en de ineenstorting van alles waarin we ooit hadden geloofd, bleef er niets voor me over. De winst die ik had geboekt leek oneindig klein.

In juni pakte mijn moeder haar kleren en een paar hoogstnoodzakelijke spullen en vertrok uit Rainbow's End. Het was winter en ik liep het hele semester zonder trui, alsof ik boete deed. Ik voelde me beroofd van mijn zusje. Ik werd altijd van haar gescheiden. We hadden elkaar harder nodig dan ooit, maar we werden gescheiden door de afstand, de kostschool, en twee oceanen van onuitgesproken verdriet.

Mijn vader dronk meer en meer. Het leek alsof hij zich erbij neerlegde dat hij een verschrikkelijk mens was. Hij gaf de moed op en deed wat we van hem verwachtten. Toen Merina een weekend bij mij kwam logeren, nam mijn vader ons mee naar een disco in de Chegutu Club. De muren waren bekleed met zilverfolie, er hingen overal glimmende rode kwastjes en het wemelde van de zwaar opgemaakte plantersvrouwen en planters die niet konden dansen. Er was een dj die plaatjes draaide als 'The Winner Takes it All'. Ik zat de hele tijd alleen aan een tafel met een drankje en een bord chips met dipsaus, terwijl mijn vader plezier maakte aan de andere kant van de zaal en Merina danste en zoende met een planterszoon, die haar onmiddellijk zijn eeuwige liefde verklaarde.

Eindelijk ging die jongen weg. Merina was moe en wilde naar huis en naar bed, maar mijn vader bleef bier drinken. Tegen de tijd dat hij naar huis wilde, was ik woedend. Ik was ook ziek van angst. Mijn vader waggelde op zijn benen terwijl hij in het spookachtige licht van de schijnwerpers met ons naar de auto liep. Merina's ouders dronken zeer matig alcohol, ze wist niet dat mijn vader tegen een wegversperring was aangeknald en ze wist alleen in grote lijnen dat mijn ouders uit elkaar waren. Ze was moe maar opgewekt door haar ontmoeting met de plantersjongen, en ze begreep niet waarom ik in zo'n slechte bui was. Ze kietelde me steeds om me aan het lachen te maken. 'Lach dan, Poekie!' zei ze. 'Lach dan!'

Zodra we in de auto zaten, werd ze stil. Het was betrekkelijk eenvoudig om door de brede, stille straten van Chegutu te rijden, maar de stripweg was een ander verhaal. De koplampen zwalkten als gevangeniszoeklichten door het bleke gras terwijl we heen en weer schoten, van de ene weghelft naar de andere. Toen we met 75 kilometer per uur recht op een boom afreden, klauwde Merina in mijn schouders en riep vanaf de achterbank: 'Doe iets!'

'Vader!' schreeuwde ik. Ik rukte aan het stuur.

Hij griste het stuur uit mijn handen, lachte, vloekte, en een minuut later gebeurde het weer. En weer. We waren doodsbang. Ik probeerde stiekem een hoekje van het stuur vast te houden. Ik was bevangen door een machteloze woede, omdat het nu niet alleen om mij ging maar ook om mijn beste vriendin, voor wie ik me verantwoordelijk voelde.

De volgende morgen, toen ik bleek en gekrenkt uit mijn slaapka-

mer kwam, zei mijn vader van achter zijn Madison-rookgordijn:
'Loop je te mokken?'

'Nee,' loog ik.

'Nou, waarom grien je dan?'

Ik gaf geen antwoord. Ik kon het niet. Ik mompelde alleen dat ik moe was en er genoeg van had, wat hij brutaal vond. Terwijl ik het huis zo luid en brutaal mogelijk uitliep dacht ik dat hij zei: 'Je bent niet te oud voor een pak slaag.'

Later bood hij zijn excuses aan.

In de zomervakantie in augustus schreef ik een liedje, 'Grey Weather', dat mijn gemoedstoestand weerspiegelde. Ik stuurde het naar mijn vriendin Colleen. Ik wist dat ze het zou begrijpen. Ik deed er een foto van Mr Grey bij en signeerde die. Als ik de kleine bijzonderheden van mijn droom verwezenlijkte, zouden de grote volgen. Maar ik voelde de muren op me afkomen. Klasgenoten die vroeger droomden van een carrière als danseres of komiek overwogen nu een typecursus zodat ze 'iets hadden om op terug te vallen'. Sommigen wilden een jaar naar het buitenland om vruchten te plukken of zochten een tijdelijk baantje, voordat ze op een kantoor gingen werken in Harare, en met een planter trouwden en kinderen kregen en al die andere dingen die ik niet wilde. Maar wat wilde ik wel, als het erop aankwam? Roem? Dat was ondenkbaar. Dat zou nooit gebeuren met mensen zoals ik. Hoe wilde ik beroemd worden? Ik brandde van verlangen, een wanhopige, ondefinieerbare hunkering om iets van de wereld te zien, iets te zijn, mijn weg te vinden.

Star kalmeert me wanneer het allemaal te veel wordt. Ik lig als een zeester op de grond en verdrink in de onmetelijke lucht, in de voorbijglijdende schuimwolken, in de warme, zuiverende zon, en Star graast om mijn lichaam heen of duwt me opzij om het gras onder mijn lichaam te bereiken of onderzoekt mijn gezicht met een fluwelen snuit met prikkende haren of staat boven me als een slaperige schildwacht, met zijn wimpers plat tegen zijn ruwe zwarte wang, en een hangende onderlip.

Mijn laatste semester op school was een hedonistische wervelwind. Ik zocht naar vergetelheid. Snikhete dagen in bikini in de Mermaid's Pool, op feestjes kuste ik de rokerige lippen van jongens die ik pas had ontmoet. Ik probeerde te vergeten dat ik van meisjes droomde. Ik werd vrolijker, nu het eind in zicht was. Ik zou worden bevrijd van ouderlijk gezag en de militaire discipline op school. Merina en ik deden bijna niets. Na school liepen we naar het huis van Sophie, aten een stapel boterhammen, sliepen een paar uur, liepen naar een winkel en kochten iets hartigs (biltong of Willards-chips), iets zoets (Choc 99-ijsjes) en iets zuurs (een sorbet met een droprietje of, als we weinig geld hadden, een zelfgemaakt mengsel van poedersuiker en Eno antacidumzouten).

We vroegen ons aldoor af waarom we puistjes hadden.

Na feestjes of schooldebatten kochten we hamburgers en milkshakes in Gremlins. Daarna kropen we in de blikkerige Datsun Pulsars van jongens die net hun rijbewijs hadden. Ze deden wedstrijdjes over de Enterprise Avenue op muziek van de Police. Wat jongens betreft kreeg Merina alles moeiteloos voor elkaar. We organiseerden een geïmproviseerd feestje op Rainbow's End, na mijn vader te hebben overgehaald een avondje weg te gaan. Ik was de hele avond bezig glazen bij te vullen en bowl op te dweilen, terwijl Merina in de paddock met Bruce Campbell zoende.

De meeste van mijn o-niveau examens leerde ik pas één avond van tevoren. Dat werkte bij alle vakken behalve Engelse literatuur en Frans. *Wuthering Heights* leende zich niet voor snellezen. Bij mijn mondelinge examen Frans moest ik vertellen dat ik mijn sleutels in een afgesloten auto had laten zitten. Ik zakte omdat ik de woorden voor sleutel, auto of afgesloten niet meer wist.

Midden in mijn examens belde mijn moeder op om te zeggen dat mijn vader en zij gingen scheiden. Dat was een opluchting, afgezien van het moment. Ik kon nauwelijks de energie opbrengen om te zeggen: 'Waarom hebben jullie dat niet jaren eerder gedaan?'

Ze antwoordde: 'We zijn bij elkaar gebleven voor jullie, voor jou en Lisa.'

Ik zei vriendelijk: 'Maar wij wilden nooit dat jullie bij elkaar bleven, als jullie ongelukkig waren.'

'Jij weet niet wat het is om een moeder te zijn. Ik wilde jullie een droom geven. Ik wilde dat jullie zouden opgroeien op een plantage met paarden en Jenny en de andere dieren. Ik wilde jullie Rainbow's End geven.'

We hadden daar een prijs voor moeten betalen, begreep ik.

Rainbow's End was duidelijk voorbij, zonder dat we er veel woorden aan verspilden. Er was geen gevecht over de voogdij. Ondanks alles hielden mijn vader en moeder zielsveel van ons en van elkaar, en iedereen wilde het beste voor de anderen. In november vertrok mijn moeder naar Kaapstad, waar ze altijd had willen wonen. In Kaapstad moest ze met spoed in een ziekenhuis worden opgenomen. Vroeger was ze altijd op reis of in het ziekenhuis, en nu was ze, ironisch genoeg, allebei. Ze vroeg naar mijn zusje, die geen examens had, en Lisa vloog in haar eentje naar Kaapstad. Ik bleef achter voor mijn examens en verliet de school een maand voor mijn zeventiende verjaardag. Ik was een jaar jonger dan de andere meisjes uit mijn klas. Het leek een rebelse daad om de school op mijn zestiende te verlaten. Ik zei mijn vriendinnen onder veel tranen vaarwel. We beloofden elkaar dat we contact zouden houden, wat we, op een paar uitzonderingen na, nooit deden.

Ik dobberde stuurloos rond in de zee van mijn uiteengespatte wereld. Ik had alleen houvast aan: liefde, geloof, mijn lijst met ambities, de lessen die ik had geleerd en de zonden waarvoor ik wilde boeten, al zou het mijn hele leven kosten.

9

De dag dat ik de school verliet kwam mijn vader me halen met de vrachtauto. Merina en Jean gingen naar Ilsa College om een secretaressecursus te volgen en examens te herkansen. Ik voelde me een beetje alleen met mijn dromen en mijn valse gitaar. Maar ik rende al een hele tijd met een hangglider over een steile rots en nu kon ik eindelijk vliegen.

We stopten bij het Marimba-winkelcentrum in een buitenwijk van Harare om boodschappen te doen. Mijn vader rende de Spar in. Ik hing mijn armen uit het raam om ze warm te laten worden door de zon. Er kwam een stroom mensen op mij af. Er waren rozenverkopers, halfnaakte piccanins met ingenieuze speeltjes van ijzerdraad en vrouwen met een bruine satijnen huid met gouden manden aan hun arm. Ik praatte met iedereen – '*Shamwari*, wil je een mand voor groente?' Ik voelde me gelukkig, want de gesprekken waren vriendelijk en gingen met veel humor of hartverscheurend gesmeek gepaard. Ik voelde dat ik deel uitmaakte van Afrika. In de verte zong Oliver Mutukudzi op een radio, en ik geloofde plotseling dat alles in orde zou komen. Alles.

Op dat moment zag ik de ex-minnares van mijn vader, Betty B. Tenminste, ik dacht dat zij het was. Ik wist het niet zeker. Ze liep lachend met een vriendin over het parkeerterrein. Haar huid was bruiner dan ooit van het tennissen en de zon blakerde op haar hennapermanent alsof haar hoofd in brand stond. Op dat moment klonterden alle stukjes verdriet, frustratie en machteloze woede van de afgelopen jaren samen in mijn borst tot één enkele bonk haat. Ik wilde naar haar toe rennen en roepen: 'Waarom heb je ons gezin kapotgemaakt? Ons prachtige leven?'

Ook al wist ik dat niets of niemand ons leven kapot had kunnen maken, als het zo prachtig was geweest.

Maar ik zat doodstil. Ik zat daar terwijl een verlammend gif door mijn aderen stroomde. Ik probeerde vast te stellen of ze het was. Als ze het was gaf ik haar de schuld. Ik nam haar het meest kwalijk dat ze zonder erbij na te denken had veroorzaakt dat we vertrokken uit Rainbow's End. Ik hoorde sleutels rinkelen. Ze stak een hand op en zwaaide naar haar vriendin. Ze slenterde naar haar auto – die dicht bij de onze stond – en ik was nog steeds verlamd. Het is nu of nooit, zei ik tegen mezelf. De achterlichten van haar auto knipperden. Ze reed achteruit; ze reed langzaam naar de uitgang; ze bleef staan om naar rechts en naar links te kijken; ze was weg.

De deur van de vrachtauto zwaaide open en de stoelvering piepte onder het gewicht van mijn vader. Hij wierp me een paar chocoladerepen toe en een zak Willards-chips, gaf me een flesje cola en zei met zijn gelukkige stem: 'Ik heb iets voor je gekocht. Iets lekkers.'

Ik hield me in tot vlak na het Lion & Cheetah Park. Toen stroomden de tranen over mijn wangen. Mijn vader reageerde zoals hij altijd deed. Eerst bezorgd en paniekerig: 'Wat is er, vriendin? Is er iets gebeurd? Heb ik iets verkeerds gezegd?' Ik antwoordde: nee, niet echt, ik was gewoon verdrietig over mijn moeder en hem. Ik kon toch niet zeggen dat ik over mijn toeren was omdat ik zijn ex-minnares als een koperkleurig oorlogsschip voorbij had zien lopen over het parkeerterrein, terwijl ik niet zeker wist of ze het was. Toen werd hij woedend.

'God zal me liefhebben.' Hij keek me aan met gletsjerogen. 'Waarom doe je dat?' snauwde hij. 'Waarom verpest je altijd alles?'

Er hing een vijandige stilte.

'Er zijn twee mensen voor nodig,' zei hij eindelijk. 'Onthoud dat.'

Op Rainbow's End sprong Tiger in mijn armen – één rode flits liefde – en dat maakte me nog verdrietiger. Ik kon alleen denken: het had niet zo moeten aflopen. Mijn vader was een nare vreemde. Ik was zó kwaad. Ik wilde niets meer zien: mijn vader, de plantage, misschien zelfs Afrika. Ik smeet mijn schoolspullen slordig in de slaapkamer; mijn ijzeren hutkoffer viel met een luide bons op de betonnen vloer. Toen vluchtte ik voor mijn vader en de withete middag naar de schaduw van een verlaten stal. Mijn rode hond lag hijgend aan mijn voeten. Een woede die groter en dieper was dan alles wat ik ooit had gevoeld kookte door me heen. Hoe kwader ik werd, hoe vastbeslotener ik was alles achter me te laten en opnieuw te beginnen.

Op een zeker moment betrad mijn vader de naar stro en paarden ruikende koelte. Hij begon te praten, maar de muren die ik had opgetrokken waren zo hoog en dik dat ik zijn stem nauwelijks hoorde. Eindelijk hoorde ik hem zeggen: 'Toen je klein was, was je moeder altijd ziek – nou, ze was misschien niet altijd ziek, maar zo leek het – en ik zorgde voor je. Ik trok je mooie kleertjes aan en droeg je naar Mrs Robinson aan de overkant, die op je paste; wanneer ik thuis kwam van mijn werk deed ik je in bad en bracht je naar bed.' Een deel van mijn vechtlust verdween.

Hoewel ik nog steeds met één oor luisterde, vulde mijn geest de open plekken in. Toen ik vijf was kreeg ik een keer mazelen. Ik lag vol zelfmedelijden in een donkere kamer in Pussy Willow. Mijn vader gaf me een verpleegsterpop; die zou voor me zorgen, zei hij. Een grote pop met koperkleurig geel haar en een rood kruis op haar schort. Ik dacht aan de pop; ik herinnerde me dat ik glimlachte. Hij had me liefde voor paarden en de natuur bijgebracht; hij had me geleerd kalfjes te verlossen; ik dacht aan de sprookjesachtige mislukte tocht naar Shamrock om te vissen. Ik herinnerde me dat we vroeger samen onze legerrantsoenen inpakten. Ik dacht aan zijn kracht, zijn trots en moed; hij was de moedigste van alle mensen die ik ooit had gekend. Langzaam nam mijn woede af. Ik had er nooit aan getwijfeld dat hij trots op mij was, ook al liep alles wat ik deed rampzalig af. In belangrijke dingen stond hij altijd voor me klaar, hij redde ons altijd, Lisa en mij.

Onderwijl gleden mijn ogen, die zoveel mogelijk de zijne ontweken, in zijn richting, en het viel me op dat onze handen hetzelfde waren. Zijn handen waren roodbruin en sterk, vol littekens van al die schermutselingen met stieren, geweren en dodelijke chemicaliën en de mijne waren goudbruin en zacht, maar ze hadden dezelfde vorm. We hielden allebei onze handen alsof we op het punt stonden de teugels van een paard te pakken. Er zat iets in die eenvoudige gedachte, het besef dat we van hetzelfde vlees en bloed waren, waardoor ik me herinnerde dat hij een mens was. Dat, meer dan iets anders, ontstak het eerste vonkje vergiffenis in mijn hart. Hij was koppig en hij maakte fouten, maar hij had zo goed mogelijk zijn best gedaan. Elk uur, elke dag zou hij zijn leven voor ons geven.

Hij zou zijn leven hebben gegeven voor Rhodesië, en ik wist dat hij het ook zou doen voor Zimbabwe. Hoewel hij met zijn hele hart in de oorlog van Ian Smith had geloofd, had dat niets te maken met politiek. Het had te maken met het gevoel dat door hem heen stroomde op de dag dat hij, achttien jaar oud, in de trein de grote groene modderige Limpopo overstak, op weg naar zijn eerste trainingskamp: 'Dat ongelooflijke gevoel van vrijheid.' Hij hield van elke rots, elke boom, elke korrel aarde. Elke zonsondergang in Kariba en elke regenbui. Hij was een geboren liefhebber van het land, en misschien waren zijn overtredingen niets meer dan dat. Misschien moest hij zo zijn om het vol te houden. De oorlog te overleven met alle valse beloften, het leven met alle teleurstellingen.

In de oorlog en soms in het huwelijk sta je eerst aan de goede kant. De geschiedenis neemt haar loop en dan sta je aan de verkeerde kant.

Maar onwetendheid is geen excuus. In dat opzicht was ik ook schuldig. Ze hadden ons een buitengewoon verleidelijke droom verkocht die een hele levensstijl met zich meebracht. Het was een exclusieve club. Het had zelfs zijn eigen taal. Ik had verder moeten kijken dan mijn neus lang was. Een rechtvaardig mens wil niet bij een club horen die zijn bestaansrecht ontleent aan de ontkenning van noden en gevoelens van andere mensen. Ik had het mooie, zachtaardige volk van Zimbabwe te laat leren waarderen. Ik had geen kans gekregen hen te leren kennen, maar ik had die kans ook niet gegrepen.

En nu hadden we Mugabe met zijn krankzinnige ogen, zijn moorddadige autocolonne en de cio. Je wist wat er gebeurde als je bij het regeringsgebouw de verkeerde afslag nam, je hoorde verhalen over de genocide en al die zinloze doden. Nu hadden ze de Afrikanen een droom verkocht, maar wat hadden ze gekregen? Ik wist niet wat de oplossing was. Dit was het niet; een leven in angst.

Toch was de ontembare geest van het Zimbabwaanse volk vol optimisme. De Afrikanen weigerden zich over te geven. Ze hoopten nog steeds, waren er nog steeds van overtuigd dat Mugabe en de buitenwereld hen goed zouden behandelen. Maar ik droomde van emigratie. Ik wilde wonen in een land waar de mensen vrij waren en openlijk de waarheid konden zeggen, niet in een land waar de ene set leugens werd ingeruild voor de volgende. Misschien was dat ook een illusie. Misschien was de enige waarheid je eigen waarheid.

Rainbow's End zou worden verkocht. We moesten al onze wilde dieren onderbrengen. Binnen enkele maanden zou er weinig van ons vroegere leven, ons stukje hemel, over zijn. Tom Beattie kocht de plantage. In de toekomst zou Douglas, mijn vroegere speelkameraad, Rainbow's End beplanten met wonderbaarlijk zoetgeurende sinaasappelboomgaarden. Direct na ons vertrek viel een tijdelijke zetbaas in slaap met een smeulende sigaret in zijn hand, en het hele huis werd één vlammenzee.

Het was, zei Lisa, alsof onze geschiedenis in rook opging.

We gingen voor de laatste keer rijden. Binnenkort zouden mijn moeder en Lisa komen om te pakken. Mijn vader en de paarden zouden verhuizen naar Wicklow Estate, naar het huis op Shumavale waar de Forresters hadden gewoond vóór die fatale avond op Rainbow's End.

Ik stond bij het hek van de wei en riep Star. Ik begroef mijn gezicht in zijn zwarte manen en drukte mijn lippen tegen de zijdeachtige holletjes bij zijn neusgaten. Hij duwde ongeduldig tegen me aan, hij begreep het niet, hij wilde de weg op, hij wilde galopperen, maar ik wilde elke bijzonderheid goed in mijn hoofd prenten – niet alleen de gespannen glans van zijn spieren of de manier waarop hij zijn ogen vriendelijk dichtkneep, maar ook het huis en de plantage achter hem.

Waar mijn leven me ook heenvoerde, ik wilde voor altijd een herinnering bewaren aan de majestueuze onweersbuien en de geur van
de vruchtbare natte aarde daarna. Ik wilde mijn ogen dicht doen en
de giraffe als een hemelpaard naar de zonsondergang zien slente-
ren. Ik wilde zien hoe de dageraad de vroege ochtendmist op de rivier kleurde. Ik wilde de geur van tabak en jutezakken inademen in
de sorteerschuren. Ik wilde sadza eten en jus met Lion bier en pas-
gevangen brasem. Ik wilde een herinnering bewaren aan de spookachtige kreet van de visarenden, de oeroude trommelritmes in de
kraal, de zingende vrouwen die terugkeerden van het land, en de
koerende duiven in de avond.

We zadelden de paarden en reden langs de schuren. Het was laat
in de middag maar er hing al een rokerige lucht van de kookvuren.
Toen we bij de katoenvelden kwamen, hielden we een wedstrijd. Ik
dwong Star steeds sneller te gaan; zijn oren lagen plat tegen zijn
hoofd. Er kwamen vlokken wit schuim op zijn hals als toppen op de
golven van een middernachtelijke oceaan. Mijn vader en Cassandra
raakten achterop. Algauw bleef alleen de typische rust en stilte van
de galop over; ik probeerde te vluchten voor het verleden. Maar je
kunt niet vluchten voor het verleden. Ik wenste vurig dat er nooit
een einde zou komen aan dit moment. Dat we nooit op de grond terecht zouden komen van onze luchtreis, maar voor altijd tussen hemel en aarde zouden blijven zweven.

Terug in huis hielp ik mijn vader zijn cowboylaarzen uittrekken.
Ik ging lui op de bank liggen terwijl hij de bar inging en twee grote
glazen Mazoe sinaasappellimonade met tinkelende ijsblokjes maakte – een geliefd ritueel dat nu tot een eind zou komen. Ik hoorde het
gekraak van statische elektriciteit op de plaat. De warme whisky-
stem van Don Williams vulde de kamer met een liedje dat me de
rest van mijn leven aan mijn vader zou doen denken. 'So what do
you do with good ole boys like me...'

De volgende morgen liep ik de trap op naar mijn kamer en wiste alle sporen van mijzelf uit. De inhoud van mijn dierenartskist verdeelde ik tussen de vuilnisbak en mijn vader, die een paar dingen

goed kon gebruiken op zijn nieuwe plantage. Mijn schilderijen, rozetten, liedteksten en lievelingsboeken pakte ik in mijn schoolhutkoffer. Toen ik de affiches van de muur had gehaald klonk de kamer hol, zoals het huis ook had geklonken toen we voor het eerst kwamen kijken. Ondanks het feit dat ik de deur had opengegooid om de zomerbries en het heerlijke vogelgezang naar binnen te laten, sloop er een kilte naar binnen. Ik leunde tegen mijn stapelbed en huiverde; ik dacht aan die keer dat Kim een spook had gezien. Ik vroeg me af hoe hij of zij over ons dacht.

Binnen een week zou ik vertrekken. Ik bracht een paar maanden door bij mijn moeder en zusje in Kaapstad vóór ik besefte dat ik de wijde wereld moest intrekken, om te vinden wat ik zocht. Op mijn zeventiende nam ik een vliegtuig naar Engeland. Ik werkte een jaar als dierenartsassistent onder de lage grijze claustrofobische hemel van Berkshire voor ik terugkeerde naar het citroenkleurige licht van Zimbabwe. Onder druk van mijn moeder schreef ik me, met tegenzin, in voor een studie journalistiek aan de voornamelijk zwarte technische universiteit in Harare. En daar, op de meest onwaarschijnlijke plaats, ontdekte ik mezelf.

Op de universiteit werd ik omringd door mensen als Arthur, wiens studie werd betaald door het PAC (Pan African Congress). Zijn borst was een raster van littekens die hij, zo fluisterde men, had opgelopen door het apartheidsregime in Zuid-Afrika. Door Kingsley, wiens studie werd betaald door het ANC (African National Congress), door de gewichtige Claudius, wiens studie werd betaald door het leger, door de slimme, grappige Fanwell, door onze glimlachende korte dikke lector politieke wetenschappen Dr Zondo, door onze ernstige vol droge humor zittende lector journalistiek Nyahunzvi, door onze dikke lector Afrikaans recht, die zijn colleges altijd als volgt begon: hij stak een sigaar op en leunde achterover in zijn stoel met zijn voeten op het bureau en vertelde met een stalen gezicht moppen tot we huilden van het lachen, en door mijn vriendinnen – Reyhana, een moslimmeisje wier moeder de lekkerste samosa's maakte in heel Zimbabwe; Irene, een vrolijk half Australisch meisje met een vrije geest; en Emelia, het nichtje van de heldhaftige revolutionair Ndabaningi Sithole, die in 1963 de politieke partij ZANU oprichtte, tien jaar in de gevangenis zat nadat de groep was verboden door Ian Smith, later deel uitmaakte van de zwart-blanke overgangsregering en een gerespecteerde politiek schrijver werd.

De meeste lectoren namen halverwege het jaar ontslag of kwamen helemaal niet opdagen; er was geen geld voor apparatuur zoals camera's of film, zodat we het grootste deel van de tijd in de zon praatten over leven, liefde en politiek. We aten sadza met curry van geitenvlees tijdens zogenaamde reportages op het platteland. Ik lachte meer dan ooit tevoren.

Daarna ging Maud met mijn moeder, Lisa en mij op vakantie naar Malawi. Haar oom was in die tijd burgemeester van Blantyre. Terwijl wij in een goedkope villa aan het meer zaten, zoefde ze weg in een limousine om in het burgemeestershuis te gaan logeren. Toen wij vertrokken, vond zij het daar zo prettig dat ze besloot nog een tijdje langer te blijven.

Wat mij betreft, ik werd nog steeds verteerd door dezelfde verlangens. Ik werd gedreven door de noodzaak te ontsnappen aan Zimbabwe om in het reine te komen met het verleden. In 1987 nam ik een vliegtuig naar Londen. Dit keer ging ik voorgoed, behalve wanneer het verlangen naar de geluiden, geuren en smaken van Afrika aan mijn ziel trokken.

Tweeëntwintig jaar nadat ik Rainbow's End had verlaten bracht ik een bezoek aan Camilla Miller. Ik vroeg haar naar het verhaal dat we nooit hadden gehoord, en vroeg haar toestemming om het te mogen vertellen. We zaten samen op de veranda van het huis waar ze met Billy woonde. Het huis keek vanaf een heuveltop uit op de hemelsblauwe lijn van Lake Chivero en de boomtoppen die als groene kant door elkaar waren geweven. Terwijl we gestreeld werden door een briesje sleurde ze me door het verhaal, moment voor moment. Het droevigste verhaal dat ik ooit had gehoord. Ik huilde om het verdriet dat het opriep. Ik huilde om Bruce, Ben, Camilla en Billy, om de zinloosheid van de oorlog en de lessen die we niet van de geschiedenis willen leren, maar Camilla's ogen bleven droog. Ze had zich er lang geleden mee verzoend. De kokkin die op de avond van de aanslag uit angst of lafheid was gevlucht, werkte nog steeds bij haar.

'Het is belangrijk dat ik niet haat,' zei ze tegen me. Zo had ze haar geestelijke gezondheid behouden. Dat en haar geloof in God, de liefde van goede vrienden en haar ontmoeting met Billy. Aangezien hij zijn vrouw en dochter onder vergelijkbare omstandigheden had verloren, begreep hij wat ze had doorgemaakt. Ze hadden elkaar geheeld, Camilla en Billy en hun kinderen, Nigel, Julie en Victoria. Ze hadden getracht een liefderijke, zinvolle toekomst op te bouwen, en dat was hun gelukt. Door de jaren heen bleek overduidelijk dat de verwoesting van 9 januari 1978 niet op die nacht was geëindigd. Niet voor de Forresters, niet voor de Lawsons en ook niet voor degenen die met de tragedie in aanraking waren gekomen: de planters en soldaten die hen te hulp schoten, Camilla's broer en zijn vrouw die de bebloede kamers schoonmaakten, en wij, het gezin dat er later kwam wonen.

'Die rimpeling op het water,' zei Camilla, 'het opruimen van kapotgeslagen levens, dat gaat nooit voorbij.'

Binnen een jaar na onze ontmoeting was het eenvoudige, vredige huis waar ik haar opzocht, het huis dat Billy en Camilla hadden gebouwd en waarin ze meer dan tien jaar hadden gewoond, net zo gevaarlijk als Rainbow's End tijdens de Rhodesische oorlog. Het stond midden in de anarchie en waanzin die volgde op Mugabes mislukte landbouwhervormingen. Een gezin uit Norton dicht bij Billy en Camilla werd in elkaar geslagen en bijna vermoord door een roversbende die via het dak was binnengekomen. Een planter uit Norton werd vermoord omdat hij weigerde zijn land op te geven. Camilla en Billy hadden geen keus: ze moesten verhuizen en proberen hun leven ergens anders opnieuw op te bouwen, voor het hun met geweld werd afgepakt.

Deze dingen lagen nog in het verschiet. Eerst moest ik afscheid nemen.

Toen mijn vader en ik onze glazen hadden leeggedronken, namen we de honden mee naar de rivier. De wildernis in de avond was vol levenskracht. De wildernis overleefde de wisselvalligheden der natuur, de grillen der mensen. De rivier stond hoog door de zomerregens – hoewel niet zo hoog als gewoonlijk door de schaarse regenval – en stroomde onophoudelijk voorbij.

Ik zat daar. Ik dacht dat mijn hart zou breken. Het zou kapot vallen en de scherven zouden als zaden over de Afrikaanse aarde worden verspreid. Ik moest zoveel zeggen en ik wist niet hoe.

'We waren hier gelukkig, hè vader? We hielden van deze plaats,' was alles wat ik kon zeggen. Mijn stem was schor van de tranen.

Hij keek strak naar de rivier. 'Het was de mooiste tijd van mijn leven, vriendin, de mooiste tijd van mijn leven,' zei hij, en zijn woorden wogen zwaar van spijt, liefde, ondraaglijk verdriet. Hij meende het.

Die avond aten we bij de Etheredges, misschien omdat we alleen thuis waren. Na het eten verontschuldigde ik me en liep naar buiten. Er stonden krankzinnig veel sterren aan de hemel. Ik lag op de rivieroever en keek omhoog naar de sterren en voelde de kloppende kracht van de aarde onder het koude gras. Het ruisende water en het muzikale *pssjt* van springende vissen spoelden als balsem over me heen. Voorbij de bocht in de rivier, net buiten het zicht, maar daarom niet minder krachtig of aanwezig, was Rainbow's End. Ik probeerde alles op een rijtje te zetten, maar dat lukte niet. Waar ging het allemaal om?

Boven op de heuvel gloeide zacht licht uit het huis van de Etheredges. Ik hoorde het zwakke geluid van gelach en tinkelende glazen. Ik was jaloers op hun zekerheid. Zij kenden hun plaats. Ze wisten dat ze in Afrika zouden blijven en dat hun zoons na hen in Afrika zouden blijven. Ik wist alleen zeker dat ik niet meer wist waar ik thuishoorde.

Toen ik omhoogkeek naar de blauwzwarte hemel en me zoals gewoonlijk voorstelde dat ik erin viel, zag ik een vallende ster. Het was maar een seconde – een gebogen regen van licht. Ik had geen getuigen behalve de honden, maar ik deed toch een wens, hoewel ik me opgelaten voelde, omdat niemand het had gezien.

Ik wenste dat ik ooit zou terugkeren naar Rainbow's End.

Ik begreep dat ik alleen geduld hoefde te hebben.

Dankwoord

Hoewel schrijvers een buitensporige hoeveelheid tijd alleen doorbrengen, starend naar een wit vel papier, komen er maar weinig boeken tot stand zonder een uitgebreid netwerk van mensen. Dit boek zou niet tot stand zijn gekomen zonder de buitengewone vriendelijkheid van Clive Priddle, de redacteur van mijn laatste boek over muziek en een van mijn lievelingsmensen, en Catherine Clarke, mijn agent. Met vereende krachten hebben ze mijn leven veranderd.

Toen ik de moed opgaf en op het punt stond het schrijven eraan te geven en een echte baan te zoeken, haalde Clive me over dat niet te doen. Ik ben hem dankbaar. Hij bracht me in contact met Catherine, die voor mij de perfecte agent is. Het schrijven van dit boek is voor mij een van de moeilijkste, meest bevredigende, meest angstaanjagende, mooiste ervaringen uit mijn leven geweest, maar ik had het geen dag volgehouden zonder het rotsvaste vertrouwen en de steun van Catherine. Je hebt allerlei fantastische dingen voor me gedaan – te veel om op te noemen – en ik ben je nog het meest dankbaar omdat je altijd, altijd voor me klaarstaat als ik je nodig heb. Je bent de beste. Echt de beste.

In Amerika stelden Beth Wareham en Nan Graham bij Scribner, in Engeland Tom Weldon, Simon Prosser en Judy Moir bij Hamish Hamilton en in Holland, Sander Knol bij De Boekerij een groot vertrouwen in mij. Ze gaven me een contract terwijl ze weinig over me wisten. Ik was ondersteboven van hun ongelooflijke vertrouwen in mijn boek. Dat gold ook voor Emma Parry bij Fletcher & Parry, die oorspronkelijk verantwoordelijk was voor het feit dat het boek bij Beth en Nan terechtkwam, en die, net als Catherine, in alle opzichten een geweldige agent is.

Ik ben ook dank verschuldigd aan de fantastische vertaalagenten bij Andrew Nurnberg Associates, en aan James Kellow, Sarah Day, Jill Vogel en alle anderen achter de schermen bij Scribner en Penguin, maar vooral aan Judy, mijn redacteur bij Hamish Hamilton. Ze is een goede redacteur en een van de aardigste mensen in de uitgeverswereld, en ze komt uit Zimbabwe! Ik kom graag sadza met vleessaus eten in Edinburgh!

Ik ben Beth Wareham erg dankbaar. Ze is een schat van een redacteur. Ze is ongelooflijk enthousiast, en heeft mij en mijn dierenverhalen van ganser harte in haar armen gesloten! Jullie vertrouwen was een grote steun wanneer ik 's morgens voor een leeg vel papier ging zitten. Ik ben zo blij dat je mijn voorstel hebt gelezen in de ondergrondse!

Nerrilee Weir en Tracey Cox hebben gezorgd dat ik niet gek werd. Ik mocht altijd komen aanwaaien voor de lunch. Wekenlang maakten ze me aan het lachen en leidden ze me af met de meest onderhoudende, stimulerende, gedenkwaardige gesprekken en e-mails. Ik sta bij jullie in het krijt; jullie hebben nog wat van me tegoed!

Schrijven is een verschrikkelijk eenzaam beroep. Soms is een telefoontje het enige redmiddel tussen een schrijver en totale wanhoop. Iemand herinnert je eraan dat ergens daarbuiten mensen zijn die naar de film gaan, de krant lezen in het park, *Prison Break* kijken en andere dingen doen die je vroeger zelf deed en misschien, in de verre toekomst, weer zult doen. Ik bof ongelooflijk met mijn fantastische vrienden die zonder te klagen bereid waren te luisteren. Ik jammerde maandenlang dat het leek alsof ik de Mount Everest beklom en pas net het basiskamp had verlaten. Ik ben Merina dankbaar omdat ze het goedvond dat ik ons verhaal vertelde en omdat ze me steun gaf tijdens een van de zwaarste perioden uit mijn leven; Jane, een van de zorgzaamste mensen die ik ken; Liz (dank je omdat je altijd voor me klaarstaat en voor het ongelooflijk lekkere eten! Dank je, Caroline!); Bev (dank voor het luisteren); Will (dank voor je steun in al die jaren!), Jean (dank voor de lessen in het geloof), Chris, Reyhana en de familie Santin, Carole, Don en Kellie, die er vanaf het begin waren. Ik dank Martin en Emelia die mij en mijn geschonden verleden met zoveel liefde, vergevingsgezindheid en vertrouwen hebben geaccepteerd, en die me hebben aangemoedigd de waarheid te vertellen. Terwijl ik schreef bewezen ze me een enorme eer: ik mocht (samen met Reyhana) peetmoeder zijn van hun eerstgeboren zoon, Matis Sandile Sithole Matarise. Dankjewel. Het betekent heel veel voor me.

Richard en Katherine Etheredge onthaalden me in Zimbabwe urenlang bij koffie en heerlijke zelfgebakken biscuits op geestige en ongelooflijk gedetailleerde anekdotes. Ik dank Sue, Thomas en Douglas Beattie omdat ze bereid zijn te figureren in dit boek. Ik dank Lee Walters en Juliet Keevil voor die heerlijke middag waarop we onze achterstand hebben ingehaald!

Dank aan de Canadese zanger Jann Arden. Zijn prachtige muziek en grappige optreden in Londen waren een volmaakte manier om de voltooiing van dit boek te vieren.

Op geen enkele manier kan ik recht doen aan mijn liefde en dankbaarheid voor mijn ouders en mijn zusje Lisa. Ze legden hun leven in mijn handen en stonden me toe het hele verhaal te vertellen, wetend wat het zou betekenen. Dank jullie wel voor de mooie herinneringen en bovenal voor Rainbow's End.

Een bijzonder bedankje voor Miss Zeederberg, mijn lerares Engels op de Roosevelt-school in Harare, Zimbabwe, omdat je me de moed hebt gegeven schrijver te worden. Door jou ging ik in de macht van het woord geloven, en ik ben jouw woorden nooit vergeten.

Het laatst, en belangrijkst is dit: ik wil Camilla en Billy danken, twee van de dapperste en bijzonderste mensen die ik ooit heb ontmoet, omdat jullie je verhaal aan me hebben toevertrouwd. Ik hoop dat mijn verhaal, hoe klein en ontoereikend ook, de mooie vriendelijke mensen eer aandoet, die ooit hun leven verloren in Norton en Rainbow's End.

Woordenlijst

Ag: Ach
Ari kopi...?: Waar is...?

babotie: een gehaktschotel met kerrie, met een dun laagje ei
badza: schoffel
bakkie: een kleine truck met een laadklep of een vrachtauto
Basopa!: Pas op! Voorzichtig!
bemba: zelfgemaakte, met de hand beslagen en geslepen zeis
biltong: dunne repen gemarineerd, in de lucht gedroogd mager
   vlees, van rund of wild
boerewors: gekruide worst die traditioneel wordt gebakken op
   braaien (letterlijk: boerenworst)
boma: tijdelijke omheinde veekraal
braai: barbecue
bundu: rimboe, wildernis
bush: het platteland, de Afrikaanse savanne (Zuid-Afrikaans
   idioom)
bushveld: een veld dat hoofdzakelijk bestaat uit bos

Chibuku: een merk bier
Chilapalapa: een versimpelde vorm van Nguni (Zoeloe, Xhosa,
   Ndebele en aanverwante talen) vermengd met snippers Engels,
   Nederlands en Afrikaans, die is ontstaan vanuit de behoefte een
   gemeenschappelijke taal te scheppen die snel aangeleerd kon
   worden door een steeds wisselende populatie arbeiders. Staat
   ook bekend als keukenkaffertaal en *Fanagalo*
Chimurenga: een wijdverbreide term die gebruikt wordt door de

Shona-meerderheid in Zimbabwe, waarmee ze hun worstelingen tegen de onderdrukking aanduiden. De eerste Chimurenga verwijst naar de revolte tegen de koloniale overheersing in 1896-1897, en de tweede Chimurenga naar de onafhankelijkheidsoorlog van Zimbabwe.

dassie: bergkonijn
doek: pet of hoofddoek
donnering: doden
duiker: kleine Afrikaanse antilope, met korte, naar achteren gebogen hoorns

Fanagalo: zie Chilapalapa

goggo: insect; afgeleid van het Khoi khoi-woord '*xo-xon*' dat 'kruipende dingen' betekent. De g wordt uitgesproken als in het Schotse woord 'loch'
Got: God
granadilla: passievrucht
Gukurahundi: een Shona-term met verschillende definities, die allemaal ongeveer betekenen: 'de storm die het kaf wegblaast voor de lenteregen'

hamba lapa: ga daar heen, ga weg
Hayikona, hayikona. Yinindaba?: Nee, niet doen, niet doen. Wat is er aan de hand?

impala: een bruine antilope met een witte onderbuik die bekendstaat om zijn lange, sierlijke sprongen; het mannetje heeft dunne hoorns in de vorm van een lier
impis: Zuidelijk Afrikaanse krijgers

jongwe: jonge haan

kaffer: Afrikaan (geringschattend)

kapenta: gedroogde minivisjes, Afrikaans hoofdvoedsel
kaya: verblijfplaats of hut
koeksister: een koekje gedrenkt in stroop, een Zuid-Afrikaanse lekkernij
kopje: een lage heuvel of een kleine rotsachtige dagzomende aard-laag
koedoe: grootste Afrikaanse antilope, met lange gedraaide hoorns
Kunjani?: Hoe gaat het?
kutundu: bezittingen

lekker!: fantastisch!
lobola: een bruidsschat, gewoonlijk betaald in vee

madala: oude man
mealie: maïs
munt: Afrikaan (geringschattend)
muntu: persoon, mens
muputahahy: ongedesemd Afrikaans brood gemaakt van maïsmeel
mush: fijn, heerlijk (*slang* – je spreekt het uit: moosh, zoals: 'het is moosh in de bush')

ntsimbi: ijzeren of stalen stuk gereedschap; of gong, bel
numnah: een doek van vilt of schapenvacht onder het zadel om schuren te voorkomen
Nxa: uitroep, uiting van ongenoegen
nyoka: slang

okes: kerels (*slang*)

pawpaw: papaja
piccanin: klein kind
polony: een roze, geconserveerde vleeswaar (cornedbeef)

quagga: uitgestorven Zuid-Afrikaanse wilde ezel, met minder strepen dan de zebra

sadza: pap gemaakt van maïs of maïsmeel
shamwari: vriend
shateen: de wildernis
shumba: een leeuw, of *slang* voor bier, aangezien een bekend
    Rhodesisch biermerk Lion (leeuw) heet
sjambok: een zweep, traditioneel vervaardigd uit rinoceroshuid
skelem: schelm, schoft
sponspek: suikermeloen
stoepas: identiteitspapieren

takkies: witte gym- of trainingsschoenen
tsotsi: een jonge vandaal of schoft

umbanje: marihuana
umdala wethu: onze oude man

veld: open grasland, zonder bos of dun bebost
veldskoenen: lichtbruine, stevige suède schoenen
vlei: laagliggend dal waar in het natte seizoen een ondiep meer
    ontstaat
Voortrekkers: Hollandse Boeren uit de Kaapprovincie die in de
    negentiende eeuw deelnamen aan de grote trek naar Transvaal

Wena mampara, wena: Waardeloos mens dat je bent
wildebeest: gnoe
Yena file?: Is hij dood?
Yena penga stelek: Hij is helemaal gek

Acroniemen

ANC: African National Congress
CID: Criminal Investigation Department
CIO: Central Intelligence Organization
FRELIMO: Front for the Liberation of Mozambique
PAC: Pan African Congress
PATU: Police Anti Terrorist Unit
RAR: Rhodesian African Rifles
RENAMO: Mozambique National Resistance
RLI: Rhodesian Light Infantry
UDI: Unilateral Declaration of Independence
ZANLA: Zimbabwe African National Liberation Army
ZANU: Zimbabwe African National Union
ZANU/PF: Zimbabwe African National Union Patriotic Front
ZAPU: Zimbabwe African People's Union
ZIPRA: Zimbabwe People's Revolutionary Army